FIDEL CASTRO
Y EL GATILLO ALEGRE

SUS AÑOS UNIVERSITARIOS

COLECCIÓN CUBA Y SUS JUECES

EDICIONES UNIVERSAL, Miami, Florida, 2003

ENRIQUE ROS

FIDEL CASTRO Y EL GATILLO ALEGRE

SUS AÑOS UNIVERSITARIOS

Primera edición, 2003

EDICIONES UNIVERSAL
P.O. Box 450353 (Shenandoah Station)
Miami, FL 33245-0353. USA
Tel: (305) 642-3234 Fax: (305) 642-7978
e-mail: ediciones@ediciones.com
http://www.ediciones.com

Library of Congress Catalog Card No.: 2003105914
I.S.B.N.: 1-59388-008-5

Diseño de la cubierta: Eduardo Fiol

ÍNDICE

PRÓLOGO

Enrique Ros nos presenta, en éste su octavo libro, lo que pudiéramos llamar el capítulo final de su valiosa aportación histórica sobre los acontecimientos más importantes acaecidos durante la larga, y aún no acabada, dictadura de Fidel Castro.

Esta nueva contribución, la dedica el autor, a presentarnos el perfil sicopático del tirano, su compleja personalidad, su criminal conducta de bonchista y su irrefrenable pasión por el poder omnímodo. El personaje que surge de esta lectura es el de un hombre atormentado por un complejo de inferioridad, nacido de su espurio origen, pero dotado de suficiente inteligencia y maldad para lograr, sin principios ni escrúpulos morales, su objetivo de poder. Su oculto resentimiento por lo que percibía como rechazo, real o imaginario, de sus compañeros y de la sociedad en la que vivió durante su niñez y adolescencia, lo llevaron, afanosamente, a vencer y triunfar en todos los campos en los que desenvolvió su actividad.

Él tenía que ser el jefe incuestionable, y para lograrlo, todo estaba permitido, la vida humana, la amistad, la lealtad, la familia, el amor no eran para el más que sentimientos deleznables, de los cuales había que desprenderse para no obstaculizar la conquista del poder.)ðQué otra explicación racional puede darse a la inútil aventura del Cuartel Moncada, remedo del putch hitleriano de Münich, con el que buscó convertirse en el lider de la oposición, sacrificando la vida de jóvenes idealistas que reclutó engañados y de soldados inocentes sin culpa alguna de la situación política creada?.

Ros basa su libro en informaciones obtenidas en publicaciones de Cuba y en el extranjero, en periódicos y revistas de la época y en gran parte en el testimonio directo de muchos de los protagonistas de los hechos que narra. Su imparcialidad y su objetividad las demuestra al consignar las distintas versiones que inevitablemente surgen en los seres humanos cuando los recuerdos se van desdibujando con el transcurso de los años.

Un hecho interesante que se observa en las actividades estudiantiles universitarias de esa época, los finales de la década de los 40, es la tolerancia y aceptación de los líderes comunistas por aquellos que militaban en las filas antimarxistas. Eso hoy hubiera sido imposible, después de la experiencia ganada tras el comportamiento de los rojos en la Cuba de Castro. La alianza de la Unión Soviética con las democracias occidentales, y en especial con los Estados Unidos durante la Segunda Guerra Mundial, atenuó el rechazo a los discípulos de Lenin para volcarse, vigorosamente, en contra del eje nazi-fascista.

Una lacerante interrogación surge al completarse la lectura del libro de Ros: ¿Cómo se explica que aquellos que conocieron los antecedentes delictivos y gangsteriles de Fidel Castro, los políticos, los intelectuales, las clases vivas del país, los profesionales, se dejaron embaucar por este farsante? No he podido olvidar la frase del inolvidable Guillermo De Zendegui con la que tituló su libro «Todos somos culpables».

Ros describe con lujo de detalles las actividades estudiantiles y para-estudiantiles de Fidel Castro en el contexto de la Cuba de 1944-1952. Ello lo ha obligado a narrar múltiples episodios que nos recuerdan sucesos vergonzosos, como el gangsterismo y el pandillerismo, que florecieron en esos años. Los hechos de sangre en las calles de La Habana, los atentados y los asesinatos en nombre de la «justicia revolucionaria» indignaron a la sociedad cubana.

La violencia intrauniversitaria en las elecciones de la Federación Estudiantil Universitaria, (FEU) donde los puños y las armas pretendían decidir el triunfo electoral, sucedían con frecuencia. Esta situación colmó la paciencia y tolerancia de la sociedad cívica que condenó fuertemente la inacción y a veces la complicidad demostrada por algunos políticos, jueces, profesores, y oficiales policiacos. La situación llegó a tal extremo que fue necesaria la creación de una ley contra el gangsterismo en noviembre de 1948. Francisco Ichaso, el distinguido intelectual y periodista, publicó un artículo titulado: «Luz y sombras en la colina universitaria». Para honra del estudiantado meritorio y sus líderes, Ros nos recuerda la creación del CESU (Comité Estudiantil de Superación Universitaria) presidido por el digno profesor Ramiro Valdés Dausá, valioso exponente de la generación del 30, quien pagó con su vida su noble y valiente empeño. Años después surgiría el movimiento Pro-Dignidad Estudiantil. Algunos de sus miembros aún viven en el exilio de Miami.

Hay quienes opinan que aquella situación de permisividad y tolerancia explicó el porqué de la indiferencia inicial al golpe de estado del 10 de marzo. Después de esta fecha, el mal desapareció pero dio lugar al nacimiento de otros males de distinta naturaleza.

Los hechos narrados en el libro de Ros me hicieron pensar en el futuro de nuestra patria y algunos de los peligros que le acechan. He reflexionado sobre lo que llamo el post-castrismo a la luz de estos hechos. En Cuba, como en casi todos los paises latinoamericanos, existía, y aún existe, una cultura revolucionaria. La palabra «revolución» es casi obligada en los nombres de la mayor parte de las agrupaciones políticas de nuestro pueblos. «Movimiento Revolucionario»; «Agrupación Revolucionaria»; «Partido Revolucionario»; «Conjunto Revolucionario»; «Fuerzas Armadas Revolucionarias»; «Institución Revolucionaria»; etc., etc.

Véase que son nombres teóricos pero que recuerdan a muchos de los actualmente existentes. No se puede ser crónicamente revolucionario. Una vez que se obtiene el objetivo por el cual se lucha hay que «enfundar la espada y volver al arado». Hay que crear y no destruir. El bonchismo y el pandillerismo en Cuba fue un producto degenerativo de la necesaria y justa revolución de los años 30. El título de revolucionario llegó a constituir, para muchos, el de más valor y prestigio en la escala de los valores sociopolíticos. El líder cívico, el estadista, el creador de instituciones, el legislador fecundo, el hombre de empresa exitoso, y todos aquellos que fundan y que contribuyen al progreso del individuo y de la sociedad eran relegados a un lugar secundario en la hagiografía cultural de nuestros pueblos.

Este penúltimo libro de Enrique Ros debe ser leído por la nueva generación de cubanos del exilio y de la isla. Aquí van a encontrar las respuestas de muchas de las preguntas que aún se hacen sobre quién es Fidel Castro, el porqué de lo de ahora y sobre todo alertarnos para evitar los males de antaño en la futura Cuba libre y democrática.

Quiero también confesar que una seria preocupación surgió en mi mente y así lo comenté con Enrique. La detallada descripción que él ofrece sobre los repudiables acontecimientos de aquel triste período en el que Castro figuró como importante protagonista, puede crear en el ánimo del lector, no cubano, una imagen distorsionada de la Cuba republicana. Para contribuir a disipar esa imagen errónea, recordemos, que el mal del gangsterismo y el pandillerismo es una plaga, que en distintas épocas, ha enfermado a casi todos los paises. Los Estados Unidos la han sufrido en el pasado y aún luchan denodadamente contra su recurrente resurrección. Cuba la sufrió por algunos años pero al fin el mal fue eliminado.

Quiero finalizar este breve prólogo señalando que Fidel Castro, con su inmensa megalomanía, aspiró al poder y a la gloria. El primero lo alcanzó y lo ha mantenido con la traición y el crimen. La segunda le será negada, al convertir a su patria en un triste y doloroso escenario de sangre, esclavitud, hambre y miseria. ¡La historia no lo absolverá!

Virgilio Beato

INTRODUCCIÓN

Muchos biógrafos del hombre que más años ha ejercido un poder absoluto en nuestro hemisferio, han cubierto la vida de Fidel Castro –algunos, los menos, con cierta objetividad; los más, con graves omisiones y repetidas tergiversaciones–.

Se han extendido en las actividades de Castro frente al gobierno de Batista (el Moncada, el 26 de Julio, la Sierra Maestra); sus años de gobierno –antes y después de Girón–; su respaldo a los movimientos guerrilleros en Latinoamérica; sus relaciones con la Unión Soviética.

En este libro queremos mostrar al Fidel universitario, que estos biógrafos no nos han presentado: el joven estudiante que, desde sus años universitarios, mostraba su total carencia de escrúpulos.

El hombre que se define a sí mismo en el Rancho Santa Rosa, en 1956, donde más de un centenar de cubanos se entrenan, en tierra mexicana, para la gran aventura.

Castro, en conversación amistosa con Miguel Sánchez, el Coreano –responsable, junto al coronel Alberto Valle, de aquel entrenamiento– ha emitido un juicio ayuno de moral. Las palabras de Fidel provocan este diálogo con Sánchez, entonces, su amigo y confidente:

> *«¿Cómo dices eso, Fidel?. Yo te creía un hombre de principios». «Te equivocas, Coreano, yo sí soy un hombre de principios. Mis principios es no tener principios».*

Aquellas palabras reflejaban la verdadera personalidad de Fidel Castro: un hombre sin honor. Lo veremos, repetidamente, en estas páginas. El joven que se opone a que integre el equipo de pelota de la Universidad el mejor jugador porque es negro y la Liga Amateur no le permitiría, entonces, al equipo universitario participar en el campeonato. El estudiante que dispara sobre otro –a quien ni siquiera conoce– para probar que era tan «revolucionario» como los que lo rodean.

El alumno que comienza cultivando al grupo de izquierda de Manolo Castro para pasarse después, acobardado, a las huestes de

Emilio Tró. El estudiante que va a un congreso juvenil latinoamericano aduciendo tener credenciales que no le corresponden. El joven que traiciona a sus compañeros universitarios y de partido incumpliendo la palabra empeñada.

Es el hombre que tocando en todas las puertas para conseguir su nominación a un acta de representante por la Ortodoxia mantiene secretas negociaciones con el Partido Comunista para cambiar de militancia.

Fidel, lo veremos una y otra vez, es un ser carente de principios.

Mostramos en estas páginas, con datos concretos, todas la sinuosidades y traiciones del joven Castro

CAPÍTULO I

AMBIENTE NACIONAL Y UNIVERSITARIO

En octubre de 1945 ingresa Fidel Castro en la Escuela de Derecho de la Universidad de La Habana.

Exactamente un año antes, tras resultar electo en la «jornada gloriosa» de junio de 1944, Ramón Grau San Martín había tomado posesión como presidente de la república.

En los meses anteriores a la elección presidencial, la Universidad, a la que recién ingresaba Fidel, ya había estado sacudida por actos de violencia perpetrados por estudiantes extremistas. Los más, realizados por el *bonche,* nombre por el que se conocía a jóvenes pandilleros, muchos de ellos provenientes del Instituto Número Uno de La Habana y de la Víbora que, llamándose *revolucionarios*, extorsionaban a industriales y comerciantes[1].

Eran los meses que antecedieron a la presidencia de la FEU de Manolo Castro, estudiante de ingeniería quien, antes, había sido designado por el profesor Ramiro Valdés Daussá[2], como Segundo Jefe del Cuerpo de Seguridad de la universidad.

Tan pronto Fidel ingresa en la Universidad concibe la idea de aspirar a las más altas posiciones en la FEU. Pero sólo consigue ser escogido como delegado en uno de los cursos de la Escuela de Dere-

---

[1] «Eran jóvenes agresivos que, desde el instituto, se organizaron para extorsionar a comerciantes y amedrentar a profesores». Fabio Ruiz Rojas en entrevista con Enrique Ros.

[2] El 15 de agosto de 1940 el Ing. Ramiro Valdés Daussá fue asesinado en las cercanías de la Universidad de La Habana. Se acusó del crimen a Andrés Prieto Quincy, José Noguerol Conde y a Enrique Martínez.

cho[3]. Luego presidirá la Asociación de Estudiantes de Derecho, Baudilio Castellanos, amigo de Castro y nacido, como él, en Birán.

La actividad gangsteril, ajena a la Universidad, que había disminuido en los meses previos a la «jornada gloriosa», se exacerbó poco antes y después de asumir Grau San Martín la presidencia de la república.

Antes de la toma de posesión son acribillados a balazos en la cercanía del Ministerio de Salubridad los policías Luis Silveiro y José Fernández. Transcurren unos días y es asesinado el vigilante Ramón Marrero y, poco después, un cuarto policía, Antonio Ávila. Acción Revolucionaria Guiteras, por boca de su dirigente Jesús González Cartas (El Extraño), asume la responsabilidad de estos atentados.

Pero una muerte, de mayor trascendencia política acapara, por unos días los cintillos de la prensa:

«En la carretera de la Playa de Santa Fé apareció el cadáver de Eugenio Llanillo. Había recibido tres disparos en la cabeza. Se trataba de un abogado en ejercicio, fundador del Partido Auténtico, que había pertenecido al Directorio Estudiantil. Se había, luego, separado del Partido Auténtico e ingresado en el Partido Nacional Revolucionario Realista y al asumir el general Batista la Presidencia de la República en 1940 fue designado Jefe de Despacho de la Secretaría de la Presidencia.

Las investigaciones arrojaban que el comandante Guancho de Cárdenas[4], Jefe del Buró de Investigaciones había sido el ejecutor del atentado. Ante las evidencias mostradas Guancho quedó detenido. Aparecen comprometedores cargos contra Guancho de Cárdenas. Néstor Piñango, auténtico camagüeyano declara ante el juez especial que instruye la causa, que

[3] Era delegado de «Antropología Jurídica», posición a la que llega en la candidatura de los «manicatos».

[4] Juan (Guancho) de Cárdenas era sobrino del Vicepresidente de la República Raúl de Cárdenas, y ahijado de la Sra. Paulina Alsina, Primera Dama.

«Llanillo, Guancho y Enrique Enríquez[5] eran socios de Jaime Mariné[6] –cuando Batista ocupaba la presidencia– en el negocio de la bolsa negra de la gasolina[7]».

Poco después Enríquez –a quien, sin mayor fundamento, pretende Piñango inmiscuir en la muerte de Eugenio Llanillo– era víctima de un fatal atentado a manos de los miembros de Acción Revolucionaria Guiteras (ARG) Jesús González Cartas (El Extraño), Antonio *Cuchifeo* Cárdenas y Luis *Wichy* Salazar. Hablaremos de esta muerte en próximas páginas.

LA MUERTE DE LLANILLO

Guancho de Cárdenas fue siempre, dentro de la Policía, el informante de Genovevo Pérez Dámera con quien mantenían una estrecha amistad desde hacía muchos años[8].

El coronel Carreño Fiallo era el Jefe de la Policía, y Guancho estaba al frente del Buró de Investigaciones.

La historia de la muerte de Llanillo, silenciada o ignorada por muchos durante tantos años, era sencilla.

Llanillo, borracho, se ponía en distintos bares a hablar mal sobre asuntos personales del presidente Grau y de su cuñada Paulina. Un día, recuerda Mario Salabarría[9], Manolo Castro le dijo:

---

[5] Enrique Enríquez era en ese momento Jefe del Servicio Secreto de Palacio en la recién estrenada administración de Grau San Martín. Los acusadores de Guancho eran Mario Salabarría y Eufemio Fernández.

[6] Jaime Mariné, nacido en Cataluña, había llegado a Cuba en 1924. Se incorporó al ejército y luego del golpe del 4 de septiembre de 1933 fue designado ayudante del coronel Batista y, después, Director de Deportes.

[7] Declaraciones de Néstor Piñango ante el juez especial que instruye la causa contra Guancho de Cárdenas. *Bohemia*, marzo 25, 1945.

[8] Mario Salabarría. Entrevista con el autor.

[9] Mario Salabarría, que provenía de la organización «Pro Ley y Justicia» en la lucha contra Machado, fue uno de los fundadores de la Legión Revolucionaria de Cuba (LRC), junto con Roberto Meoqui, Manolo Castro, Pepín Díaz Garrido, Enrique Giroud (no confundirlo con Ángel Giraudy) y otros.

«vamos a ver si hablamos con «el Gordo», que así llamábamos a Llanillo desde la época de Machado, porque está hablando mucha bobería». Lo vimos y le dijimos: «Ven acá, Eugenio, ¿tú estás loco o estás bobo? ¿Por qué tienes que estar hablando boberías de Paulina y de Grau?».
Nos respondió que «esa gente» se había portado mal con él. Manolo y yo le hicimos ver que él era fundador del Autenticismo pero que, después, se hizo hombre de confianza de Mariné[10] *y que, ahora que Grau es Presidente, era lógico que nadie se acordara del Llanillo auténtico».*

En busca de una solución a tan enojosa situación le preguntan si él aceptaría un puesto fuera de Cuba y, sin vacilación, les respondió que lo aceptaría. No tuvo esa oportunidad.

A los dos o tres días aparecía su cadáver en la carretera de Cangrejeras. Coincide su muerte con otro hecho.

Cuando el coronel José Eleuterio Pedraza, tras una larga ausencia, entra en Cuba se esconde y empieza a enviarle recados a varias personas porque quiere hablar con ellas. Entre éstas está Gómez Gómez[11] a quien le avisa con su cuñado, el comandante Fajardo que ya estaba retirado y quien, inmediatamente, lo va a ver.

Regresa Fajardo y se lo informa al alto oficial que, de inmediato, va con Fajardo, a buscar a Pedraza. No a conversar con el viejo amigo sino a detenerlo. Eran las primeras semanas en las que Genovevo Pérez Dámera, que recién ha sustituido a López Migolla como Jefe del Ejército, estrenaba sus estrellas de General.

EL OFICIOSO GUANCHO DE CÁRDENAS

El único oficial de la Policía que va con ellos es Guancho de Cárdenas. Pedraza está desarmado. Lo detienen, pero cuando lo presentan al Tribunal de Urgencia aparece una ametralladora que tiene la numeración del Cuartel Maestre de la Policía. Esa ametralladora se la

---

[10] Mario Salabarría en entrevista con el autor.

[11] El general Abelardo Gómez Gómez ya está en el Estado Mayor.

puso Guancho de Cárdenas, expresa Mario Salabarría en nuestra extensa conversación.

Ya, en ese momento, Llanillo está muerto y se convierte en noticia de primera plana. Pedraza, detenido, es acusado de aquella muerte. Carreño Fiallo, el Jefe de la Policía, llama a Israel Castellanos Director del Gabinete Nacional de Identificación y le ordena que le haga a Pedraza la prueba del guantelete de parafina.

«Me viene a ver Castellanos, recuerda Salabarría, y me dice, muy nervioso: Comandante, el coronel Carreño me llamó y me ha dicho: los guanteletes de parafina tienen que dar positivo. No sé lo que debo hacer»[12].

Le responde:

«Castellanos, ¿qué es lo que usted quiere que yo le diga? ¿Lo que yo haría?. Yo le haría la prueba de la parafina a Pedraza y si da positiva, dio positiva. Y si dio negativa, dio negativa. Ni Carreño, ni nadie, le puede hacer nada a usted porque yo soy testigo de lo que le han pedido».

Se fue Castellanos a La Cabaña y le hizo la prueba a Pedraza, y dio negativa. Cuando Castellanos regresa le dice al Jefe de Actividades Subversivas[13]:

«Yo quiero que usted, como mi superior, se la lleve al coronel Carreño».

La tomé, sigue narrando Salabarría, y me fuí para la jefatura. Estaba Mauricio Hernández de guardia y le dije:

«Mauricio, aquí está la prueba de la parafina que se le hizo al coronel Pedraza y dio negativa. Quiero ver al coronel Carreño para decírselo».

Le responde el oficial de guardia:

---

[12] Entrevista con el comandante Mario Salabarría de Enrique Ros.

[13] «El Departamento mío se creó durante la guerra y se denominó Servicio de Inteligencia y de Actividades Enemigas. Después le cambiaron el nombre a Servicio de Investigación Exterior de la Policía; funcionábamos en el Buró de Investigaciones donde estuvo primero Ricardo Artigas y, luego, el último, Guancho de Cárdenas (que fue quien mató a Eugenio Llanillo)». Cuando a mí me nombraron, llevé a Eufemio, y a Mariano Faget, dos comandantes de la Policía». Fuente: Entrevista con Mario Salabarría.

«Chico, tengo órdenes del coronel Carreño de que no está para nadie; exclusivamente para el Presidente de la República».

Salabarría le repite otra vez, para que no hubiese duda, que la prueba había dado negativa; y la deja en manos de Mauricio Hernández.

Pero siguen las maniobras para culpar a Pedraza; o, más bien, para exonerar al responsable.

El coronel León Blanco, que era el asesor de Genovevo Pérez Dámera, convoca a una reunión con los jefes de los cuerpos investigativos: El coronel Gómez Sicre; el coronel Benito Herrera, de la Policía Secreta; Eufemio Fernández, de la Oficina de Control y el comandante Mario Salabarría de Actividades Enemigas.

Llega León Blanco, nos narra Mario, con Enrique Enríquez –el que pronto será asesinado en las calles de La Habana– y expresa que hay que acoplar todos los informes de los distintos cuerpos para ofrecerlos a la opinión pública que está escandalizada.

«Enrique Enríquez dice en el reporte que ha preparado, para que todos lo aprobemos, que Pedraza le había prestado $150 mil pesos a Llanillo y que éste se los había apropiado y que, por eso, Pedraza lo había matado».

Otros acusaban a Eugenio Llanillo[14], de ser jefe civil de una conspiración en la que el general José Eleuterio Pedraza estaba comprometido[15].

Cuando Genovevo supo que Pedraza estaba en Cuba, preocupado por su presencia, ordenó a Salabarría detener a varios individuos, acusándolos de conspirar contra el gobierno. Entre ellos Belisario Hernández, antiguo jefe del SIM; el coronel René Scott; el Capitán Clemente Hernández y el comandante Manuel Chamizo; todos ellos oficiales retirados.

---

[14] Hombre ya de grandes recursos económicos, y quien, en 1934, había sido miembro de la «Joven Cuba», de Tony Guiteras.

[15] Herminio Portell Vilá, «La Nueva Historia de la República de Cuba».

Salabarría los detiene y empieza a levantar el acta de los detenidos relacionando todo lo que les ha ocupado a cada uno: a éste, un uniforme; al otro, una funda; una cartuchera. Ninguno tenía armas. Eran, todos, oficiales retirados.

Mauricio le dice a Salabarría:

«¿Tú crees que con lo que tú les has ocupado, esos individuos pueden ser sancionados?».

Recibe esta respuesta:

«Lo que yo le he encontrado a esos individuos son uniformes y cartucheras, ninguna arma».

En ese momento llega Guancho de Cárdenas. Trae este mensaje:

«Oye Mario, traigo una orden de Genovevo de que te está enviando un camión con unos rifles, revólveres y otras armas para que al levantar el acta se las pongas como si se las hubieras ocupado»[16].

Le responde el Jefe de Actividades Enemigas que él no cumpliría esa orden; Guancho insiste pero recibe la misma negativa. Para poner fin a la interminable discusión Salabarría le pide a de Cárdenas que llame, desde el teléfono de su oficina, al general Pérez Dámera para decírselo él directamente. Guancho le explica a Pérez Dámera la negativa de Salabarría y le pone a Genovevo al teléfono quien le pregunta *¿Qué pasa allí, Salabarría?*. La respuesta es simple y directa:

«Aquí no pasa nada, General. Usted me manda que yo le ponga unos fusiles y unos revólveres en las actas que estoy levantando a los individuos que yo detuve anoche, y yo le dije a Hernández y al comandante Cárdenas y se lo digo a usted ahora, que yo esa orden no la cumplo».

«Yo sabía que, desde ese momento, yo, para Genovevo, estaba alzado».

Comenzó Salabarría a localizar a Menéndez Villoch, Ministro de Defensa. No pudo hablar con él. Localizó a Segundo Curti, Ministro de Gobernación, a quien le explicó el problema. Curti habló con Genovevo y, aparentemente, todo había quedado solucionado.

---

[16] Entrevista con Mario Salabarría, abril 4, 2002.

Colacho Pérez y Belisario Hernández habían traído a Pedraza –que está fuera de la isla desde que salió Grau[17]– por Pinar del Río. Genovevo conoce de la presencia de Pedraza y es cuando ordena su detención temiendo que esté conspirando. Es en ese momento que se conoce la muerte de Llanillo:

«Como yo estaba al tanto de lo que, con frecuencia, borracho, Llanillo hablaba sobre el Presidente y un familiar allegado, comprendí que alguien cercano al gobierno lo había matado».

Y, precisamente, es en ese instante en que Mauricio Hernández, ayudante del coronel Carreño Fiallo, Jefe de la Policía, llama a Salabarría y le dice:

«Mario, ¿sabes tú de un individuo que apareció muerto en la carretera de Cangrejerass?».

Salabarría le contesta:

«No chico, yo no conozco nada de eso. Ni me voy a meter porque eso está dentro de la jurisdicción del Ejército».

Todo sucede en pocos minutos.

En el momento en que Mauricio Hernández le informa a Salabarría sobre el hombre muerto, llega Guancho *«acabadito de bañar, limpiecito»*[18] para decirle que había *«aparecido un hombre muerto en la carretera de Cangrejeras»*, como si él no conociera al hombre asesinado!.

A los veinte minutos vuelve Mauricio a llamar a Salabarría: «Oye, el muerto es un tal Llanillo». La respuesta es tajante: «Mira Mauricio, no es un *tal Llanillo*, es el Dr. Eugenio Llanillo, fundador del PRC; así que es un hombre que tiene historia en la política de Cuba». El ayudante de Carreño le responde: *«Oye, dice el Coronel que cualquier cosa que vayas a hacer en esto no lo hagas sin hablar primero con él».* Empieza a confirmar, así, sus sospechas el Jefe de Actividades Enemigas quien le pide a Eufemio Fernández que vaya con Israel Castellanos para hacer un reconocimiento del cadáver.

En horas de la tarde regresan Eufemio y Castellanos y éste le informa a Salabarría:

---

[17] Poco antes de entregar Batista la presidencia a Grau, se marcha Pedraza de la isla.

[18] Palabras de Mario Salabarría al autor.

«Comandante, a este hombre lo han asesinado sin él esperar que lo agredieran. Tienen que ser amigos de él porque tiene su cara normal. No tiene ninguno de los signos de quien se ve agredido».

Y continúa explicando cuáles son estos signos en que basa su afirmación.

Al día siguiente fue el Jefe de Actividades Enemigas, con Castellanos, con otro forense y con el norteamericano que estaba al frente de la Oficina del FBI en Cuba, a presenciar la autopsia.

El del FBI, toma del brazo a Salabarría y lo aleja para hablar a solas preguntándole si había sabido algo de esa muerte y que lo venía a ver a nombre del Embajador que le había dicho que estaba muy interesado en que se aclarara ese crimen[19].

Los periódicos y la radio haciendo pleno uso de la libertad de prensa, son pródigos en la difusión de información sobre la muerte de Llanillo. Se conoce que éste había sido detenido en su bufete por el Capitán Benigno Castellar y el agente Gallo a las tres de la tarde del 14. Se da a conocer que el Capitán Castellar cumplía órdenes del Capitán Juan de Cárdenas.

Le incautan a Guancho dos carros fundidos y comienzan a preparar la acusación. La secretaria de Llanillo[20] oyó lo que había sucedido en los últimos minutos que pasó Llanillo en su oficina, cuando vino un individuo a buscarlo: *«Yo no le ví la cara a esa persona pero tenía una voz gruesa»*. Salabarría concluyó que «ese es Benigno Castellar».

ARRESTO Y FUGA. INVESTIGACIONES Y CAMBIOS

Cuando ya tenían armadas las acusaciones Salabarría y Eufemio fueron a ver al Dr. Arturo Hevia, que era el juez y le explicaron el móvil y que:

---

[19] Salabarría le hace al autor esta aclaración :»Ros, yo no le he dicho a nadie esto que te estoy diciendo porque, si, entonces, lo hubiera dicho parecería que lo estaba haciendo por temor a los norteamericanos».

[20] Ana María Gómez ratifica sus declaraciones el 24 de marzo ante el Juez Especial Arturo Hevia.

«el autor intelectual, Dr. Hevia, es el Jefe del Ejército, pero no podemos llevar adelante una acusación que va a crear una crisis institucional si esto se da a conocer, pero sí queremos que usted conozca el móvil y los autores intelectuales. Por eso queremos acusar, sencillamente, sólo a estas personas: Guancho de Cárdenas, Capitán Castellar, Otmaro Montaner y el teniente Álvarez Opisso».

De Cárdenas, junto con Vicente Álvarez Opisso, el Capitán Benigno Castellar, el Cabo Montaner y el vigilante Carlos Gallo, fueron internados en la fortaleza de La Cabaña en espera del juicio que se les celebraría por la muerte de Llanillo. Poco después de aquella detención, el sobrino del vicepresidente había sido trasladado al Hospital de la Policía para ser sometido a una operación apendicular.

No han transcurrido once meses de estos hechos cuando un «oficial de la Policía» sale una noche del Hospital y se aleja en un automóvil de chapa oficial que le esperaba.

Al día siguiente la Audiencia recibía esta muy comedida nota del director del Hospital de la Policía, teniente coronel Eduardo García Porraspita:

«Tengo el honor de comunicarles que la noche de ayer, estando de guardia el Dr. Fernando Sordo hubo de marcharse del hospital el comandante Juan Roberto de Cárdenas».

No era, pues, una fuga. Era, sencillamente, la decisión de un detenido deseoso de «marcharse» del sitio que lo «albergaba».

La fuga o el simple *«hubo de marcharse»* de Guancho no resultó un hecho inesperado. El periódico «El Mundo» en su editorial del domingo 5 advertía, condenándolo, *«el ambiente de inseguridad y la notoria flaqueza del principio de autoridad en el actual régimen».*

La prensa destacaba que cuando el presidente Grau visitó la fortaleza de La Cabaña conversó brevemente con *Guancho* interesándose por el tratamiento que se le daba y que dirigiéndose al general Querejeta le expresó *«General, procure que Guancho se sienta más cómodo... necesita más espacio»,* y que, al hablarle al ahijado de la Primera Dama le dijo: *«No te preocupes, muchacho, a lo mejor sales más pronto de lo que te figuras».*

Muchos resortes se movían en favor del comandante procesado. Primero, su defensor el conocido abogado Emilio Cancio Bello. También el criminalista José Miró Cardona, defensor de otro de los encartados, el Capitán Castellar, que solicitó del tribunal civil que declinase su jurisdicción en favor de los tribunales militares[21]. Pero la sala declaró sin lugar la petición y confirmó la competencia de la jurisdicción civil. Ante el temor de que fuese juzgado en la jurisdicción civil o porque el Capitán Castellar hiciera declaraciones comprometedoras, Guancho decidió «marcharse».

La fuga de Guancho de Cárdenas no era, tampoco, un hecho aislado. El año anterior, José Noguerol, *bonchista*, condenado a 20 años por el asesinato de Ramiro Valdés Daussá, también «optó por marcharse[22] de la Sala de Penados del hospital «Calixto García», resultando infructuosas las pistas seguidas para su captura.

A los pocos días, el 5 de junio el coronel Carreño Fiallo nombró al comandante Mario Salabarría como Oficial Investigador en la evasión de Noguerol quien, aparentemente, se dirigió a México.

También designa al comandante Antonio Díaz Baldoquín para investigar el atentado del que fue objeto el Capitán Antolín Falcón.

Aquel año se producen otros cambios que envuelven a personas estrechamente vinculadas con los dramáticos acontecimientos que, muy pronto, van a producirse. El comandante Antonio Morín Dopico es designado para ocupar el mando del Quinto Distrito[23], además de continuar al frente de la policía de Marianao.

Semanas después del asesinato de Llanillo se produce el fatal atentado a Enrique Enríquez.

La violenta muerte de Enrique Enríquez, jefe del Servicio Secreto de Palacio, a la que antes nos referimos, conmovió a las filas del gobierno. Tanto que Eduardo Chibás, entonces senador del Partido

---

[21] Revista *Bohemia*, abril 28, 1946.

[22] Mayo 31, 1945.

[23] El Quinto Distrito comprende las jurisdicciones de Regla, Guanabacoa y la Decimotercera Estación de Policía.

Auténtico, presentó una moción condenando enérgicamente el asesinato[24].

La condena del crimen tuvo el respaldo de todos los niveles parlamentarios, aunque los jefes de las minorías oposicionistas *«extendían su repudio y condenación a todos los asesinatos y desmanes que han venido sucediéndose últimamente»*.

A Enrique Enríquez lo mataron la gente de Acción Revolucionaria Guiteras (ARG) nos dice Salabarría: *«Yo ocupo el automóvil desde donde le tiraron y encontré huellas digitales de Wichy Salazar, del mecánico que arreglaba el carro y de Cuchifeo Cárdenas (sin parentesco alguno con Guancho). Ellos, de inmediato se presentaron»*. Aparece complicado, también, El Extraño.

Jesús González Cartas está teniendo problemas con Genovevo porque ha hecho en Columbia unas cartulinas ofreciendo $5 mil pesos por la captura de Orlando León Lemus y firma con los nombres de Eufemio Fernández y Mario Salabarría.

Estos últimos hacen una declaración pública enfatizando que no tenían nada que ver con esos carteles.

A las tres de la tarde, Eufemio y Mario, habían perdido sus posiciones. *«Pasamos a la Plana Mayor de la Policía. Allí permanecimos un tiempo. Eufemio que, como médico fue destinado al Hospital de la Policía, abandonó la posición, pero yo regresé en 1946»*[25].

Pero la atención de la población cubana no está puesta en el debate sobre la muerte de Enrique Enríquez sino sobre la entrada a Berlín de dos grandes columnas soviéticas.

HUGO DUPOTEY

Pocos años antes se había producido un alevoso crimen, al que nos referiremos en las próximas páginas. Uno de los condenados por

---

[24] Martes, 24 de abril de 1945. En el debate intervinieron, entre otros, Guillermo Alonso Pujol, Rogelio Regalado, Eduardo Chibás, Marcelino Garriga, Pedro López Dorticós, Juan Marinello, Armando Caíñas Milanés, Francisco Prío Socarrás, Joaquín Martínez Sáenz, Manuel Capestanys y Eduardo Suárez Rivas.

[25] Entrevista de Mario Salabarría con el autor.

aquella muerte era el estudiante José Noguerol quien meses después se fuga.

La Policía está intensificando la búsqueda de Noguerol, siguiendo, infructuosamente, todas las pistas.

Recibe un día Erundino Vilela, Jefe de la Policía Judicial, una confidencia de que Noguerol se encuentra oculto en la casa del estudiante Hugo Dupotey. Hacia allá se dirige llevando, porque han coincidido en la esquina de Neptuno y Perseverancia, a Eufemio Fernández. Al llegar al departamento de Dupotey, situado en un segundo piso, Vilela inicia un minucioso registro mientras Dupotey se asoma a la ventana y ve, desde allí, a Eufemio que está recostado al carro de Erundino porque él no formaba parte de aquella operación de registro. No produce resultado alguno aquella búsqueda. No está allí el fugitivo Noguerol.

Pasan dos o tres días y llega Dupotey, muy bebido, al bar en que se encuentran Eufemio y Alfredo Aguerreberre[26], el chofer de Mario Salabarría. Se acerca el bebido Dupotey a Eufemio diciéndole una y otra vez: «Tú no eres guapo. Saca tu pistolita». La provocación la repite mientras Eufemio trata de tranquilizarlo diciéndole: «No, yo no soy guapo».

Viendo que no puede alterar a Eufemio, se vira hacia Alfredo, que tiene otra mentalidad, y comienza a provocarlo: «Tú, ¿también eres guapo?». La respuesta es calmada: «No, yo no soy guapo; yo sólo soy el chofer del comandante Salabarría». Continúa Dupotey: «Saca la pistola», «Saca la pistola»; hasta que Alfredo sacó la pistola y le metió cuatro balazos. Esa es la historia de la muerte de Dupotey»[27].

El jueves 4 de abril ante el Dr. Riera Medina, Juez Especial de la causa que se sigue por la muerte del estudiante Dupotey, se presentaron Eufemio Fernández y Pedro Ramos.

---

[26] Alfredo Aguerreberre, que será señalado en abril de 1949 de ser uno de los participantes en el fatal atentado a Justo Fuentes, vicepresidente de la FEU, morirá a balazos el 3 de abril de 1958 en La Maya, Oriente.

[27] Narración de Mario Salabarría al autor.

Llamado como testigo, Amleto Battisti, propietario del Hotel Sevilla, testifica que desde sus habitaciones, donde estaba descansando, oyó los disparos sin que hubiese presenciado los hechos.

Se da a conocer[28] que el médico de guardia informó que el cuerpo de Dupotey presentaba 17 heridas «por proyectiles de arma de fuego». Los empleados del bar declararon que no presenciaron los hechos porque se lanzaron al suelo al oir los disparos. Fernando Aranda, propietario del Bar Criollo, fue «ingresado en la prisión como presunto autor de la muerte del estudiante Dupotey», publica el periódico *El Mundo* en su edición del 13 de abril.

Sospechas sobre quien había sido el autor del crimen habían recaído primeramente sobre Pablo Suárez Arostegui, muy vinculado a Palacio, a quien acusan de tratar de arrancarle «con procedimientos algo drásticos» al guardajurado del Bar Criollo el nombre de las personas que estaban en el lugar del acontecimiento[29].

La violencia que se enseñoreaba en la capital cubría también de sangre la colina universitaria.

EL *BONCHE*. SITUACIÓN EN LA UNIVERSIDAD ANTES DE LA PRESIDENCIA DE MANOLO CASTRO

En 1940, recién comenzadas las sesiones de la Asamblea Constituyente, Orestes Ferrara fue objeto de un atentado que lo dejó gravemente herido. Fueron acusados y procesados por aquella agresión Antonio Morín Dopico, José Noguerol, Mario Sáenz Burohaga, Juan González Andino y Mariano Puertas Yero. Todos, integrantes de lo que se conocía como *«el bonche universitario».*

Poco antes, el 16 de septiembre de 1938, Juan González Andino, al frente de un grupo de estudiantes, interrumpe la asamblea del Comité 30 de Septiembre agrediendo a José Angel Bustamante, entonces

---

[28] Periódico *El Mundo*, abril 12, 1946.

[29] Eduardo Chibás. Transmisión dominical del 7 de abril, 1946. Fuente: Luis Conte Agüero. «Eduardo Chibás: El Adalid de Cuba».

presidente de la FEU, y a José Utrera Valdés[30], presidente de la Asociación de Estudiantes de la Escuela de Pedagogía. Luego de aquel incidente se produjeron varias otras agresiones que fueron relacionadas en un memorándum de Ramiro Valdés Daussá aparecido en la prensa el 11 de septiembre de 1940, en el que se refería al *bonche.*

Los *bonchistas,* declaraba Ramiro, no eran más que un grupo de jóvenes que con amenazas y acciones gangsteriles trataban de imponerse dentro de la Universidad.

El *bonche universitario,* (que, por varios años, cubriría de vergüenza a las luchas estudiantiles en nuestro más alto centro docente), tuvo su origen en el Instituto Número Uno de La Habana y, casi simultáneamente, en el de La Víbora.

Entre otras irregularidades los *bonchistas* intervinieron, en forma abierta, en el concurso-oposición de la Cátedra de Historia. Este acto llevó al Rector Cadenas a concederle la cátedra a Portell Vilá lo que le ocasionó al honesto Rector tales ataques y agresiones del «bonche» que provocaron su renuncia[31]. El Dr. Cadenas –como ampliaremos en próximas páginas– fue sustituido por Rodolfo Méndez Peñate[32] quien,

---

[30] José (Pepe) Utrera fue un joven militante del Partido Comunista y, posteriormente, miembro de la Triple A dirigida por Aureliano Sánchez Arango. En esta última capacidad participó en el Frente Revolucionario Democrático a principios de la década del 60.

[31] El tribunal que debía decidir sobre el concurso-oposición estaba compuesto por los profesores Manuel Bisbé, Soto, Entralgo y Dubouchet. Los bonchistas, inconformes con la decisión del Dr. Cadenas agredieron, además de a Portell Vilá, al Presidente de la Asociación de Filosofía y Letras, Antonio Hernández Travieso, saboteando las asambleas de Filosofía y Letras donde se discutía la aceptación del fallo del Rector (Fuente: Niurka Pérez Rojas «El Movimiento Estudiantil Universitario de 1934 a 1940»).

Para una mejor valoración de la interpretación ofrecida por Niurka Pérez Rojas sobre los hechos acaecidos en la Universidad de La Habana en los años de 1934 a 1940, debemos conocer los datos ofrecidos sobre ella en su obra «El Movimiento Estudiantil Universitario de 1934 a 1940» publicado por la Editorial de Ciencias Sociales, de La Habana, en 1975: «Niurka Pérez Rojas... después del triunfo de la Revolución fue interventora de Colegios Privados; desde 1963 a 1971 fue profesora de Filosofía Marxista en la Universidad de La Habana,... es militante del Partido Comunista de Cuba».

[32] Rodolfo Méndez Peñate presidió en 1939 el Partido Nacional Revolucionario (Realista) en las elecciones que se celebraron para elegir delegados a la Asamblea Constituyente. Sólo uno de sus candidatos, el Dr. José Maceo resultó electo. El Dr. José Maceo fue luego electo gobernador de la Provincia de Oriente por el Partido Auténtico.

luego, sería señalado como un Rector sometido a las presiones de ese grupo gangsteril.

Aquella lucha motivó la formación del Comité Estudiantil de Superación Universitaria (CESU), la renuncia de Antonio Díaz Baldoquín[33] como Jefe de la Policía Universitaria y la designación del Ing. Ramiro Valdés Daussá para sustituirlo. Éste designó al estudiante Manolo Castro como su Segundo Jefe.

SURGE VALDÉS DAUSSÁ COMO LÍDER UNIVERSITARIO

En una de las conmemoraciones de la muerte de Rafael Trejos, Ramiro Valdés Daussá, en su simple condición de profesor, denunció:[34]

> *«a los que traicionan a la Universidad»; pide que se separen de la Colina «los que comprometen a la Universidad con su conducta culpable y concupiscente, los regaladores de notas, los simuladores de un saber que no tienen ni buscan»... «apértense los piratas, los ladrones de títulos... llévense del brazo a los feroces «boncheros», niños histéricos que si no hacen bulla no viven, porque nada valen, nada hacen que valga ni que importe».*

Fue impresionante el respaldo que la masa estudiantil ofreció a las palabras de aquel profesor. Con ese apoyo Valdés Daussá demandó del Rector Méndez Peñate que lo nombrara Jefe del Cuerpo de Seguridad a lo que, por la presión del alumnado y de honestos profesores, se vió obligado el Rector.

Había Ramiro presentado un programa con los siguientes puntos:

- No regalo de notas.
- No copia de exámenes.
- Medidas contra el uso de armas en la Universidad.

---

[33] Antonio Díaz Baldoquín, entonces estudiante de Derecho, fue herido en el enfrentamiento de la policía con estudiantes universitarios el 30 de septiembre de 1930 que le costó la vida a Rafael Trejo. En este cruento choque con la policía resultó también herido el estudiante Manuel Antonio (Tony) de Varona.

[34] 30 de septiembre de 1939.

- Modificación del Reglamento de la Policía Universitaria.
- Y abogó por la constitución de un grupo de profesores, alumnos y graduados que impulsasen este movimiento.

Se iniciaba, así, una lucha sangrienta entre los miembros del Comité Estudiantil de Superación Universitaria, respaldado por Mario Salabarría y Cándido Mora[35], y el *Bonche*. Días después, el 9 de marzo, Mario Sáenz de Burohaga era mortalmente balaceado en la Plaza Cadenas. Para evitar hechos similares Valdés Daussá nombró como miembros de la Policía Universitaria a Eufemio Fernández, Oscar Fernández Caral, Roberto Meoqui y Roberto Díaz Dulzaides.

Forman parte del *bonche* universitario, entre otros, José Noguerol Conde, Mario Sáenz de Burohaga, Antonio Morín Dopico, Juan González Andino (Ñaño), Benjamín Gutiérrez (El Gallego), Andrés Prieto Quince, Miguel A. Echegarrúa Acosta y Enrique Martínez.

Una de las primeras acciones violentas del *bonche* la realizó Morín Dopico cuando agredió a Cándido Mora Morales, supervisor de la sección de matrícula gratis en el edificio del rectorado (Raúl Aguiar Rodríguez: «El Bonchismo»).

Mario Sáenz de Burohaga, por Consejo de Disciplina del 5 de agosto de 1938, fue expulsado de la Universidad por dos años. Sáenz de Burohaga, como dijimos, murió baleado en la Plaza Cadenas, en 1940 *«a manos de un desconocido».*

Noguerol, encarcelado por su participación en la muerte de Valdés Daussá, se fuga años después.

Cuando se produce la fuga de Noguerol –recuerda Guillermo García Riestra– los estudiantes del Instituto de La Habana pusieron una tela en la fachada del edificio que decía:

«Salabarría mató a Burohaga.
Manolo Castro mató a Fernández Fiallo».

De este hecho se conocen dos versiones. A ambas vamos a referirnos.

---

[35] El 4 de junio Antonio Morín Dopico es herido de un balazo por Cándido Mora.

Según García Riestra (Billiken), Salabarría, que era jefe de Actividades Enemigas de la Policía, tratando de saber quienes eran los responsables de ese cartel detuvo a Andrés Noroña. Éste, estando en poder de Mario, murió. Lo tiraron con un lingote en la playa de Jaimanitas *«ese no es un procedimiento de un oficial de la Policía que se titule revolucionario»*, afirma con firmeza el antiguo dirigente de la UIR.

A tal afirmación responde, con gran vehemencia, Mario Salabarría en su entrevista con Ros[36]:

> *«A mí me acusan de la muerte de Andrés Noroña. Yo no tuve nada que ver con eso». «Pero a Sáenz de Burohaga, a ese sí yo lo maté».*

Y explica los motivos que lo llevaron a tomar esa decisión:

> *«La gente de la universidad estaba acobardada con estos tipos que eran unos 10 ó 12. Un día llego a la Universidad y me encuentro con Cándido Mora, que era una persona bajita, poco corpulento. Poco antes había llegado esa gente y comenzaron a empujarlo y a vejarlo. Al llegar yo, Cándido me dijo:*
> *–Esto es insoportable, insostenible, Mario. No hay quien lo aguante.*
> *–Le dije, estate tranquilo Cándido».*
> *Salí. Agarré a uno de ellos y se acabó el bonche».*

Pero el *bonche* necesitaba eliminar a quien lo denunciaba y combatía. Sus integrantes realizaron entre ellos un sorteo para determinar quien debía de eliminar físicamente a Valdés Daussá.

---

[36] Julio 22, 2002.

MATAN A VALDÉS DAUSSÁ.
EXPULSAN A LOS *BONCHISTAS*

A los cuatro meses, caía, víctima de una ráfaga de balas, Valdés Daussá[37].

En la noche del 15 de agosto (1940) éste fue baleado por varios agresores que se dieron a la fuga. En la huída, el carro, conducido por Noguerol, se vió envuelto en un choque en el que éste resultó herido siendo detenido junto con Andrés Prieto Quince.

Ante ese crimen, y al acusar la FEU a varios estudiantes universitarios del asesinato, el Consejo Universitario nombró una comisión integrada por Francisco Carone y Aureliano Sánchez Arango para estudiar las acusaciones.

Ya para el martes 20 de agosto aparecían evidencias, armas y planos, que inculpaban a los presuntos matadores de Valdés Daussá. Aquella tarde el juzgado ocupaba el plano o croquis y otros documentos donde los encausados *«revelaban su participación en un sinnúmero de hechos delictivos, ropas que usaban, pinturas que empleaban en alterar las chapas de los automóviles que sustraían, así como papeles que delataban las reuniones»*[38].

El Consejo Universitario expulsó a los bonchistas más conocidos, al tiempo que la Facultad de Ingeniería pedía la formación de expedientes al decano de la Facultad de Derecho, Guillermo Portela, y a los profesores Raúl Fernández Fiallo y Calixto Masó por su vinculación con los integrantes del *Bonche*[39].

El asesinato de Valdés Daussá lleva al Consejo Universitario a tomar un acuerdo por el que quedan expulsados del alto centro docente José Noguerol, Juan González Andino, Benjamín Gutiérrez, Andrés

---

[37] Cuando Valdés Daussá es asesinado ocupa Roberto Meoqui la jefatura del Cuerpo de Seguridad.

[38] Periódico *El Mundo*, La Habana, miércoles 21 de agosto de 1940.

[39] Luis Felipe Le Roy y Gálvez: «La Universidad de La Habana en su Etapa Republicana». *Revista de la Biblioteca Nacional José Martí*. Tercera Época. 1966.

Prieto Quince, Antonio Morín Dopico, Miguel Echegarrúa, Juan Valdés Morejón y Vicente Zorrilla[40].

La Federación de Doctores en Ciencias y Letras califica la muerte del probo dirigente universitario como «un asesinato alevoso» y pide «la depuración de responsabilidades entre los culpables, aún entre las autoridades profesionales y estudiantiles que facilitaron las actividades del grupo agresor».

Pero el Consejo Universitario inmediatamente se liberó de la ingrata tarea trasladando a las facultades correspondientes las acusaciones formuladas por la Facultad de Ingeniería y Arquitectura contra varios profesores. Las acusaciones al Decano de la Facultad de Derecho pasarían al Clausto de Profesores de esa Escuela; mientras que las formuladas contra el profesor Raúl Fernández Fiallo pasaban al Claustro de la Escuela de Ciencias Comerciales, y las hechas al profesor Calixto Masó, a la Facultad de Filosofía y Letras.

Mientras, la Audiencia acordaba designar al Dr. Gilberto Mosquera como Juez Especial quien, de inmediato, instruyó de cargos a Miguel Ángel Echegarrúa, José Noguerol Conde y Andrés Prieto Quince, acusados de ser los autores directos de la muerte a tiros del Ingeniero Ramiro Valdés Daussá.

En horas de la noche del domingo 18 de agosto (de 1940) el Juez Especial, Gilberto Mosquera les notificó, en el Castillo del Príncipe a los estudiantes Echegarrúa, Noguerol y Prieto Quince el auto de procesamiento dictado contra ellos[41].

En sus declaraciones Echegarrúa declaraba que *«conocía la existencia del bonche universitario aunque no pertenecía a él, y que era amigo de Mario Sáenz de Burohaga, de Noguerol, de Antonio Morín Dopico y de Andrés Prieto»* y afirmaba *«que se había enterado por los periódicos que Morín Dopico y Cándido Mora habían tenido una riña recientemente»*.

---

[40] Implicado en el atentado, Morín Dopico fue expulsado por un Consejo de Disciplina de la Universidad, pero la sanción fue luego anulada por la Audiencia de La Habana. En septiembre de 1948 el presidente Grau firmó un indulto liberando a Prieto Quince de la condena que cumplía.

[41] Periódico *Alerta*, La Habana, lunes 19 de agosto de 1940.

El Juez Especial hace algo más. Acusa de prevaricación al rector Méndez Peñate por no haber dado cuenta de las actividades delictivas de este grupo.

Por declaraciones de varios testigos e investigaciones llevadas a cabo por el Juez Especial se había determinado *«que fueron cuatro los individuos designados para darle alevosa muerte al Ingeniero Valdés Daussá»*[42].

Dos días después se daba a conocer que la Federación Estudiantil Universitaria había acordado expulsar de dicha organización al Presidente de la Asociación de Alumnos de Ciencias Sociales, Jorge Bacallao, al hacerse público que dicho alumno era, también, presidente de la Asociación «Alma Mater» integrada por miembros del *bonche universitario.*[43] Cargo que impugna la Asociación de Estudiantes de Derecho.

La Asociación de Alumnos de Ciencias Sociales denuncia «las acusaciones lanzadas por la Sección Estudiantil del Partido Comunista de Cuba, tendiente a la desintegración de la Unidad Estudiantil».

FORMACIÓN DE EXPEDIENTES A DECANOS Y PROFESORES

Los profesores y alumnos de la Facultad de Ingeniería, a la que pertenecía Valdés Daussá, exigieron, además, la formación de expedientes a los profesores Raúl Fernández Fiallo, de la Facultad de Ciencias Comerciales; Guillermo Portela, Decano de la Facultad de Derecho; y Calixto Masó, Profesor de la Facultad de Filosofía y Letras y Ex-Director del Instituto de La Víbora de donde procedían muchos de los bonchistas[44].

---

[42] Periódico *Alerta*, lunes 19 de agosto de 1940.

[43] *Diario de la Marina*, La Habana, agosto 22, 1940.

[44] La Asociación de Estudiantes de Derecho no respaldó esa decisión y se solidarizó con el Rector Méndez Peñate y el Dr. Portela. Mientras, el Consejo Universitario disponía que fuesen las respectivas Escuelas las que tramitaran los expedientes de Portela, Fernández Fiallo y Calixto Masó.

El estudiantado exige la expulsión definitiva de los bonchistas y la formación de expedientes a determinados profesores, así como la integración de una comisión investigadora de los desórdenes ocurridos en la Universidad. El Consejo Universitario rechaza esta última petición, pero aprueba la tramitación de expedientes a Portela, Fernández Fiallo y Calixto Masó en sus respectivas Escuelas; pero la Facultad de Derecho estimó que su Decano, Portela, sólo debía ser juzgado por el Consejo Universitario.

El 30 de septiembre en el acto que se celebra en el teatro Principal de la Comedia en conmemoración a un nuevo aniversario de la muerte de Rafael Trejo se produce un enfrentamiento entre jóvenes comunistas y anticomunistas en el que mueren dos estudiantes y un obrero.[45]

La lentitud en el procedimiento de investigación lleva a los estudiantes de ingeniería a convocar una asamblea en la que se creó el Comité Estudiantil Universitario (CESU) que pide tanto al Consejo como a la FEU agilizar el proceso contra los profesores encausados.

Para darle más fuerza a su petición los alumnos de la Escuela de Ingeniería y Arquitectura convocan a todos los estudiantes universitarios a una huelga. La convocatoria es rechazada por los Estudiantes de Derecho. Los de Filosofía aceptan el paro por 48 horas; los de Farmacia por 24, los de Ciencias por 72 y los de Agronomía por 48 horas.

Ante la lentitud del Consejo Universitario los estudiantes piden la renuncia del Rector Méndez Peñate. El CESU dispone que la FEU debía llegar, antes del 27 de Noviembre, a un acuerdo satisfactorio con Méndez Peñate.

Surgen diferencias de criterio entre el CESU, la FEU y el Consejo Universitario, aún no superadas el 27 de noviembre, fecha señalada para iniciar la huelga.

La violencia sigue aumentando en la Colina. En noviembre de aquel año (1940) la FEU acuerda celebrar asambleas en todas las escuelas exigiendo la renuncia del rector Méndez Peñate. El 28, mientras se celebraba una de éstas, era fatalmente balaceado el Profesor

---

[45] Luis Felipe Le Roy y Gálvez. *Obra citada.*

Raúl Fernández Fiallo[46], que estaba sometido a expediente de separación por su conexión con el *bonche*. Se menciona a Manolo Castro –que había sido el segundo jefe del Cuerpo de Seguridad de la Universidad cuando Valdés Daussá lo dirigía– como el responsable de la muerte de Fernández Fiallo.

Así describe Mario Salabarría la muerte de Fernández Fiallo:

«Venían bajando Fernández Fiallo y Lomberto Díaz[47] *por una de las calles al lado de la Universidad, cuando Manolo vió a Fernández Fiallo y reaccionó en esa forma».*

Explicación parecida le ofreció Manolo Castro a un compañero universitario: *«Cuando Fernández Fiallo me dijo que había matado al «h de p ése», una nube me enfureció»*[48].

Con esa expresión Manolo insinuaba que él había matado a Fiallo.

ILEGALIZAN AL CESU

Siendo Manolo Castro el máximo dirigente del Consejo Estudiantil de Superación Universitaria (CESU), el Consejo Universitario, aún presidido por Méndez Peñate, decidió ilegalizar al CESU[49] considerando que «la FEU es el único organismo que legítimamente representaba al alumnado».

Frente a la grave situación, el Consejo Universitario adopta enérgicos acuerdos:

---

[46] Raúl Fernández Fiallo, profesor universitario, aspiraba, en las elecciones de 1940, a un escaño senatorial por la provincia de Pinar del Río. En agosto de 1940 Fernández Fiallo le había presentado una demanda a Carlos Prío y a Emeterio Santovenia con motivo de la aspiración de éste a la senaduría.

Manteniendo el bloque de oposición del Partido Auténtico y el ABC, Carlos Prío y Santovenia recorrieron toda la provincia. Santovenia «el senador de la cultura» fue electo. Fuente: Octavio R. Costa: «Santovenia». Durante su campaña conocidos elementos del Bonche Universitario utilizaron la intimidación y la violencia para favorecer la postulación de Fernández Fiallo.

[47] Entrevista de Mario Salabarría con el autor.

[48] Entrevista de Luis Conte Agüero con el autor, abril 25, 2002.

[49] 3 de diciembre de 1940.

Expulsar definitivamente de ese Centro y prohibirles la entrada en su recinto a José Noguerol Conde, Juan González Andino, Benjamín Gutiérrez Ruz, Andrés Prieto Quince, Antonio Morín Dopico, Miguel Echegarrúa, José Antonio Morejón y Vicente Zorrilla y Zorrilla[50].

Dirigirse a la Sala de Gobierno de la Audiencia de La Habana solicitando «se digne designar un Juez Especial para la instrucción de la Causa que se ha iniciado»[51].

Toma el Consejo Universitario otras dos medidas menos trascendentes:

> Constituirse en Sesión Permanente suspendiendo el acto que tenía programado y guardar un minuto de silencio «como homenaje de respeto y admiración a la memoria del Ingeniero Ramiro Valdés Daussá».

El Claustro de Profesores de Ingeniería y Arquitectura acordó pedir el nombramiento de una Comisión Investigadora de la Conducta de varios profesores universitarios.

Hay una verdadera crisis en la universidad. Llueven las acusaciones y contra-acusaciones. La Asociación de Estudiantes de las Escuelas de Ingeniería y Arquitectura y la de Ciencias Sociales, en asamblea conjunta, acordaron ratificar los acuerdos adoptados por la Facultad de Ingeniería y Arquitectura y pedir que se investigue, también, la conducta del propio rector del Alma Mater, Dr. Rodolfo Méndez Peñate, del profesor de medicina Manuel Costales Latatú «y de los estudiantes Conrado Castell, Luis Orlando Rodríguez, Guillermo Ara, Jorge Bacallao y Felipe González Sarraín». Acusaban al Dr. Méndez Peñate de haber sido negligente y poco enérgico «con los elementos del llamado «bonche universitario»[52].

---

[50] Vicente Zorrilla y Zorrilla presentó de inmediato un escrito protestando que se le hubiese incluido entre los que formaban el «bonche universitario» y pidiendo que se dejara sin efecto su expulsión.

[51] *Diario de la Marina*, agosto 17, 1940.

[52] Diario *de la Marina,* agosto 18, 1940.

La Asociación de Estudiantes de Derecho, en Junta de Delegados declaró «que estimaba falsas las imputaciones hechas por la Escuela de Ingeniería y Arquitectura a los estudiantes Luis Orlando Rodríguez, Guillermo Ara y Conrado Castell» y se «solidariza plenamente con la actuación del Decano de la Escuela Dr. Guillermo Portela» expresándose, en idéntico sentido, de la actuación del Dr. Rodolfo Méndez Peñate. El Decano Portela recibe el respaldo, también, del joven Vicente Grau, Delegado Estudiantil de Derecho Penal.

Se suman otros apoyos.

Los graduados de los cursos de la Facultad de Derecho de 1938, 1939 y 1940 hicieron constar públicamente su rechazo a «las falsas imputaciones hechas al Dr. Guillermo Portela».

En pocos días se informaba por el Decano de la Facultad de Ingeniería, Ing. Félix Martín, que dicha facultad no tenía la intención de acusar al Dr. Portela, Decano de Derecho y que, sencillamente, se había limitado a pedir la designación de una Comisión Investigadora[53].

Otros se limitan a denunciar el crimen.

El 30 de noviembre (1940) la Facultad de Ciencias Comerciales declaraba «su pública condenación del hecho criminal que privó de la vida al Dr. Raúl Fernández Fiallo»; al tiempo que el expediente iniciado en averiguaciones de las imputaciones hechas a Fernández Fiallo no había sido aún fallado. Terminaba la Facultad de Ciencias Comerciales haciendo «un llamamiento al estudiantado universitario para que, acatando los procedimientos normales, contribuya así al restablecimiento del orden, fundamento esencial de la autonomía universitaria»[54].

Continuaban las tensiones entre el Rector Méndez Peñate y los estudiantes, especialmente los de la Escuela de Ingeniería que, en agosto de 1943, eligieron como Presidente de su Asociación a Manolo Castro quien, luego, resultó electo Presidente de la FEU. Ante ese respaldo a su declarado adversario, el Rector Méndez Peñate presentó su renuncia.

---

[53] Periódico *Alerta*, lunes 26 de agosto de 1940.

[54] *Diario De La Marina*, diciembre 1, 1940.

Formando parte de la FEU o del CESU se encuentran junto a Manolo Castro, Arturo Pino[55] de la Escuela de Agronomía; Pancho Martínez, estrechamente vinculado a Manolo; Félix Adán, esudiante venezolano; Luis Conte Agüero, que en la próxima elección por la presidencia de la FEU, perderá frente a Manolo con votación de 7 a 6; Norberto Martínez; Rodríguez Pichardo; Ruiz Leyro que ocupará la vicepresidencia de la FEU y otros.

RENUNCIA EL RECTOR MÉNDEZ PEÑATE

Otro factor, además de la elección de Manolo Castro como presidente de la FEU, contribuyó a la renuncia de Rodolfo Méndez Peñate: La censura al Rector formulada, con voto unánime, por el Claustro de Profesores de la Facultad de Medicina, por negarse el empecinado Rector a ratificar un acuerdo de la Junta de Gobierno del Hospital Calixto García.

Pero fue su oposición a la elección de presidente de la FEU el principal motivo de su renuncia. Para Méndez Peñate la convocatoria librada por Roberto Agramonte, rector en funciones, para cubrir los cargos del Ejecutivo de la FEU, era antiestatutaria porque la validez de la designación de Manolo Castro como presidente de la Asociación de Estudiantes de Ingeniería no estaba, aún, resuelta.

En los cinco años que duró su rectorado predominaron en la Universidad grupos de estudiantes que en provecho propio amedrentaban a profesores y alumnos.

El 14 de septiembre (1944) era electo un nuevo Rector: Clemente Inclán y Costa[56], –que ya antes en 1930, había ocupado igual posi-

---

[55] Arturo Pino ingresa en 1940 en la Escuela de Agronomía. Será delegado de curso en todos los años de la carrera y será electo Presidente de la Escuela en 1943 y reelecto en 1944.

[56] Electo de nuevo al Rectorado por votación de 36 a 3, (que fueron otorgados a Ramiro Capablanca), Clemente Inclán mantendrá su posición por más de 17 años, hasta el 11 de enero de 1962, cuando fue designado Rector Consultor. Murió el 22 de enero de 1965.

ción[57]– pero la triste historia de la violencia continuó en la Colina Universitaria, aunque ya, como grupo o institución, el «bonche» había desaparecido.

La desaparición de Noroña, la muerte de Sáenz de Burohaga, la prisión de Noguerol, González Andino, Prieto Quince y sus otros miembros, la renuncia del rector Méndez Peñate y la muerte de Fernández Fiallo, le habían puesto fin a la repudiable lacra que había manchado el prestigio de la colina universitaria.

La nueva hornada de inquietos estudiantes universitarios volcará su energía en tratar de ocupar posiciones de dirigencia en la FEU y no en la extorsión y amenazas a profesores. Un estudiante de Birán tratará, infructuosamente, de escalar las altas cimas de la FEU.

POSTERIOR VINCULACIÓN DE FIDEL CASTRO CON PRIETO QUINCE

Años después, en 1953, cuando Andrés Prieto Quince está cumpliendo su sentencia en Isla de Pinos, llega allí Fidel Castro condenado por el asalto al Cuartel Moncada. Se produce una natural identificación entre los dos pistoleros. Al triunfo de la Revolución volverán a encontrarse.

Este es el relato del hijo de Prieto Quince al autor:

«A fines de junio de 1959 –me cuenta mi padre– Fidel habla con Jesús Diéguez y le dice que necesita un hombre de confianza que vaya a Miami y «haga un trabajo». Diéguez le dice que tiene el hombre para eso y le menciona a mi padre que ya está libre. Fidel le pide a Diéguez que cite a Prieto Quince a su despacho para hablar con él[58]».

Se reúnen al día siguiente Fidel y Prieto Quince; conversan, se ponen de acuerdo, y le preparan en pocas horas toda la documentación

---

[57] El 13 de febrero de 1930, tras la renuncia de Octavio Averhoff, fue electo Clemente Inclán Rector de la Universidad de La Habana, cargo del que se ausentó por enfermedad en agosto de aquel año reintegrándose al mes –por petición del claustro– el 30 de septiembre ante los acontecimientos que produjeron la muerte de Rafael Trejo.

[58] Entrevista con el autor, agosto 16, 2002.

necesaria: pasaportes, pasajes, reservaciones para la esposa Enma, y para él. Es Ramiro Valdés quien se ocupa de estos trámites.

Fidel quiere que Prieto Quince, para mejor aparentar un viaje de vacaciones, viaje con toda la familia. Al conocer que tienen un hijo pequeño, pide que también le preparen los documentos del menor. El pasaporte lo emiten el martes 1o. de julio. El domingo 5 llegaba Prieto Quince a Cayo Hueso.

No se sabe qué «trabajo» realizó o intentó realizar Prieto Quince. Pero el comandante Pedro Luis Díaz Lanz, jefe de la Fuerza Aérea Cubana había tomado el domingo 28 de junio –el día anterior a la reunión de Fidel con Prieto Quince– un avión que lo llevó a Varadero y, de allí, en una lancha, partió hacia Cayo Hueso[59]. El jefe de la Fuerza Aérea había desertado. Al día siguiente, Fidel instruía al antiguo *bonchista* –condenado por la muerte de Ramiro Valdés Daussá– sobre el «trabajo» que debía ejecutar. Tal vez, a pesar de su magnífica disposición– no pudo realizarlo a plenitud, pero Castro quedó complacido.

> *«Cuando mi padre regresó a Cuba, Fidel le regaló un carro nuevo y le dio un puesto en el Ministerio de Trabajo con Augusto Martínez Sánchez y a mi madre la colocaron en lo que se denominó la «Seguridad del Estado» y formó parte del círculo íntimo de Fidel, manteniendo ella y mi padre estrecho contacto con Orlando (Olo) Pantoja».*
>
> *«Un día Olo Pantoja citó a mi padre a una finca en Pinar del Río y lo invitó a incorporarse a lo que luego conoce que sería la expedición de Guevara a Bolivia, pero mi padre se excusó diciendo que él era hombre de acción en la ciudad y no apto para la lucha guerrillera».*

---

[59] De la presencia de los Quince Prieto en esos días en los Estados Unidos deja constancia el Miami Herald del domingo 12 de julio de 1959 al reportar que la Sra. Enma Prieto, de La Habana, «mientras visitaba Miami fue multada por «jay-walking».

CAPÍTULO II

PRIMEROS AÑOS UNIVERSITARIOS DE FIDEL CASTRO SU INGRESO EN LA UNIVERSIDAD

En aquel ambiente de tensión y de luchas internas ingresa en la Universidad Nacional un joven egresado de la Escuela de Belén.

Veamos como lo describen varios de los estudiantes que lo trataron con mayor intimidad en sus años formativos y en sus primeros meses en la Colina.

El Fidel que desde Oriente llega a la Escuela de Belén durante los meses finales del rectorado de Méndez Peñate, es muy distinto al Fidel que, años después, ingresa en la Universidad de La Habana.

Esta es la impresión que le causa a quien habrá de ser su compañero de estudios y deportes desde su arribo a la capital:

> *«Fidel llega a Belén en el tercer año de bachillerato. Es un guajiro, un poco salvajote* –recuerda José Ignacio Rasco, en entrevista con Enrique Ros– *porque se le hizo imposible las relaciones con su padre*[60] *allá en Birán... el padre lo manda a La Habana a civilizarlo un poco».*

Llega de Birán *«cargado ya de ambición y con tenacidad más gallega que cubana, Fidel es el más gallego de todos los cubanos»,* afirma Rasco. Brilla en los deportes. Sobresale en campo y pista, en basket ball y en pelota. Horas y días enteros de vacaciones los utilizaba para practicar los deportes[61].

En forma muy parecida lo describe Enrique Ovares:

---

[60] Detalles pueden encontrarse, entre otros trabajos, en «Semblanza de Fidel Castro» de José Ignacio Rasco, que aparece en la publicación «Cuarenta años de Revolución» publicado por la Editorial Universal.

[61] José Ignacio Rasco. «Semblanza de Fidel Castro». Obra citada.

«Yo estudiaba en Baldor, pero iba con frecuencia a Belén; sobre todo, los fines de semana.

«Fidel, cuyo padre es un hombre de campo, rico, rústico, ha establecido amistad con Jorge y Carlos, los hijos de Benito Remedios quien, como el padre de Fidel, es hombre de campo adinerado, pero sin mayor preparación.

Cuando Fidel llega a Belén es un guajirote, tímido. Todos los viernes Jorge y Carlos arrancaban con el «guajiro» para practicar básket y yo jugaba con ellos, formando parejas. Fidel con Carlos, yo con Jorge. Siempre ellos nos ganaban porque eran hombres de más de seis pies. A veces, de acuerdo con los curas de Belén, yo iba de referee a los juegos.

A Fidel le gustaba dirigirse a otros en diminutivo; pero no por cariño sino por hacerlos sentir inferiores, y pasarles el brazo y la mano por arriba del hombro».

Fidel ya, desde entonces, tenía un gran resentimiento; un gran odio por todo lo que representa la sociedad; por su colegio, por los curas».

Veamos como lo recuerda Santiago Touriño, otro de sus compañeros universitarios:

«Yo ingresé en la Escuela de Derecho en la Universidad en 1944, un año antes que Fidel.

En el curso de Fidel se encontraban Rafael Díaz Balart, el Chino Esquivel, Rolando Amador.

Conmigo habían ingresado Raúl (El Flaco) Granado, Arturo Zaldívar, Alfredo Fernández de Castro, Jorge Beruff[62]*».*

«Castro llegó y su primera dirección fue encaminada al deporte. Él siempre ha tenido ese afán de significación. Lo que en Cuba llamábamos «postalita». Un ansia de significación y un egocentrismo. En aquella época él aspiraba a ser lanzador del equipo de la Universidad, donde jugaba, entre otros, Tatica Hernández. Comenzó siendo el pitcher de la Escuela de Derecho pero de allí no pasó. Sólo participó en juegos interfaculta-

[62] Conversación de Santiago Touriño con Enrique Ros.

des, donde sólo los mejores jugadores de esos equipos iban a integrar la novena «Caribe». A eso no llegó Fidel.

SANTIAGO TOURIÑO CON EL AUTOR, ENRIQUE ROS
«Castro llegó y su primera dirección fue encaminada al deporte... aspiraba a ser lanzador del equipo de la Universidad... a eso no llegó» Touriño fue factor importante en el viaje de la delegación cubana envuelta en el «Bogotazo».

Otro compañero, Jorge Besada, que había ingresado dos cursos antes que él, recuerda que *«Fidel, como pelotero, tenía una gran velocidad, pero ningún control. Muy superior a él, como lanzador, era Panchito Montero, que venía de La Salle*[63]*»*.

De su obsesiva pasión por el deporte, y su violento temperamento, da fe otro de sus compañeros universitarios, Enrique Huertas, que se

---

[63] Jorge Besada en entrevista con el autor, julio 1, 2002.

encontró con Fidel, por primera vez, en el estadio universitario cuando aquél era el pitcher del equipo de pelota de la Escuela de Derecho y Huertas el lanzador de la Escuela de Medicina:

«En uno de los juegos, con la anotación de 2 a 1 a favor de Medicina, en el séptimo inning comenzó a llover torrencialmente y el umpire –Angelo, un mulato, muy bueno, de la Comisión Atlética Universitaria– suspendió el juego por lluvia».

«Fidel, molesto por la decisión, luego de una discusión le dio tal batazo a Angelo que hubo que llevarlo al hospital[64]».

Recuerda Huertas otro rasgo, poco conocido o, al menos, poco divulgado, del recién egresado alumno de Belén: su prejuicio racial contra los negros:

«En el segundo año, cuando se va a hacer la selección del equipo amateur de la Universidad, Fidel está de delegado por la Escuela de Derecho (no como jugador), y yo, también, de delegado por Medicina. El gallego Iglesias está presidiendo la Comisión Atlética Universitaria».

«Ya se habían seleccionado a Napoleón Reyes, a Mosquito Ordeñana y a otros, cuando se discute la selección del que ocupará la segunda base. Yo he propuesto a uno de los estudiantes, que era negro y había ocupado esa posición en el equipo de Medicina. Castro se opone con vehemencia y exige que se haga constar en el acta su oposición a la selección de aquel compañero porque el equipo de la Universidad quedaría descalificado y eliminado de la contienda por contravenir las disposiciones de la Liga Amateur que no admitía jugadores negros. Y así se hizo constar».

«Esta acta se la pedí al gallego Iglesias pero no me la quiso dar. No obstante, este hecho que muestra el carácter discriminatorio de Castro desde su juventud, lo hice constar en la Asamblea de la Asociación Médica Mundial que años atrás se celebró en Sur África».

Volvamos a la narración de Touriño:

---

[64] Entrevista de Enrique Huertas con Enrique Ros, octubre 14, 2002.

Pronto se percató que había más probabilidades de sobresalir en la política que en el deporte, y entonces derivó hacia la política y aspiró a delegado de «Antropología Jurídica». Pero eso no contentaba a Castro. No se contentaba siquiera con la idea de llegar a ser Presidente de la Escuela de Derecho. Quería –una cosa de locura– ser Presidente de la FEU. Posición que ocupaba en aquella época, Manolo Castro que tenía sólidos antecedentes de lucha contra la dictadura de Machado, contra la política de Batista de los años 30; contra Pedraza».

El recién egresado de Belén es persistente, obstinado. No acepta un «NO» por respuesta. Nos lo confirma Raúl Granado uno de los primeros en cuyas puertas toca Fidel:

«Mi vinculación con él comienza en 1945 cuando ingresa en la Universidad de La Habana.

Yo estaba en segundo año y era vicepresidente de la Escuela de Ciencias Sociales y Delegado de Curso en Derecho.

Lo conocí cuando vino a matricularse. Cuando llega Fidel a la Universidad traía una certificación de Belén que no le fue aceptada por lo que me fue a ver ya que yo era Delegado de Curso y Vicepresidente de Escuela. Hablé con Mongo Miyar que era el Secretario de la Universidad y amigo mío y se logró que le aceptaran la certificación que Fidel traía. Arturo Zaldívar también hizo conmigo gestiones para que aceptaran la certificación.

Luego hicimos a Fidel delegado por la candidatura Manicato.

«Fidel tenía una memoria prodigiosa. Mientras yo llevaba Economía Política, con Portela, de arrastre, Fidel fue a un examen oral con Portela y cogió 100 puntos[65]*».*

[65] Entrevista de Raúl Granado con el autor.

RECORDANDO SU PRIMER ENCUENTRO CON FIDEL CASTRO
Raúl Granado, Vicepresidente de la Escuela de Ciencias Sociales, rememora, junto a José Sánchez Boudy y el autor, sus primeros contactos con Fidel Castro.

RAÚL GRANADO ASISTIÓ A FIDEL CASTRO
En distintas ocasiones Raúl Granado sirvió al recién ingresado alumno que provenía de Belén: en su matrícula, en la compra de su primer carro, en el pago de derechos arancelarios, en la introducción de otro comprado en los Estados Unidos y en otros pequeños problemas de su compañero de la Escuela de Derecho.

De su dependencia económica de su padre –de todos conocida– y su amistosa vinculación con su compañero Raúl Granado da fe esta anécdota sobre la compra de su primer automóvil. Lo recuerda así Lázaro Asencio quien recién había ingresado en la Escuela de Derecho:

«Estábamos reunidos Raúl Granado, Fidel y yo cuando Fidel nos mostró una carta que había recibido de su padre, con dinero, para que se comprara un carro y una pistola porque le había dicho al padre que estaba siendo perseguido».

«Fuimos los tres a comprar un Ford negro en una agencia que quedaba cerca del Malecón. Fidel, contrario a lo que muchos piensan, fue siempre protegido por su padre».

Veamos ahora el criterio de otro de los primeros compañeros de Fidel que provenía, también, de la enseñanza privada:

«Fidel y yo –nos dice Rafael Díaz-Balart– *nos conocimos jugando baloncesto en los campeonatos de menores de 18 años. Él jugaba en el Colegio Belén y mi hermano Frank y yo jugábamos por el colegio 'La Progresiva de Cárdenas'. Fidel era una estrella en el Colegio de Belén, no sólo de baloncesto pero, también, en béisbol y en track».*

«Cuando él ingresa en la universidad llega con el afán de continuar y mejorar su carrera como deportista. El entrenador de la universidad, el Gallego Iglesias, nos llamó, un mes antes de iniciarse el curso, para comenzar el entrenamiento. Pero cuando comenzaron a llegar los estudiantes que venían de los institutos públicos, que muchos eran excelentes atletas, nos dimos cuenta que ninguno de los tres servíamos para formar parte del equipo de la universidad».

Se ha cerrado para Fidel Castro y los hermanos Díaz-Balart su breve, de hecho, inexistente, carrera deportiva en la universidad nacional. Se inicia, ahora, al terminar el año 1945, una, muy inquieta, actividad política en la colina universitaria.

Quien se la facilita es otro estudiante de Banes. Arturo Zaldívar Ricardo, del curso anterior, había cursado sus estudios secundarios en los Colegios Internacionales de Cristo, institución bautista de Santiago de Cuba, quien al ingresar en la universidad había mostrado su condición de líder. Zaldívar fue el primer maestro de estos tres novatos ansiosos de escalar a las más altas posiciones en la política universitaria[66].

Pronto recibieron el primer consejo: Preparar una candidatura. Lo hicieron de inmediato. Fidel se postuló como delegado por Antropología Jurídica, cuyo profesor era Morales Coello y Rafael aspiró a delegado por Teoría General del Estado[67], cátedra que profesaba Pablo F. Lavín, una autoridad en el campo de derecho que presentó en las Naciones Unidas, el proyecto de los Derechos del Niño.

Le era muy conveniente a Castro aspirar por Antropología Jurídica porque era una materia que requería *«prácticas»* y como él no trabajaba podía ir por las mañanas a las prácticas y prestarle servicios a otros estudiantes y, así, conseguir su respaldo para su aspiración a delegado.

Los dos resultaron electos delegados en sus respectivas asignaturas.

Luego de superar diferencias surgidas entre ellos en aquella campaña, Fidel llegó a un acuerdo con Díaz-Balart[68] para aspirar los dos, paralelamente, en los primeros tres años; Castro en Derecho y Rafael en Ciencias Sociales y Derecho Público, cuyas asignaturas coincidían en esos tres primeros cursos. Tomado ese acuerdo comenzará Fidel su segundo año en la carrera de Derecho.

Al llegar Fidel a la Universidad establece sus primeros contactos con las figuras y grupos cercanos a Manolo Castro quien, en aquel momento, preside la FEU y está cursando el último año de su carrera.

---

[66] Coincide su compañero y amigo Rolando Amador en esta apreciación de que fue Arturo Zaldívar la persona que introduce a Fidel en el campo de la política universitaria. Para Amador también lo alentó Aramís Taboada, presidente de la Escuela de Derecho.

[67] Rolando Amador era el sub-delegado.

[68] Fidel Castro había preparado un fichero con los nombres de todos los alumnos del año; se lo facilitó Díaz-Balart que viajaba a Oriente por varios días. En su ausencia, según lo informa luego Rolando Amador a Rafael, Fidel pide a sus amigos que no voten por Díaz-Balart ni por Amador. Ese doblez de Fidel origina un encuentro personal entre Rolando Amador y Fidel Castro. La situación quedó luego superada.

Respaldando a Manolo Castro se han mantenido jóvenes de la extrema izquierda: Flavio Bravo, Valdés Vivó, Manolo Corrales, Mas Martín, Lionel Soto, Walterio Carbonell[69] con Alfredo Guevara y otros. No es muy bien recibido en este grupo de curtidos jóvenes de izquierda, el recién egresado de la Escuela de Belén.

Con el propósito de darse a conocer y captar adeptos para su aspiración política que ya ha concebido, Fidel –como tantos otros– frecuenta la Plaza Cadenas. Conoce allí a quien –en poco tiempo– será su asesor y orientador político. Conversan. Discrepan.

Al conocerlo, no le causó Fidel a Alfredo Guevara una buena impresión:

> *«Confieso, y creo que hago lo justo, que mi primera reacción ante Fidel fue de temor. ¿Por qué?. Yo era un estudiante progresista, de ideas de avanzada, marxista-leninista, y me dije: éste es un estudiante de una escuela de curas y no puede venir aquí si no a traer las ideas de los curas, ideas atrasadas[70]».*

Era comprensible la aprensión de Guevara. Los dirigentes universitarios provenían –en su inmensa mayoría– de institutos oficiales de segunda enseñanza, y habían participado en la creación de las respectivas asociaciones estudiantiles de los 21 instituos que funcionaban en la nación y que, luego, crearon la Federación Nacional de Institutos de Segunda Enseñanza de Cuba.

CREACIÓN DE LA FEDERACIÓN NACIONAL DE INSTITUTOS DE SEGUNDA ENSEÑANZA

La Federación Nacional de Institutos de Segunda Enseñanza de Cuba se constituyó cuando, a fines de los años 30, se establecieron

---

[69] Walterio Carbonell, el primer mentor marxista de Fidel Castro en la Universidad de La Habana, persuadido por Fidel, prestó a éste ciertos fondos que él guardaba de la Juventud Comunista que estaban destinados a otros fines. Fidel no reeembolsó a Walterio ese préstamo y Walterio fue expulsado de la Juventud Comunista, según expresa Juan Arcocha, condiscípulo de Castro, corresponsal del periódico «Revolución» en Moscú y, luego, diplomático en París. Juan Arcocha. «Fidel Castro. Rompecabezas».

[70] Mario Mencía: «Fidel Castro en el Bogotazo», artículo de «Antes del Asalto al Moncada».

nuevos institutos, cuyo número ascendió a 21[71]. En cada uno de estos institutos de crea una asociación estudiantil las que, al principio, estaban dispersas pero pronto comenzaron a incorporarse, a unirse, unas con otras y se formaron alianzas provinciales.

Después vino el proceso de integrarse en una Federación Nacional constituida en un congreso celebrado en Cienfuegos del que fue presidente Tony Santiago que presidía la Asociación del Instituto Número Uno de La Habana[72].

Es electo vicepresidente del Congreso Bernabé Ordaz[73], del Instituto de Marianao; y como secretario, Armando Torres[74], del Instituto de Guantánamo.

La idea de constituir una Federación surge, como vemos, en el Primer Congreso de Institutos de Segunda Enseñanza que se celebró en Cienfuegos en 1941 meses después de concluidas las sesiones de la Constituyente de 1940. Coincide la fecha con la sustitución del antiguo Plan Varona por el nuevo Plan Guzmán.

A los tres años, coincidiendo con el triunfo electoral del Partido Auténtico en 1944, se efectúa un congreso en la ciudad de Holguín en la que participan los 21 institutos creados y dejan constituida la Federación Nacional de Institutos de Segunda Enseñanza de Cuba (FEI)

---

[71] Estos centros de segunda enseñanza eran los siguientes: el Instituto Provincial de Pinar del Río y el de Artemisa; el Instituto Provincial de La Habana y los del Vedado, Marianao, Guines y La Víbora; el Instituto Provincial de Matanzas y el de Cárdenas; el Instituto Provincial de Santa Clara y los de Remedios, Sancti Spiritus, Cienfuegos y Sagua la Grande; el Instituto Provincial de Camaguey, y los de Morón y Ciego de Ávila y el Instituto Provincial de Oriente (Santiago de Cuba) y los de Manzanillo, Holguín y Guantánamo.

[72] Tony Santiago fue posteriormente Concejal del Municipio de La Habana.

[73] Al triunfo de la revolución sería designado Director del Hospital Siquiátrico de Cuba conocido como Hospital de Mazorra.

[74] Armando Torres, negro, muy buen orador en el campo estudiantil será miembro de la Juventud Auténtica, muy militante del PRC. Será designado Secretario de Justicia en el gobierno revolucionario. Se convertiría en implacable fiscal de los tribunales revolucionarios.

eligiéndose a Lázaro Asencio[75] como el primer presidente de la novel institución[76].

Recuerda Asencio que en aquel proceso no aparece Fidel Castro porque éste estaba matriculado en una institución privada y nada tuvo que ver con aquel movimiento estudiantil. La Federación tuvo como uno de sus objetivos conseguir que las cátedras se obtuviesen por oposición y no para premiar lealtades políticas. Buscaban los estudiantes de segunda enseñanza que los profesores fueran designados por su capacidad, por su vocación, por su deseo de enseñar y que «mantuviesen una conducta diferente a la mostrada, en cierta forma, en el pasado por algunos profesores[77]».

En el próximo, que se celebra en Camagüey, ninguno de los aspirantes a la presidencia obtiene los votos necesarios. Por eso es designado Roberto Simón, del Instituto de aquella ciudad, presidente de la FEI quien, al graduarse en ese año, es sustituido por Fidel González, presidente del Instituto de Cárdenas.

La primer medida de Fidel González fue convocar a un congreso a celebrarse en Santa Clara en 1947.

Participarán en el congreso figuras conocidas de Las Villas: Salvador Lew, Armando Fleites, Pedro Yanes, Miguel Ángel Quilch y otros, pero se produce un conflicto cuando dos jóvenes, que adquirirán meses después lamentable notoriedad, convocan a otro congreso. Gustavo Masó y Juan Regueiro, ya con triste historial en el Instituto Número Uno de La Habana pretenden celebrar otro congreso, sin base legal

---

[75] Lázaro Asencio ingresó en 1940 en el Instituto de Santa Clara donde se destacó por crear círculos de amigos de estudiantes que contribuyeron a la formación de una poderosa organización de estudiantes de segunda enseñanza, y dio origen a la creación de la Federación Provincial de Institutos de Las Villas.

[76] La FEI tendrá como sede en los primeros años la ciudad de Santa Clara; funcionará con dos secretarios designados por el presidente: Darío Pedrosa, «uno de los que posteriormente organizó el alzamiento del Escambray». El otro será Ángel Alba Lombardía quien «lamentablemente se convirtió al comunismo y fue una de las figuras siniestras del régimen de Castro en los principios de su revolución... y participó, junto con Pablo Ribalta, en las operaciones del Congo», recuerda Asencio.

[77] Lázaro Asencio, entrevista con el autor.

alguna, en Sancti Spiritus. El intento fracasará luego de ser calificado de ilegal por el que se está celebrando en la ciudad de Santa Clara. En éste salió electo Hidalgo Peraza[78], vinculado a la Joven Cuba, y quien poco después aparecía como víctima de un secuestro, que para muchos había sido autopreparado en busca de publicidad[79].

En sus primeros meses la Federación se tuvo que enfrentar a serias situaciones de indisciplina creadas por elementos *bonchistas*, principalmente en el Instituto Número uno de La Habana y en el de Guantánamo.

El de Guantánamo era el más significativo, recuerda el entonces presidente de la Federación Nacional. El grupo disociador estaba dirigido por quien, luego, llegaría a ser un poeta de renombre: Regino Boti, cuyo hijo llegó a ser Ministro de Economía en el gobierno revolucionario de Castro. *«Nos trasladamos a Guantánamo y con la cooperación de estudiantes y del pueblo liquidamos lo que existía de* ***bonche*** *que mantenía atemorizado a los profesores y, también, a muchos estudiantes».*

Al segundo congreso nacional de los institutos, 1945, ostentarán la representación del Instituto Número Uno de La Habana Leonel Gómez, Joaquín Gómez y Orlando Rodríguez Pérez[80].

Con anterioridad a la constitución de la Federación Nacional de Institutos de Cuba se celebró en Santa Clara un congreso. En una de las reuniones asamblearias celebradas en el Aula Magna de la universidad en la que participaron elementos que venían de La Habana se produjo una violenta discusión entre Emilio Tró y Saúl Boulanger que degeneró en una reyerta en la que Boulanger resultó herido de bala. Por este incidente Tró fue arrestado y, luego, liberado bajo fianza, situación que aprovechó Tró para salir del país, alistarse en el ejército norteamericano y participar en la guerra del Pacífico de la que regresó

---

78 Fidel González, entrevista con Enrique Ros, noviembre 21, 2002.

79 El «secuestro» de Hidalgo Peraza se produce en los días del traslado y «robo» de la Campana de la Demajagüa (Ver Capítulo VII).

80 Orlando Rodríguez Pérez: *Testimonio de un Rebelde.*

posterioremente para, como conocemos, constituir la Unión Insurreccional Revolucionaria (UIR).

ADQUIEREN NOTORIEDAD ANTIGUOS *BONCHISTAS*

El ingreso de Fidel Castro en la Universidad Nacional coincide con la fuga de la Sala de Penados del Hospital Calixto García de José Noguerol Conde que había sido sentenciado a treinta años de prisión por el asesinato de Valdés Daussá.

El hecho causó tal indignación entre el estudiantado que la FEU acordó un paro hasta que sus dirigentes pudieran entrevistarse con el presidente Grau quien, recientemente, había designado a otro *bonchista*, Antonio Morín Dopico, como Jefe de la Policía de Marianao y asignado al sargento Miguel Ángel Echegarrúa –complicado en el asesinato de Valdés Daussá– a la División Central del Cuerpo Policíaco. Ningún resultado se obtuvo de la visita del Comité Ejecutivo de la FEU, presidido por Manolo Castro, al presidente Grau San Martín.

Así describe Alfredo Guevara el ambiente universitario de los 40:

«Cuando entramos en la Universidad estaban todavía presentes los ecos de las luchas estudiantiles contra Machado y su secuela posterior, que tiene relación con ese período. En la línea universitaria se debaten corrientes revolucionarias y corrientes gangsteriles. Es decir, que se sostenía una tradición revolucionaria, de lucha, de combate, progresista, representada por la actitud de un grupo de profesores no sólo de ideas progresistas sino verdaderamente activos; se hacían sentir seriamente en la Universidad».

«Ahora bien, había también muchos profesores vagos, que daban una clase y se iban inmediatamente, comodines y hasta reaccionarios algunos que no se hacían sentir y, precisamente por eso, permitían, en cambio, que los más activos y progresistas influyeran más sobre el estudiantado».

«...esa Universidad era un lugar complejo, y que no se le vea solamente bajo un rígido esquema clasista o como un lugar físico...aquel lugar era, para mí, un crisol de formación. Allí se formaron caracteres y se desarrollaron caracteres; se formaron personalidades y se desarrollaron personalidades. Pero

no se desarrollaron tanto por los estudios; es decir por las disciplinas que se estudiaban, como se formaron y desarrollaron porque era un centro de discusión, de combate, de lucha[81]*».*

«En aquella época, en la Universidad, no primaba la influencia de los partidos políticos. Eso no quiere decir que las consignas de los partidos políticos no penetraran en el estudiantado. Pero la masa universitaria se consideraba ella, casi por sí misma, con más fuerza que un partido político. La FEU era una fuerza política y social».

EXAMEN SELECTIVO EN LA ESCUELA DE ODONTOLOGÍA

Desde 1943 se comenzó a hablar de estas pruebas que creaban serios obstáculos. Ese mismo año, ante la protesta de los estudiantes seriamente afectados y tras la intervención del Rector, se acordó que a todos los aspirantes se les dejaría ingresar en la Escuela.

Al siguiente año al tratar de imponer los profesores medidas restrictivas se produjo una violenta reacción en un Congreso de Institutos celebrado en el viejo edificio, que logró que se dejase sin efecto.

Posteriormente fracasaron las fórmulas y avenencias hasta que en el curso de 1947 los estudiantes de los institutos de segunda enseñanza, dirigidos por la FEI, tomaron la Escuela de Odontología situada en la intersección de Carlos III y Zapata.

La decisión se tomó en el Instituto del Vedado cuya asociación presidía Avelino Lladó.

El artículo 136 de los estatutos universitarios otorgaba a las facultades el derecho a examinar a los estudiantes que deseaban ingresar escogiendo, a discreción, los que convenía admitir de acuerdo a la preparación que mostraran.

Era una medida coercitiva a la que se oponían los estudiantes considerando que ésta infligía dos preceptos constitucionales: el artículo 48 que establecía que «los bachilleres que traten de ingresar

---

[81] Alfredo Guevara, «Antes del Asalto al Moncada».

en la universidad tienen que tener aprobados los cursos preuniversitarios» y esto, de acuerdo a lo planteado por el estudiantado lo ofrecía el último año opcional del Plan Guzmán que rige la enseñanza secundaria.

El segundo precepto, Artículo 51, era, aún, más imperativo: «La enseñanza pública se constituirá en forma orgánica de modo que exista una adecuada articulación y contiuidad entre todos los grados, incluyendo el superior».

Los estudiantes universitarios consideraban que dicho artículo prohibía la existencia de barreras como la que representaba el examen selectivo que pretendía imponer el claustro de la Escuela de Odontología. Al iniciarse el curso de 1947, al darse a conocer que el Claustro de Odontología pretendía poner en vigor el examen selectivo, la FEU acordó la ocupación por los estudiantes de aquella Escuela, decisión que, de inmediato, fue impugnada por el claustro de la Escuela que recibió el respaldo del Consejo Universitario que, a su vez, calificó de «perturbadora la acción de la FEU». El más alto organismo estudiantil universitario recibió el comprensible y total respaldo de la Federación de Estudiantes de Institutos de Cuba.

Los exámenes selectivos para ingresar en la Escuela de Odontología, se habían propuesto a principios de la década de 1940 con la oposición de amplios sectores estudiantiles que enérgicamente lo rechazaban.

Aquella oposición se agudizó en septiembre de 1945, precisamente en la fecha en que Fidel Castro, ajeno al problema, ingresaba en la Universidad de La Habana. Un numeroso grupo de estudiantes de Institutos de Segunda Enseñanza ocupó el recién inaugurado edificio de la Escuela de Odontología.

La Facultad de Odontología enfrentaba dos problemas de origen distinto. El primero, creado por los estudiantes de segunda enseñanza que se oponían al examen selectivo. El segundo, creado por la acusación del alumno Humberto Ruiz Leiro al Decano de la Facultad de Odontología a quien imputaba haber cometido irregularidades en el otorgamiento de contratos en la compra de equipos dentales para la escuela[82].

El rector Inclán respaldaba el examen propuesto por el decano Coro y aprobado por la facultad de Odontología. Ante la toma del edificio el Consejo Universitario le dá a los dirigentes de la FEI 72 horas para que abandonen el local, a lo que se niegan los estudiantes. Esto conduce al rector a llamar al Jefe de la Policía para que procedan al desalojo. Viene éste, primero, a parlamentar.

El Ministro de Educación, Luis Pérez Espinos, consideró que si se intentaba el desalojo por la fuerza podría producirse un choque que ocasionaría la violencia, tal vez muertes, por lo que Pérez Espinos llamó al Rector planteándole que si la Universidad mantenía el examen selectivo en Odontología él no firmaría como ministro ningún título universitario.

Ante esa actitud, Coro y su facultad decidieron suspender la aplicación del examen.

El problema, planteado y resuelto en 1945, volvió a surgir dos años después.

CRISIS EN LA FACULTAD DE ODONTOLOGÍA

Se agravaba la situación de la Escuela de Odontología donde, de acuerdo a una decena de profesores, *«existía un estado de indisciplina y coacciones...incompatibles con el ejercicio honesto de la docencia y el funcionamiento de nuestras cátedras[83]»*.

Los profesores denunciaban que el Consejo Universitario no había sido capaz de poner en vigor su resolución del 25 de marzo que restuitía a sus respectivas cátedras a estos profesores una vez que el edificio fuera entregado por los estudiantes a las autoridades administrativas.

No se había resuelto la situación a pesar de *«la renuncia espontánea y generosa del doctor Carlos Coro, de su cargo de Decano»* a

---

[82] Revista *Bohemia*, septiembre 7, 1947.

[83] Comunicación al Consejo Universitario del 5 de abril de 1946 firmada por los profesores Eugenio Crabb, Rosendo Forns, Enrique Cepero, Rafael Morán, Miguel Leal, Luis Álvarez Vals, Luis Reyes Gavilán, José Chelala, Celia Plasencia y Raúl Mena.

quien cuando *«se disponía a penetrar en el edificio para cumplir con sus deberes docentes...un grupo de estudiantes de esa Facultad cerró el edificio y no le permitió la entrada»,* afirmaban los profesores.

Denunciaban que desde el 3 de abril aquella Facultad se encontraba sin organismo rector.

ÚLTIMA ELECCIÓN DE MANOLO CASTRO

Para junio de 1946, recién llegado Fidel Castro, se movían en la colina universitaria activistas que querían participar en la renovación de la Directiva de la Federación Estudiantil Universitaria. A la más alta posición confiaba reelegirse Manolo Castro. Deseaba también la presidencia, el estudiante Luis Conte Agüero, Presidente de la Asociación de Filosofía y Letras.

Aunque todos aceptaban que la presidencia de Manolo Castro se había desarrollado dentro de cauces genuinamente democráticos, algunos consideraban que dedicaba mucho de sus esfuerzos a actividades extrauniversitarias, democráticas, bien inspiradas, pero ajenas a la universidad.

Poco antes se han ido realizando elecciones en las distintas facultades para elegir a los presidentes de escuelas. Por la Escuela de Arquitectura aspira Arquímedes Poveda, comunista, miembro del Partido, que estaba en su último año. Para lograr aquella presidencia Poveda necesitaba un voto más. Se lo ofrecerá, a cambio de recibir la vicepresidencia, Enrique Ovares quien, en su primer año universitario es, ya, vicepresidente de la Escuela de Arquitectura.

Se produce, de inmediato, otra votación similar. Manolo Castro cuenta con seis votos para presidir la FEU; Luis Conte Agüero tiene otros seis[84]. La elección la decidiría Poveda como Presidente de la Escuela de Arquitectura. Éste vota por Manolo Castro quien, como recompensa, le da la Secretaría General de la FEU a Poveda. Pero ese año, en julio, éste se graduaba de arquitecto y Ovares se convertía en Presidente de la Escuela y Secretario General de la FEU.

---

[84] Entre los seis votos de Conte Agüero se encontraban los de Aramís Taboada (Derecho), Gustavo Mejía (Ciencias Sociales) y José Buján (Agronomía).

Las próximas elecciones se habrán de celebrar en octubre y noviembre.

Ya se encuentran participando activamente en la Universidad elementos comunistas que intervienen en la política nacional y que están siendo duramente combatidos por los Auténticos que disfrutan de un total respaldo del gobierno. Llegan Flavio Bravo[85], Mas Martín[86], Raúl Valdés Vivó, Salivita Corrales, Mario García Incháustegui. Luego, Bilito Castellanos, Alfredo Guevara y Lionel Soto. Todos, en intensa actividad proselitista en la que Fidel será uno de sus más valiosos prospectos. Ya lo veremos.

EN EL CONGRESO DE LA UIE
Odriozola, Secretario de Relaciones Exteriores de la FEU y Enrique Ovares, Secretario General, presentando un informe en Praga de la delegación cubana.

[85] La Segunda Asamblea Nacional del Partido Socialista Popular designó a Flavio Bravo presidente de la Juventud Socialista, constituida ésta en esa asamblea.

[86] Luis Mas Martín fue el primer director del semanario «Mella» que el Partido Comunista (PSP) comenzó a publicar el 14 de febrero de 1944. (Fuente: Antonio Alonso Ávila. «Historia del Partido Comunista de Cuba, Ediciones Universal, Miami).

CAPÍTULO III

LA UNIVERSIDAD Y LOS GRUPOS DE ACCIÓN

En la década de los 40 había surgido un gran número de organizaciones «revolucionarias»: Movimiento Socialista Revolucionario (MSR), Acción Revolucionaria Guiteras (ARG); la Unión Insurreccional Revolucionaria (UIR); la Alianza Nacional Revolucionaria (ANR), la Legión Revolucionaria de Cuba (LRC) y, poco antes, la Joven Cuba; la Organización Revolucionaria Cubana Anti-imperialista (ORCA) fundada por Pablo de la Torriente Brau y Raúl Roa. La Izquierda Revolucionaria fundada por Ramiro Valdés Daussá, Rubio Padilla y Ramón (Mongo) Miyar. Junto a éstas, el Ala Izquierda Estudiantil (AIE).

Entre ellos, con la llegada al poder del Autenticismo, se han formado dos grandes grupos revolucionarios:

El MSR: Masferrer, Salabarría, Eufemio Fernández.

La UIR: Emilio Tró[87], Armando Correa, José de Jesús Jinjaume[88].

---

[87] Por su intervención durante la huelga de marzo de 1935 Emilio Tró, de apenas 19 años de edad, es condenado a «noventa días por asociación ilícita y a nueve meses por sabotaje».

Cumplida su sentencia, marcha hacia los Estados Unidos donde se alista en el ejército participando en acciones militares en Europa durante la Segunda Guerra Mundial y, posteriormente, formará parte del ejército de ocupación en Japón durante varios meses.

Es, a su regreso a Cuba, que, junto con Jesús Diéguez y Armando Correa, funda la Unión Insurreccional Revolucionaria (UIR), constituida «ante la frustración de la justicia que sancionan los códigos y las leyes... que no llegan a las cabezas indignas de los funcionarios que roban, matan y torturan tratando de ahogar la rebeldía justificada». (Revista Bohemia, La Habana, 22 de junio de 1947, citada por Raúl Aguiar Rodríguez.

También formarán parte del MSR, Oto y Rolando Meruelo, expulsados militantes del PSP, de Cienfuegos y Eduardo Corona.

[88] En la UIR se encuentran Tró, Diéguez Lamazares; Vidal Morales y algunos veteranos de la guerra mundial que recién ha terminado.

No forman parte de ellas, al constituirse, ningún dirigente universitario. De hecho no las integra ni un simple estudiante. Constituyen estas dos organizaciones hombres de acción que han adquirido cierto renombre combatiendo al gobierno constitucional de Batista (1940-1944) –y a sus anteriores años de poder (1933-1940)– o participando en la guerra civil española (Masferrer, Eufemio) y en las fuerzas armadas norteamericanas (Emilio Tró, Vidal Morales).

Morín Dopico será el único vestigio del antiguo *bonche* que formará parte de las recién constituidas organizaciones.

CONSTITUCIÓN DEL MSR

El 6 de abril de 1947 se daba a conocer en el *Cinecito*, el pequeño cine de San Rafael y Consulado, la constitución del Movimiento Socialista Revolucionario (MSR).

Están presentes en aquel acto Manolo Castro, que acaba de terminar su mandato como presidente de la FEU y ocupaba ahora la posición de Director de Deportes; Rolando Masferrer, abogado, periodista recién separado del Partido Socialista Popular (partido comunista)[89];

---

[89] Rolando Masferrer, que muy joven había sido miembro de «Joven Cuba», participaría en la guerra civil española bajo las órdenes del conocido combatiente Valentín González, «El Campesino», donde fue herido en los combates de Teruel y el Ebro. Como miembro de las Brigadas Internacionales se afilia al Partido Comunista. A su regreso a Cuba vuelve al Instituto Número 1 de La Habana a terminar su bachillerato. En 1940 ingresa en la Universidad de La Habana para estudiar Derecho graduándose en 1945 con brillante expediente. Ya ha comenzado a laborar en el periódico «Hoy». ¿En qué capacidad?. Hay tres versiones. Veámoslas de mayor a menor:

> –Como «Subdirector del periódico»: Alberto Baeza Flores, «Las Cadenas vienen de Lejos», página 371.
>
> –Como «corrector, traductor, redactor y reportero del periódico»: Antonio Alonso Ávila, «Historia del Partido Comunista de Cuba».
>
> –Como «simple corrector de pruebas»: José Lacret (conversación con el autor).

Separado, y luego expulsado del Partido, funda junto con Carlos Montenegro, Enma Pérez, Luis Felipe Rodríguez, José Lacret y Alfonso Granados, la revista «Tiempo en Cuba». Posteriormente constituirá, sin el concurso de algunos de los fundadores de la revista, el Movimiento Socialista Revolucionario (MSR).

José (Pepín) Díaz Garrido, concejal del Partido Auténtico por La Habana; Eufemio Fernández, antiguo dirigente de Acción Revolucionaria Guiteras (ARG); el dirigente dominicano Juan Bosch; Julio Salabarría, hermano de Mario, y otros.

Ya, repetimos, Manolo Castro y Eufemio han dejado de ser estudiantes universitarios pero, por sus relaciones, ejercerán marcada influencia en la Colina. También tomarán parte del MSR, Oto y Rolando Meruelo, expulsados militantes del PSP, de Cienfuegos, y Eduardo Corona[90].

SE CONSTITUYE LA UIR

Cuando Grau asume la presidencia en 1944 están presos en el Castillo del Príncipe, Gustavo Pino Guerra y Juan Ortiz.

Se están haciendo gestiones por hombres de la organización revolucionaria a que ambos pertenecen para conseguir el indulto de los dos. Porque el indulto se demora, Pino Guerra se desespera y organiza con Juan Ortiz su fuga pero cuando la están realizando se producen disparos y muere Pino Guerra[91]. Luego, el presidente Grau le concederá el indulto a Ortiz[92].

En honor de Pino Guerra se crea una organización que denominarán «Acción Pino Guerra» que es, afirma Billiken, un desprendimiento de la Juventud de la Asociación Libertaria (anarquista).

Se integran al nuevo grupo Juan Ortiz y Oramita Mantilla; éste último había militado en la Alianza Nacional Revolucionaria. Ortiz y

---

[90] Las primeras reuniones de los que integrarían el MSR se celebraron en el garage de Isaac Araña, calle Sol esquina a Muralla. Luego se continuaron en la casa de Gaspar Salvador, camagüeyano, en la calle 19 del Vedado. (Fuente: Carlos Capote, entrevista con el autor).

[91] Gustavo del Pino Guerra resultó muerto el 5 de abril de 1945 al tratar de fugarse del Castillo del Príncipe. Estaba acusado de haber participado en el asalto al Museo Nacional. Raúl Aguiar Rodríguez: «El Bonchismo y el Gangsterismo en Cuba».

[92] Guillermo García Riestra (Billiken), entrevista con el autor noviembre 20, 2002.

Oramita mueren en un incidente en un ómnibus que no tuvo relación con la lucha de grupos[93].

GUILLERMO GARCÍA RIESTRA (BILLIKEN)
«Billiken», Secretario de Organización de la UIR (Unión Insurreccional Revolucionaria), de la que Emilio Tró fue Secretario de Acción, en una de sus infrecuentes entrevistas accedió a conversar sobre algunas de las acciones en que intervino en el turbulento quinquenio de 1945 a 1950.
En la foto, de izquierda a derecha, Avelino Landó, que fuera dirigente de los estudiantes de segunda enseñanza; Guillermo García Riestra (Billiken); su esposa, y, frente a ellos, el autor y José Sánchez Boudy.

En una de las entrevistas con Guillermo García Riestra, surge una pregunta natural:

¿Por qué el nombre de Billiken?:

---

[93] Luego de haber participado en una violenta discusión con otros jóvenes en una reunión celebrada en el reparto Mantilla, Ortiz y Mantilla tratan de subir a un ómnibus donde son agredidos por un policía y un cabo del ejército. Mueren en el tiroteo el cabo del ejército y los dos miembros de Acción Pino Guerra.

«En la etapa inicial de mi acercamiento a las actividades revolucionarias, Lázaro Cruz, un responsable de la Alianza Nacional Revolucionaria me empezó a llamar Billiken. Parece que era el nombre de una publicación literaria argentina», afirma Guillermo García Riestra[94]*».*

En el velorio de los dos miembros de la organización «Acción Pino Guerra[95]» coinciden varias figuras que han participado en el proceso revolucionario.

Jesús Diéguez y Pepe de Jesús Jinjaume dirigían aquella organización que había crecido apreciablemente. Emilio Tró recién regresado de haber participado en la Segunda Guerra Mundial, sirviendo en las Fuerzas Armadas norteamericanas y que no era miembro de ninguna de las organizaciones que habían proliferado desde la toma de posesión del presidente Grau, sugería crear una nueva.

Los allí presentes secundaron la idea y acuerdan reunirse, días después, en el restaurante «El Palacio de Cristal», en San José y Consulado, del que Plácido Llano, amigo de Jesús Diéguez, es el dueño[96]. Luego de esa y posteriores reuniones, algunas de ellas celebradas en el local del Sindicato Gastronómico, en Dragones y Amistad del que Diéguez era uno de sus dirigentes, se constituye la Unión Insurreccional Revolucionaria con la siguiente directiva:

Secretario General:	Jesús Diéguez
Secretario de Organización:	Vidal Morales
Vice-Secretario de Organización:	Guillermo García Riestra[97]
Secretario de Finanzas:	José de Jesús Jinjaume

[94] Entrevista con Enrique Ros, noviembre 20, 2002.

[95] «Juan Ortiz y Oramita Mantilla han muerto a manos de Galileo González», expresa Guillermo García Riestra «Biliken» a Ros.

[96] Entrevista de Guillermo García Riestra (Billiken) con el autor.

[97] A las pocas semanas Guillermo García Riestra «Billiken» reemplazaba como Secretario de Organización a Vidal Morales.

Secretario de Acción:	Emilio Tró
Asuntos Femeninos:	Gloria Ortiz

La nueva organización quiere vengar la muerte de Ortiz y Oramita. Realizan investigaciones para conocer la identidad del policía que había participado en el incidente que le había costado la vida a sus dos compañeros. Conocen que el ejecutor había sido Galileo González y una mañana, en la Calzada de Bejucal y la calle Maceo, muere abatido a balazos.

Son, pronto, noticia varios hechos de sangre ajenos a las actividades universitarias. El lunes 25 de noviembre de 1946 la Unión Insurreccional Revolucionaria (UIR), realiza un nuevo atentado. Esta vez la víctima es el ex-teniente de la Policía Nacional Diego González Piloto que cayó abatido presentando diez heridas de bala. Junto a su cadáver encontraron una tarjeta que en una de sus caras decía: «A Luis Ruiz y Loret de Mora, como póstumo homenaje» y en la otra cara se lee: *«El perdón a los verdugos ni se da ni se acepta: La justicia tarda, pero llega. UIR».*

HABLA FIDEL CASTRO EN ACTO UNIVERSITARIO

Al rendir tributo a la memoria de los ocho estudiantes de medicina se produce un fuerte ataque a los intentos de reelección del presidente Grau San Martín.

Hablan Lita Pérez, por el Comité 27 de Noviembre y luego el estudiante de la Escuela de Medicina Raúl Martínez. El último orador es Fidel Castro que atacó duramente al gobierno acusándolo de haber permitido el auge del agiotismo. Era su primera aparición como orador, pero no se produjo en la colina universitaria. El acto se realizó sobre el panteón que guarda los restos de los adolescentes fusilados en 1871[98].

Ese día se realiza en la Acera de Louvre otro acto junto a la tarja que perpetúa la memoria de don Nicolás Estévanez, en el que hablaron Emilio Roig Lauchsenring, historiador de la ciudad y organizador del

---

[98] Los periódicos *El Mundo* e *Información* reseñan el acto y mencionan a Castro como uno de los oradores.

evento. En nombre del Ayuntamiento habló José (Pepín) Díaz Garrido. También hicieron uso de la palabra el representante Rivero Setién y por la FEU Manuel Corrales y Héctor Álvarez del Puerto.

Aquel año se celebra, también, el evento organizado por el Presidente de la FEU Manolo Castro y el Rector de la Universidad Clemente Inclán, quien no pudo asistir por estar indipuesto.

Se menciona a los oradores: Dr. Clemente Inclán, Rector de la Universidad de La Habana; Dr. Eduardo Corona, por el Comité 27 de noviembre; Ernesto Atán, Presidente de la Asociación de Estudiantes de Medicina; Antonio Rodríguez Odriozola, Secretario de Relaciones Exteriores de la FEU. La invitación al acto estaba firmada por el Rector Clemente Inclán y por Manolo Castro como Presidente de la FEU. En el acto depositaron una ofrenda floral.

Otra actividad se llevó a cabo en La Punta, en el lugar en que cayeron aquellos estudiantes. Hablaron en aquel evento Enrique Ovares por la Asociación de Estudiantes de Arquitectura; Enrique Villacampa, por el Comité 27 de Noviembre, y el Dr. Rafael García Bárcenas, en nombre del profesorado.

Por la noche se efectuó la velada en el Aula Magna de la Universidad en la que hablaron el arquitecto Aquiles Capablanca, en quien había delegado el Dr. Clemente Inclán por estar indispuesto; el Dr. Eduardo Corona, abogado de oficio de la Audiencia de La Habana. Siguieron a éste en el uso de la palabra el Presidente de los Estudiantes de Medicina Ernesto Atán, y el Secretario de Relaciones de la FEU, Antonio Rodríguez Odriozola. El acto fue cerrado por el Dr. Manuel Bisbé.

El mismo lunes 25 de noviembre, se iniciaba ante el Tribunal de Urgencias la segunda sesión de juicio oral donde las autoridades militares acusaban a cincuenta personas de realizar actos atentatorios contra la estabilidad de la República.

El Tribunal estaba presidido por el Dr. José R. Cabezas e integrado por los doctores Antonio de J. Vignier y Carlos Reyes Delgado[99].

---

[99] El Dr. Carlos Reyes Delgado había sido recusado en la sesión anterior por tres de las personas que ocupan el banquillo. Ernesto de la Fe sostenía que el magistrado Carlos M. Reyes tenía un interés en el juicio por cuanto un hijo de éste era oficial de la Policía.

Actuaban como abogados defensores Carlos Márquez Sterling, Israel Soto Barroso, Radio Cremata, Ricardo Sánchez, Carlos R. Menció, Salvador García Ramos, José Antonio Echeveyti, José de Jesús Larraz, Francisco R. López y J. Gómez.

El banquillo de los acusados lo ocupaban el periodista Ernesto de la Fe, Oscar de la Torre, Hildo Folgar, Pedro A. Mansini Lamas, Máximo Sorondo, José, Alberto Valdés, Oscar Rodríguez Loeche, Sergio Méndez Espinosa, Gumersindo Martínez Torres, José M. Fernández Guitart, Mario Comellas González, González Veaupit, Norberto Hernández, y varios más.

En la siguiente sesión Ernesto de la Fe, Mansini, Martínez y otros doce acusados niegan los cargos de conspiración.

Mientras, en el senado se discute la moción de investigación contra el Ministro de Educación, José Manuel Alemán, presentada por el Partido Liberal.

Una semana después una nueva moción de Emilio Ochoa solicitaba la designación de una comisión para que investigara los hechos atribuidos al Ministro de Educación.

La moción presentada contra Alemán tenía el respaldo de los senadores García Agüero, Chibás, Núñez Portuondo, Suárez Rivas y el propio Ochoa.

Un Comité de Lucha integrado por representativos estudiantiles de segunda enseñanza de todas las provincias sostuvo el viernes 17 de enero de 1947 una entrevista con el presidente Grau San Martín. El Comité de Lucha se oponía a la política de mano dura impuesta por el Ministro de Educación lo que había motivado la convocatoria a una huelga en aquellos centros.

El Comité estaba compuesto por Ernesto Castillo, por Oriente, José Hidalgo Peraza, por Camagüey; Miguel A. Quirch, por Las Villas; Fidel González, por Matanzas; Orlando Delgado, por La Habana; Juan Carvajal, por Pinar del Río; el Presidente de la Federación Roberto Simón y el Secretario Edilberto Sánchez[100].

---

[100] Periódico *El Mundo*, sábado, 18 de enero de 1947.

Fidel Castro intima con el Chino Atán, presidente de Medicina; el Vicepresidente de Odontología, Richard Valdés; con el Gallego Vázquez, amigo de Manolo. Éste último al graduarse, dejará la Presidencia de la FEU.

Era, ésta, la oportunidad que buscaba Fidel quien, en su ambición, pensó ser presidente de la FEU ese mismo año.

Manolo, antes de abandonar la presidencia[101] organiza una candidatura integrada, mayoritariamente, por jóvenes de izquierda, encabezada por Isaac Araña, presidente de la Escuela de Ciencias Comerciales.

Los de la UIR respaldan la candidatura del católico Humberto Ruiz Leiro. Es el primer serio intento de la organización de Emilio Tró de arrebatarle al MSR –dirigido por Eufemio Fernández y Manolo Castro, entre otros– su marcada ascendencia sobre los líderes universitarios.

FIDEL ATACA A LEONEL GÓMEZ. BUSCA PROTECCIÓN

Fidel, que sigue cultivando estrechas relaciones con el grupo que liderea Manolo, es objeto de burlas por parte de algunos de los miembros de aquel círculo. Bromas que terminan en un reto. Así lo recuerda Santiago Touriño:

> *«Un sábado, allí en la Plaza Cadenas, coincide Fidel con tres de los más cercanos amigos de Manolo Castro: Ángel Vázquez, (El Gallego); Antonetti y Newhole; estos dos, estudiantes de arquitectura, y el otro de ingeniería. Surge allí un diálogo y comienzan a relajear a Castro diciéndole: «Muchacho, cómo tú pretendes aspirar a ser Presidente de la FEU si tú no tienes antecedentes revolucionarios. Tú eres un novatico que acabas de llegar aquí. Tú no eres, siquiera, capaz de manejar una pistola».*
>
> *Uno de ellos le dice: «Mira, allí en el estadio está, en este momento, Leonel Gómez, que es el jefe del «bonche» del Instituto de La Habana. ¿Para que tú no tienes lo que hay que tener para meterle un tiro a Leonel cuando salga de allí?».*

---

[101] En abril de 1947 al dejar Manolo Castro el cargo, ocupa Humberto Ruiz Leiro, interinamente, la presidencia de la FEU. Pasará Manolo Castro a sustituir a Luis Orlando Rodríguez como Director de la Comisión Nacional de Deportes.

Fidel responde: «Sí, lo tengo; dame tu pistola y te lo voy a demostrar». Y por esa apuesta, desde los altos del muro de la Escuela de Farmacia que daba frente al estadio de la Universidad, espera la salida de Leonel y, sin mediar una palabra, le dispara y lo hiere[102]. Allí se graduó de pistolero»[103].

Fidel ha pasado la prueba de empuñar una pistola y disparar contra otro estudiante; pero se ha creado un problema mayor.

Leonel Gómez es algo más que «el jefe del *bonche* del Instituto de La Habana»[104]. Es, por encima de eso, un miembro de la UIR[105].

De este incidente existen distintas versiones:

Herido, Leonel es conducido al Hospital de Emergencias. Allí se aparecieron Emilio Tró, Billiken y Armando Correa que llevaban a Fidel, prácticamente maniatado, para que Leonel lo reconociera como el hombre que le había tirado[106]. Fidel –le cuenta Leonel a Touriño– le

---

[102] Resultan heridos en el atentado a Leonel Gómez, Fernando Freire de Andrade, Cenaido Quicutis y el menor Manuel Alarcón. El hecho se produjo el 8 de diciembre de 1946.

[103] No era la primera vez que «el guajiro de Birán» empuñaba una pistola. Dice Fabio Ruiz que recién nombrado Jefe de la Policía Nacional vió en Infanta y Neptuno a un joven esgrimiendo una pistola en la calle. Lo detuvo y lo llevó preso a la estación de policía. «A los cuarenta minutos me llamó Eddie Chibás para que soltara a «Fidel Castro". ¿Quién es Fidel Castro? le pregunté. Me respondió «Coño, el joven que tú llevaste a la estación para que lo prendieran». Chibás llamó a la estación de policía y, bajo su responsabilidad, pidió que soltaran a Fidel». Fuente: Entrevista con Fabio Ruiz.

[104] El 28 de noviembre de 1945, a los dos meses de ingresar Fidel Castro en la Escuela de Derecho, Leonel Gómez ya estaba envuelto en un hecho de sangre. El 28 de noviembre (1945) Antonio Brito Rodríguez, último jefe de la policía del gobierno de Batista, que había mantenido el cargo durante los primeros meses del gobierno de Grau, era muerto de cinco balazos cuando se encontraba en su propio automóvil. Leonel Gómez y Froilán Noroña fueron considerados por la Policía como los autores del fatal atentado. (Raúl Aguiar Rodríguez).

[105] Guillermo García Riestra (Billiken) Secretario de Organización de la UIR afirma que en aquel momento Leonel Gómez no era miembro de la organización. Era sólo amigo de algunos integrantes de la UIR. (Entrevista de Billiken con Enrique Ros, agosto 13, 2002).

[106] Declaraciones de Santiago Touriño.

pidió perdón y, allí mismo, tramitó su salto del grupo original de Manolo Castro, Eufemio y Mario Salabarría al de Emilio Tró[107].

Abundan los intermediarios. Mencionaremos algunos.

Tal vez Fidel quería evitar en ese momento lo que le pasó a Andrés Noroña, el estudiante del Instituto de La Habana que, de acuerdo a todas las versiones conocidas, fue metido en un barril de cemento y aún no se sabe donde fue a parar.

Evidentemente, Fidel Castro, atemorizado ante el hecho, no dejó puerta por tocar. Acude, también, al propio José Luis (Tambor) Echeveite quien, recuerda con claridad Guillermo García Riestra (Billiken), *«se acerca a nosotros y dice que Fidel quiere hablar con la organización en relación con el atentado a Leonel. Se produce la entrevista, en casa del viejo Pepe Estrada, en Carlos Tercero. Están presentes Emilio Tró, Arcadio Méndez, Diéguez y otros. Fidel dio su versión del hecho, y, después, ellos conversaron con Leonel, que todavía estaba hospitalizado y la cosa se allanó y se resolvió»*[108].

Veamos la versión de quien también facilitó la entrevista de Fidel con Emilio Tró:

> *«Estoy en mi casa; yo vivo en San Miguel que hace esquina a Belascoaín, y Fidel, que era el novio de mi hermana, me tocó, en la puerta, y me dijo:*
> *«Tienes que ayudarme» «¿Qué ha pasado?». Me responde: Que acabo de meterle un balazo a Leonel Gómez,» y me hace la historia y me pide que lo ayude porque lo están buscando»*[109].

Díaz-Balart es amigo del general dominicano Juan Rodríguez, que luego se conocerá como uno de los organizadores de la expedición de Cayo Confites, y que paraba en el Hotel San Luis a dos o tres cuadras

---

[107] Algunos mencionan otros intermediarios en la labor de persuasión que llevó a Tró a perdonarle la vida aquella noche a Fidel: El Chino Esquivel, Aramís Taboada, el Gordo Echeveite y Collazo. (Fuente: Enrique Ovares).

[108] Alfredo (el Chino) Esquivel describe la gestión de Tambor Echeveite en términos similares, en conversación con Ovares, Guillermo Bermello y el autor. Noviembre 25, 2002.

[109] Entrevista de Rafael Díaz-Balart con Enrique Ros.

de su casa. Esperaron que oscureciera y Rafael llevó al que busca ayuda a ver a Rodríguez para que le facilitase un traje a Fidel *«porque éste siempre andaba con el mismo traje azul, cruzado, de rayas blancas, de invierno aunque estuviéramos en el verano, para ocultar la pistola»*. También le pidió algo más: Que con sus amigos le consiguiese un guante, para, con el material adecuado, quitarle de las manos las trazas de pólvora para que, cuando le aplicasen «la prueba de la parafina» ésta le diese negativa. Como así fue.

Luego viene una segunda parte, cuando Castro, horas después, vuelve a ver a Díaz-Balart:

> *«Oye, me han dicho que Leonel es de la UIR y que Emilio Tró me va a ir a buscar y eso sí que es grave».*
>
> *Es, entonces* –sigue contándole Díaz-Balart a Ros– *que contactamos a Vidalito Morales (Vidal Morales) quien nos llevó a ver a Emilio Tró, y Fidel conversó con él y se hizo miembro de la UIR*[110] *para protegerse de Manolo Castro y de la gente del MSR. Lo que demuestra su falta total de escrúpulos».*

No había sido éste el primer intento de Fidel de atacar a Leonel Gómez. Nos lo recuerda quien iba a ser, pronto, su cuñado:

> *«Nos reuníamos en la cafetería Vicky (Infanta y San Láazaro) y allí iba con frecuencia un hombre de tipo lombrosiano que no conocíamos bien. Su nombre era algo así como Roberts. Un día Fidel me dice: «Chico, Roberts me ha explicado que nosotros no vamos a tener posibilidades de ser presidentes de la FEU ni tú, ni yo, porque va a llegar Leonel Gómez, Presidente de la Asociación de Estudiantes del Instituto Número Uno, que es muy amigo del presidente Grau, y Grau lo va a ayudar».*
>
> *«Le expliqué lo absurdo de esa idea, y me dice: «No, estás equivocado, tenemos que matar a Leonel».*

Rafael se percata que está en presencia de un sicópata. Ni Fidel, ni él, habían visto, jamás, a Leonel Gómez que era un estudiante de segunda enseñanza; de bachillerato. Trata de hacerle ver lo absurdo, lo irracional de esa idea, pero éste insiste y pide reunir a los seis

---

[110] Según el Secretario de Organización de la UIR la incorporación oficial de Fidel Castro a la UIR se produjo mucho después. «De hecho, después de lo de Orfila». Ver página 98.

delegados de cada una de las asignaturas del curso para que decidan sobre su planteamiento de ajusticiar a Leonel. Aquella reunión la recuerda así Díaz-Balart:

> *«Parecía una reunión de locos. Seis mozalbetes reunidos para discutir si matábamos a una persona que ni siquiera conocíamos ni habíamos visto. Cuatro nos opusimos, y sólo Fidel y uno a quien le decíamos el Indio Guerra votaron por matar a Leonel».*

Pasaron varios días y estando el grupo en una verbena en un parque frente al Malecón se acerca alguno y le dice a Fidel: «Ahí llegó Leonel con su escolta». Y nos dice Fidel: «Vamos a matarlo». Nos negamos. Guerrita, el Indio Guerra, dice: «Lo que pasa es que ustedes tienen miedo». A la acusación responde el Chino Esquivel dándole un piñazo. Los separamos y todos, incluyendo Fidel, nos fuimos. Por eso yo siempre he dicho que Fidel es un loco endemoniado»[111].

«Fidel es brillante, como fue Calígula, Nerón y Hitler pero es, como yo lo he calificado, un loco endemoniado» afirma Díaz-Balart en una de nuestras largas conversaciones.

Ya Fidel ha pactado con Emilio Tró pero tiene temor de que algunos de sus hombres no conozcan de esa tramitación, por eso, hombre precavido, busca a quien puede prevenirle de un ataque inesperado. Va a ver a Tony Santiago[112]. Éste nos cuenta lo siguiente:

> *«Un día Fidel, que vivía cerca de la universidad se me apareció en mi casa; yo vivía en La Habana Vieja, y me dice «Chico, como yo no conozco a la gente de Leonel y tú sí la conoces porque has tenido problemas con ellos, yo quisiera ir a la universidad contigo, juntos, porque así si tú ves a uno de esa gente, por lo menos me adviertes para que yo tenga cuidado».*

---

[111] Declaraciones de Díaz-Balart a Enrique Ros.

[112] Tony Santiago, del Instituto Número Uno de La Habana, participó activamente en las actividades estudiantiles de la segunda enseñanza. Presidió el congreso celebrado en Cienfuegos que creó la Federación de Estudiantes de Institutos de Segunda Enseñanza (FEI) de la que fue destacado dirigente. En 1943 ingresó en la Escuela de Derecho de la Universidad Nacional, abandonando sus estudios pero manteniendo su vinculación con líderes universitarios.

Y, así, fuimos, juntos, ese día y varios más hasta que se hizo, de todos, conocida su vinculación con la gente de la UIR»[113].

PRIMEROS LAZOS DE FIDEL CON LA UIR

En 1945, cuando Grau asume el poder, aunque ya no existía el *Bonche,* «dominaba totalmente la Universidad «el MSR de Eufemio, Manolo Castro, Salabarría (ya nombrado comandante) y Masferrer».

«Fidel y yo –narra Díaz-Balart– *nos encontrábamos en una situación difícil porque no simpatizábamos con esa gente que tenía la totalidad del poder y dispuesto a ejercerlo, inclusive a balazos».*

La UIR *«a la que Fidel y yo estábamos vinculados, no podía entrar en la Universidad porque la Policía Universitaria, que era autónoma, registraba a todos. A los del MSR los dejaba pasar, pero no a los de la UIR».*

Paralelamente a las pugnas estudiantiles, la universidad enfrentaba otro problema: Grau le suprimió el presupuesto al Instituto de Vías Respiratorias, organismo autónomo dirigido por el profesor Antonetti, con quien el presidente Grau tenía una pugna personal y «como no podía dejar cesante a Antonetti, le quitó el presupuesto» recuerda Rafael Díaz-Balart.

DETIENE SALABARRÍA A FIDEL CASTRO

El comandante Salabarría oye por el radio de la Policía que están circulando «un automóvil con personas debidamente armadas y que se tuvieran precauciones con ellas». Así recuerda Salabarría este incidente:

«Al poco rato me dice el chofer: «Comandante, ahí va un carro sospechoso». Lo seguimos y, aunque cambió de dirección con frecuencia, lo encontramos en la calle Masón y, al registrarlo, le encontramos a Fidel Castro una pistola 45 y a Aramís Taboada una pistola 38.

---

[113] Entrevista de Tony Santiago con el autor.

Presenté a Fidel ante el Tribunal de Urgencias, y quedó detenido. Supe luego, que le había tirado a Leonel Gómez cuando éste salía del Estadio Universitario.
Más tarde conocí que después de ese disparo fue a ver a Emilio Tró para justificarse explicándole que lo hizo porque sus compañeros lo empezaron a chotear porque no usaba «su pistolita». Nunca me citaron a ese juicio»[114].

Luego de los disparos, se refugia en casa de quien pronto será su cuñado, Rafael Díaz-Balart. Pero como el atentado –tras las urgentes gestiones conciliatorias que realiza– le consigue el respaldo de un inesperado personaje, Emilio Tró, no vacila en utilizarlo.

Fidel Castro ha dado un viraje de 180 grados. Ha pasado del MSR, el grupo de Eufemio y Manolo Castro, al de la UIR, de Emilio Tró. De «porras armadas» califica Alfredo Guevara al MSR y a la UIR[115] organizaciones a las que prestó sus servicios Fidel Castro. En términos idénticos se expresa otro exégeta del Fidel Castro universitario. De «porras armadas» califica el propio Ramón de Armas[116] a la UIR y al MSR.

Ya se están confeccionando las candidaturas para elegir al nuevo Presidente de la FEU.

Ahora se integra Fidel en la política universitaria –recuerda Enrique Ovares– con el grupo de estudiantes que pertenecía o simpatizaba con la UIR. Entre ellos, Alfredo Esquivel, Aramís Taboada, Santiago Touriño, el Flaco Raúl Granado, Baudilio Castellanos, e Isidro Sosa. Se esfuerza, trabaja intensamente, pero sólo llega a Delegado de Curso. Perderá en su maniobra para alcanzar la presidencia de la Escuela de Derecho luego de traicionar el compromiso contraído con Pablo Acosta. En próximas páginas nos referiremos a ello.

---

[114] Entrevista de Enrique Ros con Mario Salabarría. Abril 4, 2002.

[115] Ramón de Armas: Historia de la Universidad de La Habana», Editorial de Ciencias Sociales, La Habana, 1984. Página 514.

[116] Ramón de Armas, *obra citada.*

«Vemos aquí como Fidel pasa del grupo revolucionario de izquierda, aliado a los comunistas, al grupo revolucionario de derecha y católico» señala Ovares[117].

Ovares es, ya, vicepresidente de la Escuela de Arquitectura y Secretario General de la FEU. ¿Cómo ha alcanzado en tan pocos meses tan altas posiciones?. Veámoslo en sus propias palabras:

«Cuando yo entré en la Escuela de Arquitectura, se produce, ese año, una división, porque quien el año anterior había sido Presidente de la Escuela (Rodríguez Pichardo) tiene problemas. Entonces surge Arquímedes Poveda, comunista, miembro del Partido que estaba en el último año (eran seis años la carrera), y en las elecciones, en caso de empate, el curso superior decide.

Poveda consigue un voto y, con el de él, eran dos, y me vienen a ver a mí para que vote por él como presidente y me ofrece la Vicepresidencia de la Escuela (¡en mi primer año!). Yo acepto. Voto por el comunista Poveda y me convierto en Vicepresidente de la Escuela de Arquitectura.

En un solo año yo he pasado de simple delegado a Presidente de la Escuela y Secretario de la FEU. Ese año hacemos un viaje a Praga. Vamos Rodríguez Odriozola, Secretario de Relaciones Exteriores; el Chino Atán; el Vicepresidente de Odontología, Richard Valdés, y el Gallego Vázquez, amigo de Manolo. Es en este momento que se aparece Fidel Castro en la Universidad».

Poveda termina sus estudios, se gradúa de arquitecto y renuncia a la presidencia de su Escuela. Ovares será, por sustitución reglamentaria el nuevo presidente de la Escuela de Arquitectura y el Secretario General de la FEU.

El «guajiro» de Birán sabe a quien acudir.

Fidel se acerca a Ovares para conocer si éste aspiraría a la Presidencia de la FEU buscando que lo pusiese a él (a Fidel) en la boleta como Secretario General. Pero, Ovares –que ha llegado meteórica-

---

[117] Enrique Ovares en entrevista con el autor.

mente, a una de las más altas posiciones de la FEU–, no intenta aspirar a la presidencia porque reconoce que tiene frente a él a dos fuertes rivales que cuentan, cada uno, con prácticamente los votos necesarios para alcanzar la posición: Humberto Ruiz Leiro, dirigente católico muy conocido e Isaac Araña, Presidente de la Escuela de Ciencias Comerciales, que cuenta con el respaldo de Manolo Castro y su grupo.

La candidatura respaldada por el MSR lleva de Presidente a Isaac Araña y de Secretario General a Alfredo Guevara. En la candidatura que respalda la UIR, el católico Humberto Ruiz Leiro aparece como presidente y, para sorpresa de muchos, es Fidel Castro su Secretario General.

Ya el Consejo Universitario ha dejado sin efecto la destitución de Freddy Marín como presidente de la Escuela de Derecho; episodio al que nos referiremos en próximas páginas.

Ahora las dos candidaturas cuentan con seis votos cada una. Siendo trece las escuelas, para ganar debía contarse con siete votos. Ninguna de las dos candidaturas los tenía, porque Enrique Ovares, Presidente de la Escuela de Arquitectura, que a su vez ocupaba la Secretaría General de la FEU al substituir a Arquímedes Poveda que se había graduado, no respaldaba a ninguna de las dos.

Para cualquiera de los dos candidatos era necesario conseguir el séptimo voto, que es el de Ovares. Ambos le ofrecen a éste la vicepresidencia a cambio de su respaldo. Ovares no acepta. Ruiz Leiro considerando que tiene más experiencia y capacidad de dirigencia que Ovares le propone que vaya éste de Presidente y él, Ruiz Leiro, de Vicepresidente, considerando que podría manejarlo. Araña le hace el mismo ofrecimiento.

Se realizan numerosas gestiones de uno y otro bando para lograr el mágico séptimo voto. Uno de los más activos en esta gestión es Baudilio (Bilito) Castellanos que ha establecido una estrechísima relación con Alfredo Guevara. Así describe Bilito el resultado de sus conversaciones con Alfredo Guevara para conseguir el deseado voto:

> *«Insisto, pero ya Alfredo había hecho el compromiso de votar por Ovares en aquella fórmula de transacción en que se desplazaba de la hegemonía a Manolo Castro. Sin embargo, me dijo: «mira, Bilito, mi posición es la siguiente: Voto por Ova-*

res, tal como me he comprometido, pero a continuación rompo con él. Y con un grupo de seis, aunque sea una minoría, tendremos el control de la FEU, pues los otros siete votos están divididos. De esta manera podremos determinar lo que debe hacerse en la Universidad sin que nos haga falta la presidencia de la FEU. Hacemos un programa activo, damos un vuelco a las cosas y desarrollamos fuertemente la lucha universitaria».

ENRIQUE OVARES: PRESIDENTE DE LA FEU

Se reúnen todos los presidentes de Escuela y se celebra una intensa y acalorada reunión que tuvo que suspenderse durante un largo rato a fin de que se recuperara la delegada de la Escuela de Pedagogía, Evangelina Baeza que había pedido, vehementemente, concordia a todos sus compañeros. Arquímedes Poveda, al igual que Evangelina, solicitó calma a todos los delegados. Al iniciarse la Asamblea habían concurrido los trece delegados, bajo la presidencia de Ruiz Leiro, que «la asumió automáticamente al haber cesado en la misma Manolo Castro, ya que éste no se presentó a las elecciones para Delegado de la Facultad de Ingeniería a la que pertenece». El local de la FEU estaba totalmente atestado de estudiantes.

La situación era tensa. Muchos temían que la reunión terminaría violentamente. Se pronunciaban, por voceros de uno y otro grupo, agresivos discursos. Cuando más enconados se encontraban los ánimos, la presidenta de Pedagogía pidió al orador de turno[118], una interrupción y, con palabras llenas de emoción manifestó «que era una verguenza que entre amigos y compañeros universitarios fuera a haber una matanza». Su electrificante discurso, que había captado la atención de todos los que asistían a la asamblea, terminó con el espectacular desmayo de la joven dirigente. Vino un receso y se iniciaron varias conversaciones en busca de un acuerdo.

En la dramática sesión que se extendió desde las once de la mañana a las cinco de la tarde, la Federación Estudiantil Universitaria tomó la

---

[118] Rafael Díaz-Balart se encontraba en el uso de la palabra. Al terminarse la asamblea partiría hacia los Estados Unidos, donde permanecerá durante un año como tutor de español.

inesperada decisión de aceptar las renuncias que habían presentado los dos candidatos a la presidencia de esa institución: Humberto Ruiz Leiro e Isaac Araña, proponiendo la candidatura de Enrique Ovares, Presidente de la Asociación de Estudiantes de Arquitectura y Secretario de la FEU.

Ovares les dice a ambos que sólo aceptaría la Presidencia de la FEU si todos, los de un grupo y los de otro, lo respaldaban. No hay otra alternativa. Todos aceptan.

DISCURSO DE ACEPTACIÓN
Frente al impresionante escudo cubano que embellecía el Aula Magna de la Universidad Nacional y ante la presencia del rector Clemente Inclán, el nuevo presidente de la FEU, Enrique Ovares, lee su discurso de aceptación.

Tras muchas conversaciones ambos grupos acordaron elegir, por unanimidad, a Enrique Ovares. Alfredo Guevara sería el Secretario General. Fidel Castro quedaba marginado.

En la reunión habló Gustavo Mejía, Presidente de la Asociación de Ciencias Sociales y Derecho Público expresando que existía *«la necesidad ineludible de celebrar la Constituyente»;* originándose una división entre los que pedían «Constituyente antes de Elección», y los que sostenían el punto opuesto de «Elección antes que Constituyente». El evento fue cubierto por el periódico *El Mundo,* jueves 5 de junio de 1947.

Años después, al triunfo de la Revolución pretende Bilito acreditar a su grupo, que de hecho era minoritario, las actividades que se están desarrollando bajo la presidencia de Enrique Ovares:

> *«Fuimos al rescate de la tradición de lucha política hacia el exterior que había tenido el estudiantado en la época de Mella y en la del enfrentamiento al Machadato. Así empieza en la Universidad aquel período de los grandes movimientos populares, donde los estudiantes nos vinculamos estrechamente a las luchas de los obreros y de todo el pueblo».*

Sitúa a su grupo al frente de «la lucha contra el aumento del pasaje; el movimiento contra K-lixto kilowatt por la rebaja de la tarifa eléctrica; el movimiento por la rebaja del precio de la carne; el movimiento contra el aumento de las tarifas telefónicas; el movimiento contra el permiso a los contadores norteamericanos para firmar los estados contables en las empresas radicadas en Cuba...».

Bilito Castellanos vuelve a engrandecer su propia participación y a colocar a su grupo como el eje motor de las actividades que se desenvolvían o se generaban en la Colina:

> *«Incrementamos la situación de efervescencia popular. Las masas acudían a la Universidad. Estaba Chibás con sus arengas. Guido García Inclán por la COCO. Pardo Llada por Unión Radio. Conte Agüero por la Cadena Oriental. Y como nos uníamos a las demandas del movimiento obrero, pues estaba Lázaro Peña y toda la fuerza del Partido Socialista y el periódico «Hoy». Nosotros agitábamos y metíamos decenas de miles de personas en la Escalinata y en la plazoleta de la*

Universidad. Fue un poderoso movimiento que empezamos contra Grau y seguimos después contra Prío[119].

MOVIMIENTO ACCIÓN CARIBE

Meses antes Fidel, que cursa el segundo año de su carrera, había intensificado sus esfuerzos para lograr la elección de su amigo Baudilio Castellanos como delegado de curso del primer año.

A ese efecto hacen contacto Bilito y Fidel con Osvaldo Soto que, como Castellanos, recién se ha matriculado en la Escuela de Derecho. Así lo recuerda Osvaldo:

«Bilito me habló y me dijo que Fidel y él querían reunirse conmigo porque sabían que algunos amigos me habían embullado a que aspirara a delegado de Derecho Administrativo. Nos vimos ese mismo día. A las dos de la tarde se aparecieron en mi casa en la Calle 17 y E, en el Vedado»[120].

El plan que le proponen es sencillo y factible:

«Me propusieron que uniéramos la base de Belén y la de La Salle (yo me había graduado allí) que eran los dos institutos de mayor base, y como Bilito traería la de Santiago, podíamos ganar el primer año. Fidel daba por descontado que él ganaba el segundo año».

De aquella reunión surgió el Movimiento Acción Caribe que, años después, llevaría a Osvaldo Soto a la presidencia de la Escuela. El plan funcionó aquel año.

Osvaldo Soto salió electo delegado de Derecho Administrativo, y Bilito por Antropología Jurídica y delegado de curso. Osvaldo, que cursaba también Ciencias Sociales resultó electo delegado de curso de aquella escuela. Fidel ganaba la delegatura del segundo año de Antropología Jurídica. Fue un sólido comienzo para Acción Caribe.

---

[119] Marta Rojas, Aldo Isidro del Valle y otros: «Antes del Asalto al Moncada».

[120] Entrevista de Osvaldo Soto con Enrique Ros, Julio 26, 2002.

MESA PRESIDENCIAL DE LA CLAUSURA DE LA ASAMBLEA CONSTITUYENTE UNIVERSITARIA

En la foto, de izquierda a derecha, Armando Torres, José Luis Massó, Enrique Ovares; Julián Modesto Ruiz, Vice-rector de la Universidad Nacional; Aquiles Capablanca; Alfredo Guevara y Antonio Cejas.

FUE CLAUSURADA ANOCHE LA ASAMBLEA CONSTITUYENTE UNIVERSITARIA

LA ASAMBLEA CONSTITUYENTE ESTUDIANTIL UNIVERSITARIA

En solemne acto celebrado en el Aula Magna de la Universidad de La Habana quedó clausurada la Asamblea Constituyente Estudiantil Universitaria. Con el Vice-Rector Julián Modesto Ruiz compartieron la presidencia del acto, el arquitecto Aquiles Capablanca, José Luis Massó, Enrique Ovares, Alfredo Guevara, Antonio Cejas (que en 1961 presidió el tribunal que juzgó a los miembros de la Brigada 2506); Arquímedes Poveda, Aramís Taboada y Armando Torres (que a la llegada de Castro al poder se convirtió en uno de los más severos fiscales de los Tribunales Revolucionarios. (Foto del periódico *El Mundo*, La Habana, 10 de septiembre de 1947).

Baudilio Castellanos, en declaraciones llenas de inexactitudes, acredita a Fidel Castro la creación del movimiento Acción Caribe[121]:

«Ya en el curso 1946-47 Fidel buscó un nombre para su grupo estudiantil. En el primer año él había utilizado el de Manicatos, que había sido el de la candidatura de Mella; pero ya en el segundo escogió Acción Caribe; el nombre completo fue Movimiento Estudiantil Acción Caribe, y en el documento de inscripción lo presentamos con una frase de Ingenieros, porque él influyó mucho en la generación de nosotros. El lema era «Vida ascendente y programa infinito»[122].

Mientras, sigue dividiendo al estudiantado el tema del examen selectivo de la Facultad de Odontología.

ASAMBLEA CONSTITUYENTE UNIVERSITARIA

Se han celebrado las elecciones en las que, por unanimidad, todos los presidentes de las Escuelas han elegido a Ovares como Presidente de la FEU. En aquellas elecciones Fidel no fue un factor, ya que sólo aquéllos que ocupaban la presidencia de sus respectivas escuelas podían votar para elegir al Presidente de la más alta organización estudiantil.

Pero Fidel es tenaz; mantiene viva su ambición de ocupar una alta posición en aquel organismo. A ese efecto hace suya la idea de la celebración de una Asamblea Constituyente Estudiantil Universitaria que modificaría el sistema de elección de la FEU, con votación libre y directa de los estudiantes que elegiría una mesa ejecutiva que sería la representación de los estudiantes, quedando, así, eliminada la FEU.

Fidel había sido electo, solamente, como delegado de la asignatura «*Antropología Jurídica*» y delegado del segundo curso de Derecho.

Tenía para él un interés ulterior ser delegado de, precisamente, esa asignatura. Nos lo explica Baudilio Castellanos, su gran amigo y

---

[121] Mario Mencía: «Fidel Castro en el Bogotazo».

[122] Con ese lema recibió otro de sus compañeros de curso, Luis Figueroa, una tarjeta de Navidad, de Bilito, que aún aquél recuerda por la desvinculación del lema con las fechas navideñas (Luis Figueroa en entrevista con el autor).

coterráneo que, en otro año, es también, Delegado de Antropología Jurídica.

«La base de todo aquéllo era que esta asignatura facilitaba el control de las actividades de los estudiantes lo que se lograba mediante un tarjetero donde figuraban su retrato, nombre, dirección y teléfono. Entonces, ya en los primeros quince días de clases uno tenía la lista de todos los alumnos, que eran como 350 para el primer año».

«Adquirimos un mimeógrafo y, de esta manera, podíamos enviarles rápidamente comunicaciones, temas desarrollados en distintas asignaturas, conferencias de clases que logramos se tomaran en taquigrafía. En fin, que uno resultaba útil y en forma muy veloz podía vincularse con la masa de compañeros desde el primer mes de clase».[123]

Será Bilito Castellanos –con el mismo basamento ideológico que Alfredo Guevara– quien relaciona a éste con Fidel. Así describe Baudilio Castellanos aquella conexión:

«Es el instante de las elecciones para la Dirección de la FEU del curso 1947-48. Para ese momento ya el grupo que se polariza en torno a la Escuela de Derecho y a Alfredo Guevara puede contar con seis de los trece votos de la Universidad. Le faltaba uno para el control absoluto de la FEU.

Para Baudilio, *«ya Fidel era un líder natural, con mucho prestigio, aunque a veces esto tuvo que definirse a puñetazos contra los guapetones, detrás de la tribuna. Así que la tesis de Alfredo fue correcta».*

Surge la idea, ya mencionada, de convocar a una Asamblea Constituyente Universitaria que pudiera revisar el sistema de elección de la FEU proponiendo, como idea central, convocar a una elección libre y directa del estudiantado que eligiese la Mesa de la Asamblea Constituyente. Esta mesa de la asamblea sería, desde ese momento, la representación del estudiantado y, de hecho, cesaría la FEU.

Van Ruiz Leiro y Fidel Castro, con el apoyo de los de la UIR, estructurando el plan que someterán a prueba, para ellos infalible, en

---

[123] Mario Mencía. Artículo citado.

las próximas elecciones. Mientras, Fidel, que tiene prisa en sobresalir, participará en otras actividades.

Gustavo Mejía objeta varios de los pasos que se están dando para celebrar la Constituyente. Un día da a conocer en la prensa la carta que le ha escrito a sus compañeros criticando los acuerdos tomados, y renunciando a su posición.

Enrique Ovares, Alfredo Guevara, Aramís Taboada y Fernando Arza, dirigentes de la FEU, califican de injustas las declaraciones de Mejía, Presidente de la Asociación de Estudiantes de Ciencias Sociales y Derecho Público, respecto a su renuncia de Secretario de Arte y Cultura de la FEU.

Consideran que en dicha carta Mejía ponía, gratuitamente, en tela de juicio la labor de la FEU sobre la celebración de la Asamblea Constituyente Estudiantil que redactara el Proyecto de Carta Fundamental del Alumnado de la Universidad. *«No sabemos qué persigue el compañero Mejía, pero lo que sí podemos afirmar y probar es que la Constituyente está en marcha».*

Ruiz Leiro y Fidel ya han lanzado su idea de una asamblea universitaria. Ruiz Leiro aspira a presidente de esa asamblea y Fidel Castro a secretario. En un principio creyeron que esta sería la única candidatura que se iba a presentar. Se equivocaron en los cálculos.

Emilito Quesada, Tony Santiago y otros compañeros convencen a Ovares y Guevara a presentar su propia candidatura, independientemente de conservar sus posiciones en la FEU.

Se abrió un período de inscripción al que podían acogerse todos los estudiantes. La inscripción era requisito para poder participar en la asamblea, que se reuniría en el anfiteatro del «Calixto García»[124].

PERSONAJES NO UNIVERSITARIOS EN LA ASAMBLEA

Hay rumores de que algunos elementos ajenos a la universidad van a tratar de crear problemas; muchos comentan que la UIR va a intentar ayudar a Ruiz Leiro y a Fidel Castro.

---

[124] Hospital Calixto García que se encontraba en los predios universitarios.

Ovares y Guevara quieren evitar que elementos extraños perturben el desenvolvimiento de la asamblea; a ese efecto le piden a Hiram Ruiz Rojas, a Tony Santiago y a otros 10 ó 12 amigos que, desde fuera del anfiteatro, se mantengan vigilantes para evitar cualquier alteración del orden. A los pocos minutos comienzan a llegar varios carros; del primero se baja Emilio Tró; luego, Pepe de Jesús Jinjaume y Armando Correa; todos, hombres de acción; la mayoría, ajenos a la universidad.

Hay otro grupo que está formado por estudiantes de formación religiosa. Lo recuerda así uno de sus dirigentes[125]:

«Estuvimos allí, en la Asamblea Constituyente, muy metidos. Lo formábamos miembros de la Agrupación Católica Universitaria y de la Juventud Católica: Valdespino, Antonio Cejas, Andrés Raúl (Ruly) Arango, Pedro Romanach, Cubeñas, Pedro Guerra. Participó también inicialmente Manolo Artime, entre otros. Tratamos de ganar la Constituyente, pero aquello fue una anarquía, un caos. Ninguno tenía una mayoría absoluta. Los propios católicos estábamos divididos. Pero de allí surgió la idea de Pro-Dignidad».

Ha comenzado la Asamblea Universitaria bajo signos perturbadores.

Así lo relata un testigo[126]:

«Sale de la asamblea Eva Gutiérrez, amiga mía y de Hiram Ruiz, muy identificada con la UIR; camina hacia el carro en que está Hiram, al lado del anfiteatro. Trae un recado de Emilio Tró. Es muy simple. Lo explica Eva con claridad: «Pregunta Emilio que cuál es el plan de ustedes; ¿por qué están ustedes aquí?».

La respuesta de Hiram y los demás que se encontraban vigilantes frente al anfiteatro es, también, muy sencilla:

«Dile a Emilio que estamos aquí porque somos amigos de Ovares y de Guevara y somos estudiantes universitarios, y que estamos aquí para evitar que elementos ajenos a la universi-

---

125 José Ignacio Rasco. Entrevista con Ros.

126 Tony Santiago en conversación con el autor.

dad perturben la marcha de la asamblea. Nosotros vamos a aceptar la decisión que tomen los estudiantes. Si es favorable a Ruiz Leiro, lo aceptaremos. Así de sencillo».

«Emilio Tró intercambia ideas con los hombres que lo acompañaban y decide retirarse de la universidad».

Entre los que preparan la Asamblea Constituyente de la FEU se encuentran los arriba mencionados más Raúl Granado y Elvira Cuevas. Para viabilizar la Asamblea se creó una Comisión Organizadora compuesta por el Presidente de la FEU, Ovares; y sus compañeros del Ejecutivo Ruiz Leiro, Isaac Araña, Guevara, Pérez Nodarse, Yabur y Armando Torres quienes aprueban que la asamblea sea inaugurada la noche del 16 de julio en el Aula Magna.

Alumnos de Ciencias Sociales responden al acuerdo: Los delegados Osvaldo Soto Polo, Mario Rodríguez, Oscar Fernández de Castro, Mercedes Lingoya, María Fidman de Vin y Jorge Morales Díaz respaldan los pronunciamientos de su presidente Gustavo Adolfo Mejía Maderne.

El 16 queda inaugurada en el Aula Magna la Constituyente Universitaria. Además de los miembros del Claustro estaban presentes todos los presidentes que forman la FEU. En la foto publicada por el periódico *El Mundo*[127]. aparecen el Dr. Elías Entriago y el Rector de la Universidad, Dr. Clemente Inclán; el Decano de Pedagogía, José Luis Massó, Enrique Ovares, Presidente de la FEU; Dr. José M. Gutiérrez; Evangelina Baeza, Aramís Taboada y Fidel Castro.

Al consumir su turno en el extenso listado de oradores, afirma Fidel que *«esta Constituyente ha sido el anhelo máximo del estudiantado desde 1923, en que fue propugnada por Mella manteniéndose en la lucha que tuvo culminación con la muerte de Ramiro Valdés Daussá»*[128]. Poco interés despertaron sus palabras que resultaban tan similares –si no, idénticas– a las pronunciadas por los demás oradores.

Dentro de la asamblea, con pleno derecho al voto se mantenía un numeroso grupo, compacto, cerrado, que se distinguía de los otros

---

[127] Miércoles 17 de julio de 1947.

[128] Periódico *Información,* Julio 17, 1947.

estudiantes bulliciosos y extrovertidos. Era la gente de la Escuela de Agronomía que presidía José (Pepe) Buján[129] que, en aquel momento, respaldaba a Ruiz Leiro.

A los quince minutos de haberse retirado Emilio Tró, pasa frente al anfiteatro Mario Salabarría, Jefe de Actividades Enemigas. Se acerca a Hiram Ruiz y a Tony Santiago para informarse de lo que estaba pasando y les pide que entren a la asamblea y le digan a Buján que venga a verlo. A los pocos minutos ya estaba Buján conversando, a solas, con Mario en el carro de éste. Las razones expuestas por el comandante Salabarría deben haber sido muy persuasivas porque al reingresar Pepe Buján al anfiteatro le dice a Tony Santiago:
«Tony, yo voy a cambiar mi voto en la asamblea. Voy a defender a Enrique y a Guevara»[130]. La candidatura de Ovares y Guevara triunfa fácilmente, pero la asamblea no tuvo luego función alguna.

En el acto habló Fidel quien hizo mención a los estudiantes que se encararon con la dictadura y que, al mismo tiempo, defendían la autonomía universitaria. Pero otros sucesos acaparan la atención ciudadana.

Ya Fidel estaba estrechamente vinculado con la UIR. Un amigo y compañero de aquellos años recuerda este episodio[131]:

> *«Un día, en tercer año, Fidel me llama y me dice: «Rolando, mañana hay un examen de Derecho Civil, Parte General y Personas. ¿Vas a ir tú?». Le dije que no, que yo iría a la otra convocatoria, pero nos pusimos de acuerdo para estudiar esa noche. Cuando fuí a buscarlo en 12 y 23 me dice: «Rolando, vamos a pasar primero por la UIR porque le tengo que pagar $20 pesos que le debo a Emilio Tró». Fuimos allí, en la esquina de Carlos Tercero y Subirana. Al llegar vimos un tumulto extraordinario; preguntamos y le dijeron a Fidel» «El Colora-*

---

[129] José Buján había cursado la segunda enseñanza en la Escuela de Belén.

[130] Declaraciones de Tony Santiago en la entrevista con Enrique Ros.

[131] Rolando Amador, entrevista con el autor, diciembre 3, 2002.

do tomó preso a Emilio y se espera que pronto van a venir a atacarnos. Así que tienes que quedarte».

«Y le dan a Fidel una ametralladora Ingraham, como las de la policía de Los Ángeles, y todos se disponen a repeler la agresión. Se sientan en la acera; algunos por Carlos Tercero y otros por Subirana. Yo me quedé allí con mi código civil. Pero a Tró lo soltaron y llegó allí afirmando que él le había dicho al Colorado: «Yo no pido cuartel porque tampoco lo doy».

«Una frase que a Fidel le gustó».

1947 es un año cargado de graves acontecimientos, en la Colina y en la isla. Había comenzado con rumores que partían de Palacio sobre la intención del presidente Grau de reelegirse.

El 18 de enero vuelve, desde Daytona Beach, en la Florida, el ex-presidente Batista a formular declaraciones a la prensa condenando el intento de reelección del Dr. Grau (U.P., enero 18, 1947).

Los estudiantes denuncian también, en un documento, los propósitos reeleccionistas.

Por el Ejecutivo Central del Directorio Estudiantil firmaban: por Derecho Civil: Fidel Castro, Rafael Díaz-Balart y Baudilio Castellanos; por Odontología: Humberto Ruiz Leiro, Ricardo Valdés y Carlos Miyares; por Filosofía: Alfredo Guevara, Juan Cros y Luis Espíndola; por Arquitectura, Enrique Ovares, Vicente Castro y Santiago Amador. También firmaban miembros de otras escuelas[132].

El Directorio Estudiantil Universitario, integrado por representación de todas las Escuelas, expresaba *«el asombroso escarnio que significaban los intentos reeleccionistas de los que escalaron el poder esgrimiendo principios que han traicionado sin escrúpulos».*

La tensa situación es agravada por las declaraciones formuladas por el propio mandatario cubano a una periodista del New York Daily News[133] recogidas en primera plana por toda la prensa nacional: *«Iría*

---

[132] Entre los firmantes también se encontraban Raúl Granado, Arturo Zaldívar, José A. Montes de Oca, Andrés Muiño, Reinaldo Arza Balart y Jorge Arredondo. Fuente: *Diario de la Marina*, enero 21, 1947.

[133] Ruth Montgomery, *New York Daily News*. Cable distribuido por United Press. Enero 21, 1947.

a la reelección si Batista o alguien de la vieja camarilla tratara de ser presidente...; yo aspiraría si el país lo necesitara».

En la mañana del sábado 4 de abril (1947) se da a conocer que el ex-comandante Juan de Cárdenas *«Guancho»,* principal acusado en la muerte de Eugenio Llanillo, se había fugado del Hospital de la Policía Nacional donde había estado recluido durante varios meses, excluido de fianza. El sobrino del Vicepresidente de la República, ahijado de la Primera Dama, había desaparecido.

Se publicaba en la prensa que el día anterior a la fuga, el jefe de la policía, coronel Carreño Fiallo, había sostenido una entrevista reservada de media hora con el preso.

Aumentaban las críticas al Jefe de la Policía por su inacción. El Senador Auténtico, Eduardo Chibás, dedicaba gran parte de sus transmisiones radiales a atacar al alto oficial de la Policía, cuya posición hizo crisis con la fuga de Guancho de Cárdenas. Días después Carreño Fiallo era designado Agregado Militar a la Embajada de Cuba en México, entregando su posición al coronel Álvaro Moreno, cuando, Chibás daba los primeros pasos para organizar el Partido del Pueblo Cubano (Ortodoxo). (Revista *Bohemia*, mayo 14, 1947).

El martes 1o. de julio de 1947 se informaba que Eufemio Fernández, Ex-Jefe del Buró de Investigación y Ex-Segundo Jefe del Servicios de Investigaciones de Actividades Enemigas, sería presentado ante los tribunales de justicia para responder a los cargos que se le hacen. Con motivo de estas declaraciones muchas conocidas figuras revolucionarias acudieron a las oficinas del SIIE para hablar con el comandante Mario Salabarría. Éste se entrevistó con Sergio Carbó y Manolo Castro.

Otros hechos de sangre ensombrecen al panorama capitalino.

En la noche del viernes 4 de julio de 1947 *«fue muerto a balazos, en la esquina de Tamarindo y 10 de Octubre, José Flebes Maury, conocido por Papito, y compañero de Carlos Duque Estrada»,* que se encontraba en México por sus actividades revolucionarias. Declaraba Ruiz Rojas, Jefe de la Policía Nacional, que la víctima estaba considerada como uno de los complicados en el robo de dinamita propiedad del Ministerio de Obras Públicas y en otras actividades en las que estaba asociado con Duque Estrada.

En ese momento[134] el Juez de Instrucción, Riera Medina procesó a Néstor Piñango por homicidio imperfecto señalándole una fianza de 20 mil pesos remitiéndolo al Vivac, acusado de haber hecho agresión a Orlando Castro Yanes balaceado en la esquina de San Rafael y Belascoín. En el traslado al hospital Orlando Castro aseguró que había sido agredido por Néstor Piñango. Luego es el Dr. Piñango quien presta declaraciones ante el Jefe de la Policía, coronel Fabio Ruiz.

Se suicida el alcalde de La Habana. Ante la muerte del Dr. Manuel Fernández Supervieille, le correspondió asumir la alcaldía a Nicolás Castellanos que era el Presidente del Ayuntamiento. Al quitarse la vida de un disparo[135] Fernández Supervieille había dejado una nota manifestando *«que tomaba esa trágica decisión por no haber podido cumplir con los compromisos contraídos por él con el pueblo»*.

DERROTA DE CASTRO EN LA POLÍTICA UNIVERSITARIA

Se van a celebrar las primeras elecciones en las que los estudiantes, con su voto directo, elegirán al Presidente de la FEU. Se preparan dos candidaturas: una, lleva de presidente al católico Ruiz Leiro y de Secretario General a otro Belemita: Fidel Castro. Cuenta con el respaldo de la UIR y de Juan Antonio Rubio Padilla, respetado revolucionario que fue miembro del Directorio Estudiantil Universitario de 1930; y de otras figuras de prestigio en los sectores católicos. La otra candidatura la preside Enrique Ovares, electo a esa posición en la contienda anterior y va de Vicepresidente José Luis Massó; lleva de Secretario General a Alfredo Guevara, y, de Vice, a Aramís Taboada.

La demagogia y la campaña difamatoria hacia sus oponentes, desplegada por Fidel, repercute negativamente en su propia candidatura y produce la derrota del respetado Humberto Ruiz Leiro. Alfredo Guevara ha vuelto a derrotar, como Secretario General, a Fidel Castro.

---

[134] Julio 16, 1947.

[135] El lunes 5 de mayo de 1947 decenas de millares de personas concurrieron al sepelio. El cortejo fúnebre salió del Palacio Municipal. La prensa recoge que fue tanta la aglomeración del pueblo para presenciarlo que hubo que cerrar las calles perpendiculares a la que recorría.

Baudilio Castellanos ocupa la Presidencia de la Escuela de Derecho y, al año siguiente, aspira a la Presidencia de la FEU contando con el apoyo de su coterráneo y amigo Fidel Castro que le ofrece el respaldo de grupos católicos que lo ayudaron en la contienda anterior. La càndidatura de Bilito Castellanos se enfrenta a la del reeleccionista Enrique Ovares, y ésta gana recibiendo, así, Fidel Castro su tercera derrota en las lides universitarias.

Es sorpresiva aquella victoria. La recuerda así el candidato ganador:

«La próxima presidencia mía, la que yo le gano a Bilito, la consigo en contra de todo el «piten» de Fidel Castro y del grupo católico que él y Ruiz Leiro encabezan.

Y la gano, increíblemente, con el voto de la esposa de Mario García Incháustegui, (éste, comunista) que era presidenta de Filosofía y Letras. Tanto Baudilio Castellanos como yo contábamos con seis votos; el voto de la esposa de García Incháustegui fue decisivo y me dio la presidencia», recuerda Ovares en una de sus entrevistas con Enrique Ros.

Y esta situación que, a simple vista parece no tener sentido, obedece a una simple razón. Así lo expresa el propio Ovares:

«El Partido Comunista le tenía miedo al gangsterismo. Esa elección la gano yo por el temor que tienen los comunistas de que la FEU cayera en manos del gangsterismo».

El veterano presidente de la FEU al analizar los años de la presidencia de Manolo Castro afirma que *«alrededor de Manolo estaban todos los comunistas: Flavio Bravo, Mas Martín, Valdés Vivó y otros; es una época en que no existían todavía los Alfredo Guevara y Lionel Soto. Además, junto a Manolo estaban, también, los Sorí Marín, José Luis Massó, Eduardo Corona; es decir la gente más capacitada, de mayor preparación y de una más firme proyección política. Otro grupo está dirigido por un loco como Emilio Tró; pero, sin duda, son anticomunistas»*[136].

---

136 Entrevista de Enrique Ovares con el autor, mayo 4, 2002.

VISIÓN DEL PANORAMA UNIVERSITARIO

Es ésta una inteligente visión del cuadro universitario en el segundo quinquenio de la década de los 40.

Veamos otra, igualmente inteligente y objetiva, pero discrepante:

La evidente penetración comunista en la Universidad Nacional la describe con claridad quien en la década de los 40 era estudiante de la Escuela de Derecho:

> *«Al ser derrotado el fascismo, y con él ese nacionalismo extremo y colonizador o imperialista que representaba tanto Hitler como Mussolini surgió, de manera renovada, otra forma de nacionalismo en las universidades de América Latina.*
>
> *La Juventud Latinoamericana, entre ella la de Cuba se planteó, emocionalmente, el problema socio-político del equilibrio de poderes en el mundo: entre Estados Unidos y la Unión Soviética. La órbita de penetración de cada uno de estos estados, y el rechazo consiguiente constituirían, a partir de entonces, los ejes en torno a los cuales giraría la conducta de la juventud.*
>
> *La táctica del Partido fue conducir a sus jóvenes como no comprometidos; aunque pronunciándose siempre por sus consignas. Cortejaba, además, a quienes cooperaban. Entre sus halagos preferidos sobresalían la publicidad que regalaban a quienes querían notoriedad, los aplausos que tributaban a quienes se inflaban de vanidad, y los viajes que ofrecían a quienes vivían por asistir a sus frecuentes eventos internacionales.*
>
> *En la Universidad de La Habana, los jóvenes comunistas se ganaron a Manolo Castro, presidente de la FEU, con el tema de la República Española y por la vía de la gratitud, ya que al voto decisivo de Arquímedes Poveda, miembro de la Juventud Socialista, debió su elección. Los comunistas sacaron gran ventaja de tales circunstancias. Tomaron bajo su control la 'Comisión de Relaciones Exteriores'. Ayudaron a la 'Comisión Campesina'. Se situaron, aunque subrepticiamente, en el Comité Anti-Trujillista. Constituyeron el 'Comité Anti-Imperialista'. Se hicieron dueños del 'Comité de Ayuda a la República*

española' de la FEU. Llegaron al punto de enviarle alguna ayuda a las guerrillas que decían operar contra el gobierno de Franco desde Toulouse en Francia, cerca de la frontera con España.
Los jóvenes comunistas se pasaban el día metidos en el local de la FEU. Trabajaban allí más que nadie, sin recibir remuneración. Muchos no eran siquiera estudiantes. Luis Mas Martín y el propio Flavio Bravo eran visita diaria.
No descuidaron, tampoco, los centros de estudios secundarios: institutos, escuelas normales, de comercio y de artes y oficios. Los estudiantes que se destacaban como líderes eran halagados por los más altos dirigentes del Partido. Éstos les ofrecían respaldo y les sugerían las tesis, de que usualmente carecían los estudiantes.
El Instituto Número Uno de La Habana fue de los centros secundarios que mejor trabajaban. Tenían buenos 'cuadros' juveniles con quienes llevar a cabo su labor. En los años inferiores, contaban con Raúl Valdés Vivó, José Boris Alshutl y Gina Cabrera y, en los años superiores con Lionel Soto y Alfredo Guevara»[137].

Era ése el panorama que ofrecía la Universidad Nacional cuando ingresaba en ella Fidel Castro.

Pronto, comienza a hacer contacto con figuras conocidas de la izquierda universitaria. Rechazado por ellas que desconfiaban de su procedencia católica, encaminará sus pasos hacia la tendencia que encabeza en la Colina Humberto Ruiz Leiro, como él, procedente de la Escuela de Belén. Pero no dejará de mantener contactos con, y sentirse atraído a, Lionel Soto, Alfredo Guevara, Baudilio Castellanos y otros, la misma ambigua posición que durante aquellos meses críticos, también mantenía la dirigencia comunista nacional.

[137] Antonio Alonso Ávila: «Historia del Partido Comunista de Cuba», Ediciones Universal, Miami, 1970.

CASTRO MIRA HACIA LA ORTODOXIA

El sábado 10 de mayo Eduardo Chibás mencionaba que «factores de índole programática están determinando la decisión de integrar un nuevo partido»[138]. Se llaman a sí mismos, «Auténticos-Ortodoxos». Pronto eliminarán lo de «auténticos» y se quedarán como «ortodoxos». De *Ortofónicos* los calificará Grau aludiendo a los frecuentes y encendidos discursos de Chibás y Pardo Llada. A las filas de la «Ortodoxia Universitaria» organizada por Conte Agüero se incorporará Fidel Castro.

De esa forma Chibás se acercaba a la posición asumida por otros antiguos dirigentes del Partido Auténtico. En las primeras conversaciones sobre este tema no aparece mencionado Fidel Castro. Prío Socarrás es designado Ministro de Trabajo y Rafael P. González Muñoz, Ministro de Estado.

El jueves 16 de mayo de 1947, el Senador Emilio Ochoa, Jefe de la Asamblea Provincial Auténtica de Oriente, presentó una moción en la que se establecía la base para la creación de un nuevo partido político.

Rompe, al fin, Eduardo Chibás con el Partido Auténtico y funda con Ochoa y otros el Partido del Pueblo Cubano (Ortodoxo).

La prensa[139] menciona a los siguientes asistentes: «Los senadores Chibás, Cuervo Navarro, Millo Ochoa, Agustín Cruz, José Manuel Gutiérrez y Nano Galano; el Gobernador Provincial de Matanzas, Tata Vega; los representantes Manuel Bisbé, Fausto Gutiérrez, Fernando de la Cruz Chiner, Juan José García Benítez, Claudio Álvarez Lafebre, Rubén Alonso, Javier Vivero Muñiz, Antonio Díaz Fernández; Luis Ochoa Rojas; los alcaldes municipales Güarro Ochoa, de Holguín; Alberto (Beto) Saumel, de Bayamo; Pepillo Hernández, de Victoria de las Tunas; Emilio Sorondo, de Bauta; Cartaya, de Colón; el Ex-Rector

[138] En los corrillos políticos un tema acapara la atención de todos. Ante la acerba crítica que el gobierno de Grau y el PRC reciben de Chibás se considera inminente la división de aquel partido mayoritario y la formación de una agrupación dirigida por Chibás.

[139] Periódico *El Mundo*, viernes 16 de mayo de 1947.

de la Universidad, Rodolfo Méndez Peñate; los profesores Chelala Aguilera, Rafael García Bárcenas.

Se encuentran también Natasha Mella, Orlando Castro Llanes, Georgina Shelton, Luis Conte Agüero, Medina Iglesias, Presidente de la Juventud Auténtica de Placetas; Pedrín Leyva; Rafael Armenteros; Francisco Ortega, Presidente del Liceo de Güines; Luis Orlando Rodríguez, Charles Simeón, Dominador Pérez, Agapito Guerra, José Antonio Navarro, Domingo Ampudia y otros». Porque políticamente es insignificante, tampoco esta vez, aparece el nombre de Fidel.

Aunque la prensa no lo menciona, a la reunión que se celebra en el local de la Sección Juvenil Auténtica, situada en Neptuno y Amistad asiste, también, Fidel Castro.

En aquellos momentos en que se estaba formando el Partido Ortodoxo, Fidel, Rafael Díaz-Balart y Rolando Amador hicieron un viaje a Oriente. Rafael hablaría en un acto en Banes y Fidel en Antilla. Recuerda Rolando Amador que el discurso de Rafael fue *«formidable, muy emotivo, él es muy buen orador. El de Fidel fue bueno, pero inferior al otro»*[140].

Pero, al *guajiro* de Birán lo mueve una más cercana aspiración: llegar a la presidencia de la FEU o, al menos, a la presidencia de la Escuela de Derecho. Fracasará en ambas aspiraciones.

---

140 Entrevista de Rolando Amador con el autor.

CAPÍTULO IV

ORFILA: ORGÍA DE SANGRE

ANTECEDENTES DE ORFILA

Fidel Castro tiene una exculpatoria razón para justificar los crímenes cometidos por los «revolucionarios del Gatillo Alegre». Castro razonaba que «los jóvenes que habían sufrido once años de abuso e injusticia bajo el régimen de Batista deseaban vengar los asesinatos de sus colegas»[141]; es la acomodaticia explicación que nos ofrece Samuel Farber.

«La culpa no puede recaer sobre los jóvenes que, movidos por su compasión natural y la leyenda de épocas heroicas, buscaban una revolución que no se había realizado y que en ese momento aún no había empezado. Muchas de aquellas víctimas que murieron como gángsters pudieron hoy haber sido considerados como héroes»[142].

Pero ambos, Farber y Castro, quieren ignorar que muchos de estos «revolucionarios» degeneraron en elementos corruptos combatiéndose unos a otros. Los asesinatos y las batallas campales eran espectáculos frecuentes en las calles de La Habana.

Crímenes a los que no era ajeno el joven de Birán que tomaba decisiones sobre la vida de otros sin comentarlas con nadie.

«Fidel siempre escuchaba lo que se le decía. No hacía comentarios y, después, actuaba sobre el incidente que se le había comentado, pero, siempre, sin informar a nadie»[143].

---

[141] Samuel Farber. «Revolución y Reacción en Cuba, 1933-1960».

[142] Artículo de Fidel Castro escrito en diciembre de 1955 que aparece en la obra de Rolando Bonachea y Nelson P. Valdés «Lucha Revolucionaria, 1947-1958».

[143] Entrevista de Alfredo (el Chino) Esquivel con el autor.

LOS SUCESOS DE ORFILA

Los sucesos de Orfila los precipita la muerte del Capitán Raúl Ávila. Para Billiken, alto dirigente de la UIR, «Mario Salabarría se coge la investigación de la muerte de Ávila... Esto se apartó de las reglamentaciones jurídicas... Debió haber sido el Coronel Díaz Baldoquín quien debía haber procedido a la detención de Emilio Tró».

Recuerda el Chino Esquivel que su padre tenía una oficina en un edificio de apartamentos en la esquina de Jovellar y Espada y que un día Mario Salabarría se le acercó para alquilarle un apartamento para una persona allegada a él. *«Se lo comenté a Fidel que me oyó sin hacer comentario alguno».*

> *«Y después viene Pepe de Jesús Jinjaume (que murió hace poco) y me pregunta: «¿Chino, tú tienes la llave de la oficina?». Le respondí que sí. «Dámela, vamos para allá». Le dije: «Coño, Pepe, cómo vamos a ir. Si nos ven nos van a matar». No fuimos. A los pocos días va allí Emilio Tró a intentar matar a Mario pero éste se demoró y Tró se fue porque ese día inauguraban un restaurante en los bajos de la oficina y al poco rato se fue allí. Sin embargo, días después era Mario el que*

mataba a Tró». Dice el Chino Esquivel que este cuento se lo había hecho él mismo a Mario Salabarría en el exilio.

A su vez el comandante Mario Salabarría comenta en nuestras extensas conversaciones sobre otros revolucionarios:

«Orlando León Lemus no se vinculó nunca permanentemente a ningún grupo[144]*. El Colorado aspiraba a una posición en la Policía Nacional. Grau no lo quería nombrar. Yo produje una entrevista con Collado, muy amigo de Grau, que fue el que hizo la reestructuración de la Policía Nacional, y era amigo mío –afirma Salabarría–. Yo conspiré con Collado, con Carreño Fiallo y con Carrera Justiz. Nombran a Carreño Fiallo y a mí, pero no a Orlando León Lemus... es que Grau no lo quería. Carrera Justiz aspiraba a Ministro de Gobernación pero no lo nombraron».*

«Cucú Hernández había militado en ARG con Jesús González Cartas y Orlando León Lemus».

«El Extraño entró de teniente en la Policía Marítima; Cucú en la Secreta y León Lemus se dedicó a vender artículos a los ministerios. Los compañeros de León Lemus se sentían disgustados por su éxito económico. Y llegó Emilio Tró que en el proceso de la Revolución era, en cierto modo, un subordinado de el Colorado, porque no estaba a nivel de León Lemus, y comienza a decir «Orlando ha traicionado la Revolución».

«Cuando al Colorado lo empezaron a atacar en un periodiquito que tenía Vidal Morales; nos entrevistamos en Kasalta y me explicó que lo estaban atacando calificándolo de traidor».

Pronto las palabras comienzan a convertirse en peligrosa realidad.

---

[144] Orlando León Lemus gozaba, en la mitad de la década de los 40, de cierto prestigio revolucionario. Al extremo que Eduardo Chibás, el 7 de abril de 1945, siendo representante de la Cámara por el Partido Revolucionario Cubano lo designó, junto con Orlando Álvarez Barquín, para que lo represente como padrino en un duelo personal que tiene concertado con Joaquín López Montes, director del periódico *Acción.* (Fuente: Luis Conte Agüero «Eduardo Chibás. El adalid de Cuba», La Moderna Poesía, Miami, 1987.)

«En la Calle Ayestarán Emilio Tró, acompañado de un mulato al que le decían «Paco», le dispara a León Lemus»[145].
«Orlando va a la Policía Secreta y allí está con Cucú. Yo voy también, y trato de persuadirlo a que presente una demanda legal y no que actúe por su cuenta. La respuesta es negativa: «No, este es un problema personal mío». Salabarría insiste: «Estás equivocado; tú eres un hombre público. Ya tú no eres el hombre que está huyendo. Tú eres un hombre de ley. Debes seguir un proceso legal». La respuesta sigue siendo negativa: «No, este es un problema personal mío. Esto lo arreglo yo»[146].

Se creó un problema que pudo haberse evitado si León Lemus hubiera ido a los tribunales a acusar a Emilio Tró. Pero, de acuerdo a lo expresado por Mario, *«la mentalidad de esos individuos no les permitía funcionar dentro de un proceso legal»*.

Continúa Salabarría comentando los pasos previos a la tragedia del Reparto Orfila:

«Yo quiero, Ros, que tú sepas que Genovevo, inteligentemente, planteó la lucha como una que se produce entre dos grupos».
«Es necesario que tú sepas que no había «tal grupo de Mario Salabarría». Yo era Comandante de la Policía, y Mario Salabarría recibe la orden del juez de detener a Emilio Tró, al Sr. Padierne y Arcadio Méndez».
«Mis relaciones con Morín Dopico nunca fueron buenas. Él, en esos momentos, está suspenso de empleo y sueldo porque le han cogido una casa de juego en Regla. Morín es un delincuente; lo sacaron de Marianao porque «igualó» todos los kioscos y entonces lo mandaron para Regla».

En su relato omite Salabarría, tal vez inadvertidamente, otro atentado. Es el que, sin éxito, se realizó contra Emilio Tró, cuyo automóvil

[145] Para el martes 27 de mayo (1947) se hacía llegar al Juez Riera Medina las declaraciones de tres personas que afirmaban haber presenciado la agresión al carro en que viajaban Orlando León Lemus, Francisco Villanueva y Tomás Bretón.

[146] Sucede que alguien dispara sobre un automóvil creyendo que Emilio Tró iba dentro.

–de acuerdo a lo publicado por la prensa– fue acribillado por más de 60 balazos la noche del viernes 5. Tró no se encontraba en ese momento en el interior del auto.

Días antes, el 6 de agosto, el cabo Otmaro Montaner había perecido víctima de otro atentado. Era, ésta, la segunda agresión de que era objeto el hermano de la popular artista Rita Montaner.

Del atentado al Colorado en la calle Ayestarán, Guillermo García Riestra (Billiken) aporta estos datos:

> *«Estamos planeando el atentado. Emilio se enamoró de una escopeta recortada con cartuchos recargados. En aquella época la pasión de todos los «tiratiros» eran las escopetas. Nosotros nos oponíamos; queríamos que utilizara una Thompson. Pero nos respondió: "No, con ésta no tengo pérdida. No quiso, tampoco, una cosa elemental en los atentados de carro a carro: el carro de apoyo. Nos dijo: «yo no quiero darle al Colorado el gusto de que le tiraran dos carros. Con uno, sobraba».*

Concluye Billiken su narración:

> *«Se produce el atentado y la escopeta, como tenía cartuchos, falló, se trabó. Y Emilio tuvo que sacar la pistola y esto dio margen a que el Colorado se tirara del carro se mandara a correr, brincara una cerca y desapareció».*[147]

Dos atentados, cuyos presuntos ejecutores proceden de organizaciones antagónicas, se ejecutan en la primera quincena de agosto (1947). El día 6 es agredido –no mortalmente– el magnate económico Julio Lobo. Era acusado en los círculos revolucionarios de haber incumplido una contribución económica al MSR para comprar armas. Se responsabilizaba a Eufemio Fernández con esta acción. Días después miembros de la UIR ejecutaban al vigilante Galileo González acusado de haber participado en la muerte de dos jóvenes en el Reparto Mantilla.

---

[147] Entrevista de Guillermo García Riestra, «Billiken» con Enrique Ros, agosto 13, 2002.

CAPITÁN ÁVILA: UN CRIMEN CON FATALES CONSECUENCIAS

El sábado 13 de septiembre era abatido en el interior de una bodega situada en la esquina de la calle 21 y D, en el Vedado, el capitán Raúl Ávila Ávila, antiguo jefe de la policía del Ministerio de Salubridad[148]. *«El Capitán Ávila venía a ver a el Colorado que vivía en El Vedado en un segundo piso pero al observar que lo seguían continuó caminando...y, a los pocos pasos Tró lo mató»*. Así recuerda el coronel Fabio Ruiz, entonces Jefe de la Policía Nacional, aquel episodio.

Los médicos forenses que practicaron la autopsia apreciaron 32 heridas de entrada y salida que le produjeron intensas hemorragias internas. En horas del mediodía eran presentados ante el Juez de Instrucción de la Sección Cuarta, Riera Medina, el bodeguero José Manuel Pérez, dueño del establecimiento donde se realizó el atentado, y Ángel Maza Armas, el limpiabotas que había presenciado la agresión. Ambos habían sido detenidos por agentes del Servicio de Investigaciones e Informaciones Extraordinarias de la Policía Nacional, cuerpo que dirigía el comandante Mario Salabarría. Ambas personas, al ser interrogadas, alegaron que desconocían todo lo relacionado con el hecho[149].

No quedará impune esta muerte.

EL REPARTO ORFILA

El lunes 15 La Habana y, a través de la radio, toda la nación fue escenario de uno de los hechos de sangre más violentos ocurridos en la isla.

Durante tres largas horas el país escuchaba, horrorizado, como fuerzas al mando de un alto oficial de la Policía Nacional atacaban con ametralladoras, rifles y pistolas, la residencia de otro oficial de igual rango donde, además de la esposa de éste, se encontraba otro militar de la misma graduación.

---

[148] «Tró, no pudiendo enfrentar a León Lemus, mata a un vigilante de la Policía de Sanidad», comenta Mario Salabarría.

[149] Periódico *El Mundo*, domingo 14 de septiembre, 1947.

El comandante Mario Salabarría, Jefe del Servicio de Actividades Enemigas, al frente de sus tropas, asaltaba con fuerte barraje el domicilio del comandante Antonio Morín Dopico.

A media mañana habían ido llegando a casa de Morín Dopico en distintos autos Emilio Tró, Lauro Blanco, Armando Correa[150], Pepe de Jesús, Guillermo García, Diéguez, Miguel Muñoz y Yergo. Estaba también, por ser amigo de Morín, Alberto Díaz que no pertenecía ninguna de las organizaciones revolucionarias. En la residencia se encontraba Aurora Soler, esposa de Morín, y su pequeña hija, Miriam, de sólo diez meses.

Sobre las 12 del día Aurora se acerca a donde los hombres conversan –recuerda Billiken– y dirigiéndose al esposo le dice: *«Oye Ñico, yo no tengo almuerzo para tanta gente»*. No representó problema alguno. Los visitantes decidieron almorzar fuera y se dirigen al restaurante que está en el Paradero del Vedado, en la calle Línea. De allí a sugerencia de Correa siguieron a «saludar a su hermano en el Cerro».

Cuando están regresando a casa de Morín, al cruzarse los dos carros en que vienen con el auto de los hermanos Sorí Marín, junto al túnel de Línea, éstos les informan que están atacando la casa de Morín Dopico y que ellos, los Sorí Marín, van a Palacio a pedirle a Grau que ordene al Ejército poner fin al intento tiroteo.

Los amigos de Morín y Tró tratan de acercarse a la casa. No pueden porque las manzanas a su alrededor estaban tomadas por las radioperseguidoras.

Se dirigen a Columbia a pedirle al ejército que intervenga para ponerle fin al prologando encuentro. Sólo lograron ser desarmados y retenidos en el campamento por 24 horas. *«Allí vimos a Mario Salabarría en un calabozo»*. Había llegado a Columbia, también Paulíno Pérez Alonso, con el Flaco Guillermo Hernández.

Se afirmaba que cerca de las tres de la tarde un carro de la Policía Nacional había cruzado frente al hogar de Morín Dopico haciendo varios disparos, generalizándose en pocos minutos un nutrido tiroteo

---

[150] Las relaciones de Ortega Chomat con Emilio Tró se hacen aún más estrechas cuando el presidente Grau nombra a Tró comandante jefe de la Academia de la Policía Nacional y éste nombra a Ortega Chomat –que ya era oficial de la Policía–, secretario de la Academia.

entre los que se encontraban en la residencia y las fuerzas del comandante Salabarría.

El fuego era intenso. El primero en perder la vida fue el oficial Mariano Puerta Yergo, que en horas de la mañana había estado en la casa, al oir por la radio la balacera que se iniciaba, tomó un auto junto con el Capitán Abreu y el teniente López[151] y se dirigió a la residencia sitiada con la intención de luchar junto a su amigo Emilio Tró. No llegó, siquiera, al umbral de la puerta. Al tratar de cruzar la calle una ráfaga de ametralladora lo dejó sin vida. Su cadáver quedó allí tendido durante varias horas.

Mientras se intensificaba la batalla, amigos y compañeros de Morín Dopico y Emilio Tró trataban que el presidente Grau interviniese para ponerle fin a lo que ya era una batalla campal.

Testigos informaban a la prensa que a las tres horas de iniciada la lucha se vieron agitarse por las ventanas paños blancos y gritos que pedían que cesaran de tirar porque iban a salir mujeres y niños.

Coinciden estos gritos con la llegada de fuerzas del ejército con algunos tanques y armas de gran calibre.

Salen de la residencia Morín Dopico cargando a su pequeña hija, herida a sedal. Protegido por dos soldados toma un automóvil que lo conduce al Hospital Militar. Sale, luego, su esposa Aurora seguida por Luis Paderne y Emilio Tró. Los disparos, que momentáneamente habían cesado, comienzan nuevamente y cae, malherida, Aurora Soler. Ya, desde mucho antes, las cámaras del Noticiero Nacional han estado grabando las barbáricas escenas. Se ve al comandante Tró y a Luis Padierne tratando de conducirla hasta la calle cuando los tres son ametrallados. En la sala de la casa yacía el cadáver del Capitán Arcadio Méndez.

Algunos señalan al comandante Roberto Meoqui como el autor de los disparos al automóvil donde Morín Dopico trasladaba al hospital a su pequeña hija Miriam.

Acusación que niega vehementemente Meoqui:

---

151 Revista *Bohemia*, septiembre 21, 1947.

«Nada más incierto; en mi condición de agente de la policía, y de acuerdo con lo dispuesto por la Ley de Enjuiciamiento Criminal, acompañé al comandante Mario Salabarría. Íbamos a dar cumplimiento a una orden judicial que expedida legalmente por el Juez de Instrucción de la Sección Cuatro disponía la detención de los que, más tarde, resultaron muertos en la casa del comandante Morín Dopico».
Tan absurda es la acusación, dice Meoqui, *que en ese momento, el comandante Morín viajaba en dirección a Columbia cuando yo lo hacía en dirección a La Habana; es decir, en direcciones opuestas»*[152].

Luego de los sucesos de Orfila, y previa citación del oficial investigador instruía la Causa No. 95, Meoqui presta declaración y se le designa Inspector del Quinto Distrito de Policía.

Las fuerzas del Ejército pusieron fin a la matanza y el coronel Lázaro Landeira procedió a la detención del comandante Salabarría y de varios de los agentes.

La madre de Emilio Tró[153] acusaba al presidente Grau de ser el responsable de la muerte de su hijo y de amparar a sus matadores. Al día siguiente, más de tres mil personas acompañaron el cadáver de Tró hasta el cementerio.

LA PELÍCULA DE GUAYO. INVESTIGACIONES. DETENCIONES

La tragedia, que conmovió a toda la nación, fue recogida, como expresábamos, por el Noticiero Nacional.

El Ministro de Gobernación Alejo Cossío del Pino quería recibir las copias de la filmación hecha por el Noticiero Nacional, de Manolo Alonso. *«Cossío del Pino me vino a buscar* –narra el coronel Fabio

---

[152] Entrevista de Isaac Astudillo en la revista *Bohemia*, diciembre 14, 1947.

[153] Camila Rivero Vda. de Tró.

Ruiz Rojas en extensa entrevista con Enrique Ros– *y fuimos a ver a Manolo Alonso pero el Ejército ya se había llevado la copia*»[154].

La prensa recogió este episodio en forma ligeramente distinta: Cuando Cossío del Pino solicitaba de Manolo Alonso las copias del film, el Senador «Eddy» Chibás llamaba a Alonso solicitando ver dicha película.

El general Genovevo Pérez Dámera había partido hacia Washington dos días antes para una visita oficial de una semana[155]. En su ausencia lo sustituiría el General de Brigada Gregorio Querejeta a quien, desde Washington, Genovevo impartió instrucciones de no liberar a Mario Salabarría.

Cuando Cossío del Pino, acompañado de Fabio Ruiz, jefe de la Policía Nacional, le pidió a Querejeta que le entregase a Mario, el General le responde: *«Lo siento, pero tengo instrucciones del jefe del Ejército de no permitirlo»*. De nada le valió al Ministro de Gobernación hacerle ver al militar su condición de miembro del gabinete. Mario Salabarría siguió arrestado en el campamento de Columbia.

Los acontecimientos precipitaron el regreso de Pérez Dámera quien en la mañana de ese lunes 15 había visitado al general Dwight Eisenhower, entonces Jefe del Estado Mayor del Ejército de los Estados Unidos, para discutir con él los planes para la modernización de las Fuerzas Armadas cubanas[156]. Lo acompañaría en su regreso, el embajador cubano Guillermo Belt.

El titular del periódico *El Mundo* leía:

«Cinco muertos y dos heridos en el tiroteo»; «Arrestados Morín Dopico y varios oficiales».

El trágico balance: «Muertos: comandante Emilio Tró y Rivero; Capitán Arcadio Méndez; teniente Mariano Puerta Yergo; teniente Luis Padierne y Labrada y la Sra. Aurora Soler de Morín Dopico».

---

[154] La película ya se había estado proyectando en los cines Fausto y Rex.

[155] Seis meses antes (el 5 de marzo) Genovevo Pérez había realizado otro breve viaje a la capital norteamericana para discutir planes sobre la modernización de las fuerzas armadas.

[156] Cable de la UP. desde Washington, de marzo 17.

En horas de la noche moría en el Hospital Municipal Raúl Adán Daumy, agente de Servicios de Investigaciones de Actividades Enemigas quien había sido herido a balazos en San Lázaro y Oquendo. El Jefe de la Policía designó al Capitán Inspector del Sexto Distrito, Cornelio Rojas[157], Oficial Investigador de este suceso.

Quedaron detenidos el comandante Morín Dopico, que se encontraba herido y, según explicó el coronel Fabio Ruiz Rojas, estaban arrestados Jesús Diéguez, Armando Correa, teniente Roberto Chomat y otras catorce personas.

El Ministro de Gobernación, Cossío del Pino, afirmó que el comandante Salabarría estaba actuando en las investigaciones en cumplimiento de una orden del juez. El coronel Fabio Ruiz manifestó que la Policía se había limitado a cumplir con su deber, ya que Salabarría sólo trató de aplicar la orden de detención.

Criterio totalmente opuesto expresa el Secretario de Organización de la UIR, grupo que presidía Tró:

> *«Mario Salabarría se coge la investigación de la muerte de Ávila, cosa que no había hecho en tantas otras muertes violentas que se habían producido en La Habana. Agarró al bodeguero; lo sonó y el bodeguero se prestó a acusar a Emilio como el que había tirado»*[158].
>
> *«Esto se apartó un poco de la reglamentación jurídica de la policía porque ellos son aforados, y lo que se establece cuando un aforado es acusado de cometer un crimen es que le corresponde acudir al cuerpo del aforado –en este caso, el de la Policía– y que el Jefe de la Policía, si considera que hay indicios de culpabilidad, debe ordenar a un jefe de graduación superior al acusado, a que lo detenga. En este caso sería un teniente coronel o un coronel porque Emilio Tró es comandan-*

---

[157] Ascendido con los años a coronel, Cornelio Rojas, murió fusilado a las pocas horas de llegar Castro al poder. Antes de morir dijo con voz firme ante el paredón: ¡Viva Cuba, muchachos!. Ya tienen la revolución. Ahí se la dejo. ¡No la pierdan!. (*Bohemia*, enero 18, 1959).

[158] Entrevista de Guillermo García Riestra (Billiken) con Enrique Ros.

te. Salabarría que sólo era comandante no cumpía con ese requisito».

«Debió haber sido el coronel Díaz Baldoquín quien debía haber procedido a la detención de Emilio Tró. Pero esto rompía los planes de Mario porque lo que él quería era matar a Emilio».

«Y como sabíamos que esto era lo que quería Mario fue por lo que el lunes en la mañana los amigos de Emilio, de la UIR, fuimos a casa de Morín Dopico, que no era de la organización, y cuya casa era apropiada para una reunión tan amplia. Queríamos decidir qué debíamos hacer. Estando allí se aparecieron Lauro Blanco con Yergo y dos o tres compañeros más de Joven Cuba».

Como Jefe de la Policía Nacional, Ruiz Rojas hizo las siguientes declaraciones:

«Cumpliendo instrucciones de esta jefatura, el comandante Mario Salabarría, con la cooperación del ingeniero Benito Herrera Porras, Jefes del SIIE y de la Policía Secreta, respectivamente, investigó quienes eran los autores de la muerte del Capitán de la Policía de Seguridad, Raúl Ávila. Con la declaración de los testigos presenciales del hecho, se le dio cuenta al Juzgado de Instrucción Cuarta y el juez libró orden de detención contra los supuestos autores; lo cual fue a cumplirse el día de ayer, pero los autores abrieron fuego contra la Policía y se generalizó el tiroteo con los resultados conocidos».

La convivencia y complicidad de estos elementos *«con algunos de los oficiales y miembros de la Policía Nacional ha quedado demostrada en este lamentable suceso, ya que éstos, en lugar de cooperar a su detención, los amparaban en sus delictuosas actividades»* manifestaba el Jefe de la Policía. Aclaraba que habían quedado detenidos el comandante Morín Dopico, el teniente auditor Roberto Ortega Chomat, el sargento Ricardo Estévez, los vigilantes Manuel Villag, Armando Guerra, teniente Armando Correa y los civiles Miguel García, Miguel Muñoz Valdés, José Jesús Diéguez Yamazares, Paulino Pérez Blanco, José Velasco Fernández, Armando Villalonga, Manuel Pereira, Luis Fernández de la Cámara, José Inganao y Rodolfo Parra Espinoza.

Otro de los lesionados en los sucesos de Orfila, Alberto Díaz González, murió al día siguiente. Al producirse los hechos, treinta y un empleados de la Oficina del Servicio de Investigación e Informaciones Extraordinarias (SIIE) y de la Academia de la Policía Nacional a cuyo cargo había estado Tró, fueron detenidos, pero días después, el jueves 18, eran dejados en libertad. La Oficina de la SIIE y de la Academia Militar, instaladas en el antiguo edificio del Quinto Distrito Militar, en la Calle 23 y 32, en El Vedado, fueron tomadas por tropas dirigidas por el teniente coronel Lázaro Landeira para practicar un minucioso registro, ya que se rumoraba que allí se ocultaban personas reclamadas por considerársele relacionadas con los hechos.

Días después quedaba en libertad el teniente auditor Roberto Ortega Chomat.

Inesperadamente, en las últimas horas de la tarde del viernes 19 de septiembre, embarcó hacia Miami, por la vía aérea, el camarógrafo del Noticiero Nacional, Eduardo Hernández ("Guayo").

Se afirmaba que Hernández embarcó, «tan rápidamente, que incluso vestía la misma ropa conque se hallaba trabajando en sus laboratorios poco antes de partir»[159].

Pese a haber sido excluido del proceso que se siguió por el suceso de Orfila, se informaba desde Caracas, donde había llegado de incógnito, que el coronel Fabio Ruiz Rojas, Jefe de la Policía Nacional, no deseaba regresar por el momento a Cuba *«porque sé que están esperándome para recluirme en una prisión militar»* le informó a la Prensa Unida el coronel Ruiz Rojas el 29 de noviembre de 1947, el día en que se iniciaba el juicio de los encartados en la Causa Número 95[160].

---

[159] *El Mundo*, sábado 20 de septiembre, 1947.

[160] Para este libro Fabio nos dice:
«Cuando lo de Orfila, Grau me dijo «Tú no te metas en nada». Era Ministro de Gobernación Cossío del Pino y me vino a buscar. Fuimos a ver la película pero el ejército ya se la había llevado. Genovevo estaba de viaje de Washington a La Habana y había encargado a Querejeta –que era el que tenía preso a Mario– no liberar a Salabarría. Cossío le pidió a Querejeta llevarse a Mario, pero Querejeta le respondió «Lo siento, pero tengo instrucciones del Jefe del Ejército de no permitirlo».
Nos fuimos a Palacio. Grau me dijo «Si Salabarría no tiene nada que ver con esto no debe tener temor. Pero si no, que se joda».

COMANDANTE MARIO SALABARRÍA JEFE DEL SERVICIO DE INVESTIGACIONES E INFORMACIONES EXTRAORDINARIAS (SIIE) Y EL AUTOR

Mario Salabarría, condenado por los sucesos de Orfila, ofreció al autor muy valiosa información sobre éste y otros hechos de sangre: Eugenio Llanillo, Hugo Dupotey, Noroña, Sáenz de Burohaga. Salabarría, respetado por muchos, atacado por otros, niega, con firmeza, haber sido miembro del MSR. Tenía amistad con Manolo Castro, pero no con Rolando Masferrer.

En cuando a lo de Orfila afirma que al recibir del juez Riera Medina la orden de detención contra Emilio Tró demoró en presentarla porque «esperaba que el mayor número de los involucrados en la acusación estuvieran juntos».

El Consejo de Guerra estaba presidido por el coronel Julio Díaz Arguelles e integrado por los capitanes de navío Alberto Casanovas

---

Grau no podía ver a Mario aunque lo había nombrado, por petición de Alemán. La posición Mario se la debía a Alemán. A Mario lo había suspendido Carreño Fiallo, y a petición de Alemán, Grau lo sustituyó en su puesto. Al hacerlo, Grau me dijo «No nombres un policía allí...si Mario triunfa bien para la república. Si fracasa, se jode él». Y entonces llegó Orfila». Declaraciones de Fabio Ruiz al autor.

González y Marcos Pérez Medina; el coronel Quirino Uría López; los tenientes coroneles Federico León Blanco, Camilo González Chávez y Juan Abascal Hernández, capitanes; Maximiliano Trujillo, Fiscal; y Eduardo López Quintana, secretarios.

En dicha Causa aparecen acusados el coronel Fabio Ruiz Rojas; los comandantes Roberto Meoqui, Mario Salabarría, Antonio Morín Dopico, Antonio Borges Armenteros e Ignacio Mendieta; el Capitán Mariano Miguel Rivero y los tenientes Roberto Pérez Dulzaides y Roberto Ortega Chomat. También el sargento Francisco Ávila y varios soldados.

El miércoles 3 de diciembre de 1947 renunciaba Carlos Prío al Ministerio del Trabajo y era designado para sustituirlo Francisco Aguirre, líder obrero-gastronómico de la CTC.

El miércoles 3 de diciembre (1947) el comandante Salabarría declaraba sobre su participación en los sucesos de Orfila. En su defensa habló como luego de la toma de posesión del presidente Grau, fue él designado Jefe del SIIE, con grado de comandante y actuó contra aquéllos que perpetraban atentados personales, deteniendo a los autores y presentándolos a la autoridad correspondiente. Se refirió a la muerte de Eugenio Llanillo, de Enrique Enríquez, de su traslado, el 6 de septiembre de 1945 a la Plana Mayor de la Policía Nacional, y a su reposición en el cargo al asumir la Jefatura de la Policía Nacional Fabio Ruiz Rojas.

Conocía Salabarría que entre Emilio Tró y Orlando León Lemus (el Colorado) había discordias y luchas, pero afirmó que *«las respectivas agresiones entre estas personas eran generadas por sus intereses, no por la Policía ni por él»*. (Periódico *El Mundo*, jueves 4 de diciembre de 1947).

POR QUÉ SALABARRÍA NO PROCEDIÓ DE INMEDIATO A LA DETENCIÓN DE EMILIO TRÓ

Salabarría explicaba en el juicio, que no procedió a la detención de Tró el mismo día 13 cuando recibió del juez la orden de detención porque *«esperaba que el mayor número de los involucrados en la acusación estuvieran juntos»*.

Afirmaba el ahora ex-jefe de Actividades Enemigas que «el día 15 recibió una llamaba en su oficina, informándole que éstos estaban reunidos en casa del comandante Antonio Morín Dopico. Inmediatamente dispuso que algunos agentes –catorce o quince– le siguieran. Tomaron algunas ametralladoras, cuatro o cinco, parque y varios automóviles dirigiéndose al lugar. Se situaron en la calle paralela a la Avenida de Columbia, cerca del Colegio de Belén; a dos cuadros de la residencia de Morín, desde donde ven ir hacia ellos en un automóvil, a un policía y a un sargento quienes al pasar junto a ellos, en vez de acercarse, como es de esperar en agentes de autoridad frente a un caso similar, huyen, por lo que ordena su detención».

«Entonces, sigue diciendo Salabarría, *decide ir hacia el domicilio de Morín. Al bajar del automóvil, les reciben con una descarga de disparos, como de ametralladoras. Instintivamente, repelen la agresión sus agentes. Se generaliza el tiroteo y él recorre los alrededores para evitar ser sorprendido, con sus agentes, por la espalda, pues sabe que Tró tiene amigos civiles capaces de responder a su llamado».*

RADICAN CAUSA CONTRA MORÍN DOPICO Y MARIO SALABARRÍA

Ya el martes 18 el pleno del Tribunal Supremo de la jurisdicción de Guerra y Marina había ordenado radicar la Causa 95 de 1947 contra Morín Dopico y Salabarría «por los delitos de homicidio, desorden público, atentado y daños a la propiedad». Quedaban incluidos en la Causa el Primer Teniente Auditor Roberto Ortega Chomat, Segundo Teniente Armando Correa y los vigilantes[161].

Algunos medios de prensa criticaron la inactividad del coronel Ruiz Rojas, Jefe de la Policía Nacional, a quien estaban subordinados los dos comandantes encausados. Fabio, en larga entrevista con Ros, expresa que el presidente Grau ya le había dado instrucciones de «no meterse en nada» y que cuando concurrió a Palacio junto con el Minis-

---

[161] Los otros encausados eran los vigilantes Salvador Misragell y Armando Guerra, el soldado Carlos W. Vara y los agentes del servicio de actividades enemigas José Cabañas, José López Ramos, José R. Castañeda Rodríguez y Mario Morejón.

tro Cossío del Pino, Grau expresó: *«Si Salabarría no tiene que ver con esto, no debe tener temor. Pero si no, que se joda».*

Cuando el coronel Carreño Fiallo era Jefe de la Policía Nacional había dado la orden de trasladar de La Habana a Santa Clara a Mario Salabarría, quien se negó diciéndole «yo no me voy a Santa Clara», por lo que Carreño Fiallo lo suspendió de empleo y sueldo. A los pocos días, a petición de Alemán, Grau restituyó a Salabarría en su puesto. Ahora, ante los sangrientos sucesos de Orfila que habían conmovido a la nación, poco podía hacer el influyente Alemán por su amigo Mario.

Genovevo, que muchas diferencias había tenido con Salabarría, aprovechó la ocasión que se le ofrecía para culpar a éste como principal responsable.

Reunió el Jefe del Ejército a los directores del periódico, a altos oficiales de las fuerzas armadas y a otras personalidades para que asistieran a la proyección de la película tomada por Manolo Alonso expresándoles:

> *«Los he invitado a ver esta película para que todos ustedes conozcan plenamente que lo ocurrido el lunes fue un asesinato... no se respetó a una mujer en estado de gestación ni a hombres que ya se habían rendido. El propio comandante Morín salvó la vida de su hija, gracias a la oportuna intervención de dos miembros del Ejército».*

Fustiga duramente a Salabarría:

> *«!Es un asesino!. Lo tengo incomunicado para evitar que se muevan influencias a su favor. Hasta que diga a los taquígrafos y mecanógrafos todo lo que ha hecho y lo que sabe de lo ocurrido el lunes... y anteriormente.... Se van a conocer muchos crímenes y tropelías realizados por esta gente...» ... «¡y ríase de esos de la honradez! !A Salabarría le hemos encontrado ocultos en los zapatos catorce billetes de $1,000.00».*

A las pocas horas el Jefe del Ejército designa al Coronel del Ejército Enrique Hernández Nardo como supervisor de la Policía Nacional y nombra supervisores militares en todos los mandos policíacos.

Se ratifica de inmediato la orden de detención librada contra Orlando León Lemus (el Colorado) y Rogelio Hernández Vega, (Cucú) segundo jefe de la Policía Secreta a quienes se les considera como copartícipes de los sucesos de Orfila[162].

Queda detenido el jefe de Policía Secreta Nacional Benito Herrera Porras, quien es puesto en libertad una vez que el Dr. Gilberto Mosquera, Juez Especial de los sucesos, le instruyó de cargos.

Horas después es detenido «Cucú» Hernández quien permaneció recluido en la prisión de La Habana durante 72 horas junto con su subalterno el detective Danilo Valdés, por disposición del Dr. Gilberto Mosquera, quedando libres cuando el informe técnico rendido por el Laboratorio de Química Legal aseguró que la prueba de la parafina realizada en las manos de ambos detenidos había arrojado un resultado negativo[163].

Paulino Pérez Blanco y José Velasco Fernández, amigos de Emilio Tró, habían testificado que un día antes a los trágicos sucesos de Orfila, Emilio Tró los fue a ver a Rancho Boyeros y les había dicho que Mario Salabarría y Benito Herrera querían hacerlo ver involucrado en un hecho para proceder a su arresto.

También concurrió ante el jurado, José de Jesús Jinjaume explicando que «días antes a los trágicos sucesos cuando el automóvil que estaba al servicio de Tró fue objeto de una balacera en la calzada de Ayestarán, concurrió a Palacio para informarle al presidente Grau que la agresión había partido de Salabarría[164].

Quien ha guardado discreto silencio ante la muerte de su protector es el joven Fidel. Pronto comenzará a dar lo que considera pasos necesarios para cubrir esa orfandad.

Tan tensa era la situación que corrían fuertes rumores de un posible golpe militar.

Las principales figuras políticas de la nación negaban tal posibilidad. Se conocieron declaraciones de Miguel Suárez Fernández, Presi-

---

162 La prensa, en forma repetida, menciona ese trágico acontecimiento como los «Sucesos del Reparto Benítez».

163 *Diario de la Marina*, domingo 28 de septiembre de 1947.

164 *Diario de la Marina*, domingo 28 de septiembre de 1947.

dente del Congreso quien recién regresaba de un viaje político por la provincia de Las Villas; de Rubén de León, representante Auténtico que presidía la Cámara; hacía declaraciones desde su residencia en Miramar el Ministro del Trabajo Carlos Prío Socarrás que aspiraba a la presidencia de la república; Carlos Saladrigas, Guillermo Alonso Pujol, Juan Marinello, Eduardo Chibás. Carlos Márquez Sterling, como todos los anteriores, condenaba todo intento de subversión del orden por parte de elementos civiles o militares.

El dirigente universitario, Enrique Ovares, Presidente de la Federación Estudiantil Universitaria, rechazaba la idea de que pudiese ocurrir un golpe militar. *«Si se produjera, volveríamos de nuevo a la lucha... el pueblo de Cuba tiene de la dictadura militar una triste experiencia y nosotros, los estudiantes, que hemos pagado con sangre y con vida, con sacrificios de todo tipo, nuestra decisión de combatirla, no la toleraríamos».*

Cuando «Cucú» Hernández era liberado regresaba a La Habana desde Caracas, vía Miami, Manolo Castro, Director de Deportes negando, en declaraciones a la prensa, que estuviese siendo perseguido por el gobierno cubano. En pocas horas enfrentaría el afable Manolo serias dificultades al conocerse su vinculación con la expedición de Cayo Confites que pronto saldría a la luz pública.

SE INICIA UN CONSEJO DE GUERRA

Durante la primera semana de diciembre (1947) se abría la primera sesión del juicio a que eran sometidos Mario Salabarría, Roberto Pérez Dulzaides, Mariano Miguel, Osvaldo Sabater, Antonio Morín Dopico, Méndez Peña y otros que tomaron asiento en dos largos bancos de madera que mantenían, bien separados, a los dos grupos que respondían, a Salabarría y a Morín Dopico.

El tribunal estaría presidido por el coronel Julio Díaz Arguelles, fungiendo como fiscal el Capitán Maximiliano Trujillo y, como abogados defensores Fernando del Busto, Rodríguez Valdés, Martínez, Pérez Abreu, Menelao Mora, Soto Barreto, Mour Pavón, Guillermo Ara y el teniente Aníbal Ortega.

El juicio se prolongaría por varias semanas. Mientras, otros hechos de importancia sucedían en la nación y otros, de vuelo más bajo, se producían en la Universidad Nacional.

El Consejo de Guerra se prolongaba. Dos meses después, en febrero, (1948) prestaba declaración –muy breve, pues sólo duró cinco minutos– el comandante José Caramés. Se limitó a ratificar que creía responsables al coronel Fabio Ruiz Rojas y a los comandantes Meoqui y Salabarría. Ya a fines de aquel mes iban quedando en libertad varios de los acusados del drama mientras los trágicos sucesos de Bogotá absorbían la atención pública.

Semanas después era el comandante José Caramés a quien se le acusaba de difamar a las fuerzas armadas al afirmar, frente a otros oficiales, que «no se ha adelantado mucho con sacar al comandante Mario Salabarría...hoy hay muchos oficiales que están haciendo cosas peores!»[165]

Las declaraciones de Caramés parecían provenir de su inconformidad de que el mando militar del ejército hubiera impuesto un supervisor del ejército en cada dependencia de la Policía Nacional, como consecuencia de los sucesos de Orfila.

Después de aquellas declaraciones formuladas en una fiesta familiar en la residencia del general Ruperto Cabrera, Caramés fue relevado de la Inspección del Tercer Distrito y enviado al Quinto. Eran los primeros pasos encaminados a separarlo de la policía. Pero, antes, recibirá un ascenso y se verá envuelto en una espectacular violación de la autonomía universitaria que pondrá al descubierto el mal uso que de ella hacían algunos dirigentes de la Colina.

---

[165] Revista *Bohemia*, abril 21, 1948.

CAPÍTULO V

FIDEL EN LA POLÍTICA UNIVERSITARIA

RECIBE FIDEL LLUVIA DE GOLPES EN EL STADIUM UNIVERSITARIO

Carlos Vega, de baja estatura, físicamente endeble, aspiraba, frente a Baudilio Castellanos, a delegado de curso del primer año de Derecho.

Una mañana Castro se envuelve en una discusión con el pequeño Vega. Agotada su argumentación lo increpa: *«Oye, tú no eres más que una pequeña mierda, búscate alguien que se pueda fajar conmigo».*

No tuvo Carlos que salir a buscarlo. Presenciando la encendida discusión estaba Héctor Lamar, novato como Vega y a quien conocía desde la segunda enseñanza[166], Lamar de inmediato aceptó el reto: *«Mira, yo mismo soy».* Fue pronta, también la respuesta de Fidel: *«Vamos para el stadium»,* que era donde se dirimían los pleitos entre los universitarios. Y allá fueron. Y con ellos el medio centenar de estudiantes que los rodeaban.

Cuando bajaban por la ancha escalera por donde se entra al terreno, Fidel comienza a darle piñazos a Lamar; éste reacciona y devuelve con furia los golpes: *«Le entré a piñazos. Le rompí un diente y la nariz. Dos veces cayó al suelo. En la bronca no pudo darme un solo golpe»,* recuerda Héctor Lamar en la entrevista con Ros[167].

En medio de la trifulca, Isidro Sosa, también estudiante de Derecho y aspirante a delegado, le pega por la espalda a Héctor –*«el único golpe que recibí»,* dice Lamar– pero Jorge Besada, que conocía a éste

[166] Héctor Lamar, del Instituto del Vedado y Carlos Vega del Instituto de La Habana.

[167] Descripción aún más detallada la ofreció al autor Jorge Besada en entrevista de julio 1°, 2002. Besada, como aquí describimos, participó en el pleito.

de jugar football[168] se fajó con Sosa *«y le dio una señora pateadura. Acabó con él. Hubo que llevar a Sosa al hospital»,* recuerda Lamar.

JORGE BESADA, TESTIGO Y PARTICIPANTE EN HISTÓRICA PELEA EN EL STADIUM UNIVERSITARIO

Junto al autor y Fernando Rodríguez, Jorge Besada narra el encuentro a piñazos entre Héctor Lamar y Fidel. Años después su hermano Benito será abogado defensor de Enrique Benavides en el juicio a que es también sometido Fidel Castro.

Los que presenciaban el pleito separaron a Fidel y a Héctor. Para todos, ahí, en esa mañana, había terminado el enfrentamiento. No fue así. Veamos el segundo y tercer episodio de esta bronca que enriquece el «foklore» universitario de aquellos años.

---

[168] Aunque Jorge Besada cursaba el último año de la carrera conocía a Lamar de las prácticas de *football* con el instituto del Vedado. Descripción similar del incidente le ofrece el propio Besada al autor en entrevista separada.

Sigamos la narración de Héctor Lamar, hoy respetado abogado de Miami y veterano, junto con sus hermanos, de la Brigada 2506:

«Al mediodía yo voy por la Plaza Cadenas y me encuentro a Castro allí con un grupito hablando mal de mí. Me acerco a él y le digo: «Tú lo que eres es un tremendo h. de p...». El grupo grita: «Ahora, Fidel, ahora», porque él hizo el ademán de sacar la pistola. Le voy para arriba, y los que se habían mandado a correr cuando creyeron que iba a sacar la pistola, volvieron y nos separaron. Ese fue el segundo incidente».

Viene; ahora, el tercero.

Lamar sabe que Castro, en su carro Ford negro, está rondando su casa. Va a confrontarlo al Parque Aguirre, en Masón y San José, donde por las tardes acostumbra a reunirse con Humberto Ruiz Leiro. Esta vez, Héctor va armado:

«Cuando me ve, como yo me llevé la mano a la cintura, me grita: «Oye, no me vayas a tirar, quiero hablar contigo».

Se baja Fidel del carro en que se encontraba con dos o tres más, y los dos solos, Castro y Lamar, caminan hasta el centro del parque.

«Empezó Fidel a hablar por casi una hora y me decía: «Tú te buscaste la bronca. Yo no quería bronca contigo. Vamos a ser amigos».

«Fidel sabía que el pleito conmigo era malo, porque mi hermano Enrique era teniente auditor de la Policía Nacional, adscrito al Quinto Distrito, y lo había ido a buscar», y sabía, además «que un pleito con un novato no le daba cartel alguno». «Ahí, todo terminó. Más nunca se equivocó conmigo»[169].

INFRUCTUOSA MANIOBRA DE FIDEL DE GANAR LA PRESIDENCIA DE LA ESCUELA DE DERECHO

Aramís Taboada aspiraba nuevamente a la presidencia de la Escuela de Derecho. Para ello necesitaba tres votos y parecía tenerlos asegurados: El suyo propio y el de Pablo Acosta que ya lo había apoyado en

[169] Entrevista con Enrique Ros, julio 31, 2002.

la elección anterior. El tercer voto sería el de Federico Marín que se había comprometido con Acosta a votar por Aramís.

Aspiraba también Fidel a la presidencia de la Escuela y contaba con dos votos: el del propio Fidel y el delegado del curso del primer año. En busca del necesario tercer voto, Fidel contacta a Marín para conseguir su respaldo. Primeramente Freddy Marín se niega informándole a Castro que ya se había comprometido con Pablo Acosta a votar por Aramís Taboada y que no podría votar por Fidel.

Veamos tres distintas versiones.

Así recuerda Pablo Acosta, delegado del curso del tercer año, aquel episodio[170]:

Fidel convencido de que no podrá contar con el imprescindible tercer voto le ofrece a Marín hacerlo presidente de la Escuela dándole los dos votos con los que él cuenta si –una vez que Marín sea presidente de la Escuela de Derecho– éste votaba para presidente de la FEU por la persona que él (Castro) le indicara.

«Marín aceptó, no votó por Aramís, sino por sí mismo y, así, alcanzó la presidencia de su Escuela, Marín me había traicionado. Quedamos muy disgustados».

«Cuando tenemos la primera reunión, yo hablo: «Pido la palabra para pedir la destitución de Federico Marín por traidor». Se armó una intensa discusión. Se somete a votación mi proposición: pierdo yo. Sólo votamos por la destitución Aramís y yo».

Pablo Acosta acusa a Marín, reiteradamente en cada asamblea de traidor. En una de ellas es seriamente golpeado.

Dentro de pocas semanas los presidentes de las 13 escuelas se reunirán para elegir al presidente de la FEU.

Pero Fidel se percata que Freddy Marín no va a votar por su candidato a presidente de la FEU[171], y viene corriendo a ver a Pablo Acosta:

---

[170] Entrevista de Pablo Acosta con Enrique Ros, mayo 1, 2002.

[171] Freddy Marín cuando ocupa la presidencia de la Escuela de Derecho empieza a votar con el grupo que sigue a Manolo Castro, recuerda Ovares, en entrevista con Ros.

«Pablo, estoy de acuerdo contigo. Marín es un traidor. Vamos a destituirlo». Acosta y Aramís están de acuerdo y convocan la reunión para proceder a la destitución.

«Por primera vez fuí armado. Le pedí una pistola 45 a José Luis Echeveite (Tambor). Armado iba Aramís. Armado, Fidel. Iba también Rafael Díaz Balart, pero no armado», recuerda Pablo Acosta en su larga conversación con el autor. Ya Fidel estaba nuevamente distanciado de la gente del MSR.

Varios miembros del MSR se presentan para amedrentarlos, pero los delegados votan por la destitución[172]*. Termina la reunión, Acosta devuelve el arma que le habían prestado y todos descienden por la Escalinata. Al llegar a la calle los van deteniendo varias perseguidoras y los llevan «a los fosos, un lugar cochino que estaba cerca del río»* recuerda Pablo.

Por la noche, tras serias amenazas ponen a varios en libertad. Quedan detenidos Fidel y Aramís porque estaban armados. Al salir los otros, Fidel les pide que vayan a los periódicos y a la radio y digan que habían sido maltratados y *«si lo dicen con firmeza, todos lo creerán»*, les decía Fidel. Pablo y los otros se negaron.

«Me convertí en Presidente de la Escuela –recuerda Pablo Acosta– por sustitución reglamentaria, ya que habíamos destituido a Marín y Aramís, que era el nuevo presidente, estaba, junto con Fidel, preso».

Héctor Abeleiras, amigo personal[173] y compañero de curso de Freddy Marín, recuerda con precisión que tan pronto éste fue electo presidente de la Escuela de Derecho, viajó a los Estados Unidos a ver a su madre que vivía en este país.

«Fue el momento que Fidel aprovechó para darle a Marín un golpe de estado. Yo lo llamé inmediatamente y le expliqué lo

---

[172] La destitución fue apelada y, luego, dejada sin efecto.

[173] Héctor Abeleiras y Federico Marín Robaina ingresaron en 1939 en la Escuela de Medicina y de Farmacia respectivamente. En 1943 decidieron ambos dejar aquellas carreras e ingresaron en la Escuela de Derecho (Fuente: Entrevista de Héctor Abeleiras con el autor).

que había pasado. Freddy regresó enseguida y presentamos una apelación al Consejo y la ganamos. Federico volvió a la presidencia de la Escuela».

«Freddy era un muchacho muy humilde, vivía en la calle Lawton, en La Víbora. Íbamos mucho a la casa del fiscal Zayas, casado con una hermana de Manolo Castro, que vivía en Estrada Palma, cerca de nosotros».

«El que más influyó sobre Freddy para que aspirara a la presidencia de la Escuela de Derecho fue Carlitos Zayas, el hijo del Fiscal (y sobrino de Manolo). Freddy no era político; era callado, muy tranquilo», expresó Abeleiras en la entrevista.

Veamos ahora la versión de Rafael Díaz-Balart:

«Fidel había sido elegido Delegado de Curso y Vicepresidente de la Escuela de Derecho al tiempo que Freddy Marín era electo presidente.

Se ha convocado a la reunión de los cinco delegados de curso de la Escuela de Derecho para destituir a Marín –que responde a la tendencia de Manolo Castro– y sustituirlo por Fidel Castro que responde al grupo de Ruiz Leiro».

En la histórica reunión, convocada por ellos para destituir a Marín, se encuentran tres de los cinco delegados de curso de la Escuela de Derecho: Aramís, quinto año; Pablo Acosta, tercer año; y Fidel, segundo año; también se encuentra Rafael Díaz-Balart delegado de curso de otra Escuela, la de Ciencias Sociales.

De aquella reunión de dirigentes universitarios que terminó con ellos presos en sucias celdas de la Policía Nacional, dos de los actores coinciden en los detalles secundarios pero discrepan en el punto esencial: ¿Quién resultó electo presidente de la Escuela de Derecho cuando Marín es depuesto?.

Recordemos que Aramís Taboada y Pablo Acosta se sentían, además de pertenecer a un curso muy superior al de Fidel, traicionados, ambos, por Castro y por Marín. Era, por tanto, muy improbable que Aramís en su último año de la carrera, fuese a votar por quien, aviesamente, le había impedido llegar a la presidencia esquilmándole el tercer voto necesario.

Resulta más razonable concluir –como lo afirma con firmeza Pablo Acosta– que haya sido Aramís quien resultó electo en la reunión y cuya presidencia había de resultar muy efímera porque, semanas después, el Consejo Universitario dejaba sin efecto el resultado de aquella elección ya que los reglamentos no contemplaban la sustitución de un presidente de Escuela en mitad de su mandato.

Están Fidel, Pablo Acosta y Aramís Taboada y, junto a ellos, Rafael Díaz Balart[174]*, cuando son detenidos por Mario Salabarría.* Nos dice Rafael:

«A Pablito y a mí, que no teníamos armas, nos meten en un calabozo en el BRAC y, aunque en general nos trataron bien, recibimos amenazas de Soto Carmenatti, pero sin recibir agresión física alguna. Tarde en la noche nos soltaron; pero a Fidel y Aramís, que se encontraba en otra celda los enviaron al Príncipe».

Díaz-Balart ya está libre en la calle pero quiere hacer una gestión por Fidel, su amigo y novio de su hermana. Al día siguiente, en horas tempranas de la mañana va a ver a Emilio Tró *«que no era entonces comandante; sólo jefe de la UIR, pero a quien yo ya conocía»*. Lo va a ver con Vidalito Morales, y le explica la situación:

«Mira Emilio. Esto es increíble. Esta gente tiene un comandante de la Policía que ha ido y nos ha detenido. Pablo Acosta y yo estuvimos todo el día presos. No nos trataron mal, pero Fidel y Aramís están en el Príncipe y hay que soltarlos. Y tienen el automóvil de Fidel. Quiero tu ayuda».

Tró tiene una respuesta inmediata: *«Ven conmigo. Vamos a ver a Fabio Ruiz»*. Fabio es amigo de Rafael porque ambos son de Banes. Antes de partir Tró le explica: *«Yo no tengo conexión alguna con Salabarría. Las cosas entre Salabarría y yo sólo se pueden resolver a tiros pero vamos a hablar con Fabio»*.

No encuentran a Fabio Ruiz en la jefatura de policía pero le informan que se encuentra en Palacio entrevistándose con el presidente Grau. Emilio Tró no vacila. *«Vamos a Palacio»*.

---

[174] Los tres primeros son delegados de curso por la Escuela de Derecho, Díaz-Balart es delegado por Ciencias Sociales y Derecho Público.

Se dirigen a la casa presidencial, sigue informándole Díaz-Balart a Ros, en dos automóviles llenos de armas, pistolas, ametralladoras y llegan a Palacio en el momento en que Fabio Ruiz salía «solo, sin escolta, porque así era él»[175].

Le explica Díaz-Balart lo que había pasado y Fabio le asegura que todo quedará resuelto; que hablará con Salabarría para que suelte a Fidel y a Aramís, y que al día siguiente le devuelvan el carro. Y así fue.

El episodio arriba relatado se refiere a la frustrada aspiración de Castro de obtener la presidencia de la Escuela de Derecho. Hay otro episodio, relatado por su antiguo compañero de estudios, Rolando Amador, sobre la destitución de Fidel como delegado de curso:

> *«Fidel es el único delegado del curso que ha sido destituido por los otros delegados. Ocurrió en el tercer año de la carrera. ¿Por qué?. Porque Fidel comenzó a mezclarse, abiertamente, con la UIR y había participado en un atentado. Augusto Alfonso, hijo del conocido abogado administrativista, le explicó a los demás delegados lo que había ocurrido y ellos votaron en contra de Fidel como delegado de curso.*
>
> *Creo recordar que el único que votó por él fue nuestro amigo Rafael (Díaz-Balart). Yo voté en contra. Pero el Consejo Universitario decidió que el mandato era irrevocable y que la decisión de removerlo no procedía»*[176].

Fue ésta la única vez –lo admitirá su biógrafo Tad Szulc que viajó a La Habana y se entrevistó extensamente con Castro y con plena

---

[175] Díaz-Balart le menciona al autor el siguiente episodio: «Recuerdo que un día iba yo con Fidel en un carro y se nos pone al lado Fabio Ruiz, que sólo estaba con su chofer, y Fidel me dice: «Vamos a matar, ahora, a Fabio. Está ahí solo, como una paloma». Le digo a Fidel: «¿Estás loco?. ¿Por qué matar a un hombre que nada te ha hecho?». «Es un h de p. Vamos a matarlo.» Evité que hiciera ese disparate. Fidel era un sicópata».

[176] Entrevista de Rolando Amador con el autor. Diciembre 3, 2002.

complacencia de éste– que Fidel pudo resultar electo como delegado de curso[177].

CASTRO ABANDONA A BAUDILIO CASTELLANOS

Cuando Bilito Castellanos llega a la Universidad es conocido como un joven de ideas liberales, progresistas, pero sin vinculación alguna con los marxistas[178]. Así se une a Fidel y Osvaldo Soto para integrar Acción Caribe, bajo cuya bandera logran, los tres, triunfar en sus aspiraciones a delegados de asignaturas y de cursos.

Pero en el segundo año ya Baudilio ha cerrado filas con los integrantes del grupo marxista de la Universidad.

Su ya pública vinculación obliga a Acción Caribe, que ya ha crecido en número de sus integrantes, a convocar una reunión para tomar acuerdo sobre la sanción que debe imponerse al díscolo compañero. Asisten Manuel Calas, Subdelegado de Derecho Administrativo; Marcelo Kurí; Osvaldo Soto y muchos más. Fidel opta por no asistir. La decisión: expulsar de Acción Caribe a Baudilio (Bilito) Castellanos.

Al rechazo a Baudilio se une Luis Figueroa, delegado de Derecho Romano, muy vinculado a Osvaldo Soto. *«Luego de una extensa conversación con Bilito me percaté que era comunista. Por eso le expliqué que ya él no podía contar con mi apoyo»*[179].

Las tensiones en los centros de segunda enseñanza continúan. Los 21 institutos de la república en protesta ante la decisión del Ministro de Educación de clausurar el curso del Instituto de La Habana se declaran en huelga hasta que se autorice la reanudación de las clases en el Instituto de La Habana. A los 21 centros de segunda enseñanza se unen los estudiantes de la Escuela de Artes y Oficios, Escuela Profesional de Comercio y Escuela Normal de Maestros de La Habana.

---

[177] Tad Szulc, «Fidel Castro, a critical portrait», William Morrow & Co., New York, 1986.. Pág. 138.

[178] Osvaldo Soto en entrevista con Enrique Ros.

[179] Entrevista de Luis Figueroa con el autor. Septiembre 25, 2002.

Pero mientras durante el mes de marzo la atención se fija en las huelgas y brotes de violencia en los centros de segunda enseñanza, en abril se volcará hacia un evento que comenzará, en Bogotá, y que se ha iniciado sin espectacularidad alguna.

Está convocada para la segunda semana de abril la Novena Conferencia Panamericana que habrá de cubrir, entre otros temas, las posesiones coloniales en el hemisferio occidental y la adopción de medidas «para hacer frente a las actividades subversivas o comunistas. El 9 de abril todo era anarquía en Bogotá.

FIDEL BUSCA DE NUEVO CONTACTO CON EL MSR

En Orfila ha muerto, acribillado a balazos, Emilio Tró, su protector desde el absurdo atentado a Leonel Gómez. Castro ha quedado sin protección. Siente comprensible temor.

Para Masferrer y Eufemio resultaba evidente que desde aquel episodio Fidel Castro estaba asociado con sus tradicionales enemigos. Castro se percató de esa, para él, peligrosa asociación. Buscó, ahora, como siempre, quebrando compromisos y principios, un acomodo con estos temibles adversarios.

Se reunió, a solas, con una persona cercana a Masferrer. Cuando regresa de aquella conversación en la playa, Fidel, hasta ese momento unido a la UIR, se ha pasado, de nuevo, a las filas contrarias. Formará, ahora, parte del grupo expedicionario que están organizando Salabarría[180], Masferrer y Manolo Castro –todos dirigentes del MSR– para invadir la República Dominicana y derrocar la dictadura de Rafael Leónidas Trujillo.

Afirmaría luego, tratando de impresionar a algunos biógrafos: «Yo consideré mi primer deber enrolarme como un soldado en la expedición, y así lo hice»[181]. Pero Fidel estaba, aún, temeroso. Por eso se decidió a ver a su amigo Ovares, recién electo presidente de la FEU, explicándole que él deseaba participar de aquella expedición *«pero yo*

---

[180] Salabarría se verá impedido de participar en la expedición por estar preso tras los sucesos de Orfila.

[181] Explicación de Castro a Tad Szulc, en la obra «Fidel, un retrato escrito».

no puedo ir porque ellos me matarían allí porque tú sabes que Masferrer me mataría»[182].

Será Erundino Vilela a quien Eufemio, Manolo Castro y Masferrer le dan los contactos para atender –con relación a la planeada operación de Cayo Confites– todo lo relacionado con la Universidad.

Se lo explica Manolo Castro con claridad a Enrique Ovares: *«Manolo me llama y me dice: Mira, yo quiero que todo lo relacionado con la Universidad tú lo hagas con Erundino y con Tony Santiago». Por eso, Fidel vino a hablar conmigo».*

Ovares habló con Manolo Castro, que le había entregado la presidencia de la FEU, y todo quedó arreglado. El 29 de julio Fidel y un grupo de futuros expedicionarios partieron del puerto de Antilla para Cayo Confites, al norte de la Provincia de Camagüey.

Jorge Besada[183] considera que Fidel no tuvo nada que ver con los cubanos (Masferrer, Eufemio Fernández, Manolo Castro) que organizaron la expedición de Cayo Confites. Según Besada, Fidel era amigo y secretario particular de Juan Bosch y «Fidel, que pensaba más adelante que las demás personas, no se iba a poner en manos de Salabarría y de sus otros enemigos». Para Jorge Besada, *«Fidel era como un ajedrecista. Pensaba más lejos que lo que veíamos los demás. Eso era la realidad. Él nunca corrió peligro allá en Confites»*[184].

Aparecerán conocidas figuras dominicanas como organizadoras de la invasión que está siendo costeada por José Manuel Alemán, Ministro de Educación del gobierno de Grau. La primera aventura militar del joven Fidel Castro está siendo sufragada con dineros del corrupto BAGA.

En sus muchos recuentos de Cayo Confites, Castro no hace mención, jamás, del origen de los fondos con que se estaba pagando la expedición que se preparaba. En la tribuna atacaba a Grau, a la co-

---

[182] Declaraciones de Enrique Ovares a Tad Szulc (*Obra Citada*), ratificadas a Ros.

[183] Ingresa en la Escuela de Derecho en 1942 y termina su carrera en 1947. Su hermano Benito era compañero de curso de Fidel Castro.

[184] Entrevista de Jorge Besada con el autor, julio 1º., 2002.

rrupción, al BAGA. Pero en su diario quehacer *«revolucionario»* Fidel Castro extendía su limosnera mano, y cerraba sus ojos, a los fondos que del vituperado BAGA recibía.

CAPÍTULO VI

CAYO CONFITES: FIDEL EN LA BOCA DEL LEÓN

ZARPA LA GOLETA «CINCO HERMANOS»

En el Río Almendares, junto al Puente de Hierro estaba arrimada la goleta «Cinco Hermanos». A bordo se encontraba un grupo de jóvenes que se enrolaban para una aventura cuyos detalles aún desconocían. Sólo sabían que el destino final era desembarcar en Santo Domingo para derrocar al régimen de Trujillo.

El capitán de la nave era Jorge Agostini. El segundo al mando era Enrique C. Henríquez. Eufemio habla con él.

A las dos de la madrugada la *Cinco Hermanos* zarpaba pasando frente al *Morro* dirigiéndose hacia el este. Horas después estaría frente a Cárdenas, donde recibieron la visita de un oficial de la Marina de Guerra del gobierno cubano. Allí permanecerían durante varias horas, hasta llegar a Cayo Confites lugar de reunión y de entrenamiento para todos.

Durante la pasada guerra mundial la Marina de Guerra cubana había tenido instaladas en Cayo Confites dos piezas anti-submarinas y un destacamento de tropas.

La orden de trasladar hacia Cayo Confites a los hombres ya reclutados la llevó, personalmente «el Capitán de la Marina de Guerra Jorge Agostini, Jefe de Servicio Secreto de Palacio, de parte del Presidente de la República».

Muchos expedicionarios habían permanecido en el Parque Deportivo José Martí[185], de donde luego fueron trasladados al Centro Politécnico de Matanzas y, más tarde, al Centro Politécnico de Holguín.

---

[185] Isaac Araña, hombre de confianza de Manolo Castro, estuvo a cargo del reclutamiento de los que formarán parte de la expedición de Cayo Confites. (Fuente: Carlos Capote; entrevista con el autor. Enero 9, 2003).

Ahora, todos, se encontraban en este cayo de menos de dos kilómetros de largo y de no más de doscientos metros de ancho, escaso de vegetación, donde antes había llegado el dominicano general Juan Rodríguez. Los hombres fueron asignados a cuatro batallones recién constituidos: *Sandino, Máximo Gómez (Armas Auxiliares), Luperón y Guiteras.*

¿Quiénes componían el núcleo inicial de aquellos hombres?.

Eufemio Fernández ostentaba el grado de teniente coronel. La plana mayor del batallón *Guiteras* la formaban el comandante Daniel Martín Labrandero, ex-coronel de la Décima Quinta Brigada Internacional de la Guerra Civil Española; capitán-ayudante: Rosendo Lima; capitán Carlos Gutiérrez, veterano de la Segunda Guerra Mundial; Fidel Valdés e Ignacio González, veteranos de la contienda española[186].

Crearon –para ellos, muy importante– un departamento de prensa con cubanos y dominicanos. ¿Quiénes lo componían?: Presidente: Virgilio Mainarde, Comandante del Estado Mayor General; Secretario: Adalberto Martínez Cobiella, líder estudiantil de la Universidad de La Habana; Vocal: comandante Diego Grullón, ex-presidente de la Asociación de Reporteros de Santiago de Cuba; teniente José Soto, periodista dominicano; teniente Roberto Coloma, ex-secretario de Segundo Curti, cuando éste era Ministro de Gobernación; Dego Muñiz y Jorge Yániz Pujol[187].

El 9 de agosto llegaban, a bordo del «Aurora», Rolando Masferrer y Eufemio Fernández. Los batallones «Sandino» y «Guiteras» formaron en la playa, esperando presentar armas a sus jefes pero cuando éstos pusieron pie en tierra «se olvidó el espíritu militar y los cargaron

---

[186] Formaban parte también de la oficialidad los tenientes Gastón González, Ignacio Valdés y Armando Feo; los segundos tenientes Armando Rodríguez, Efe Núñez, Arístides Saavedra y Ramón Balladares. Fuente: Jorge Yániz Pujol «Cincuenta y nueve días con los expedicionarios de Cayo Confites», revista *Bohemia*, octubre 1947.

[187] Jorge Yániz Pujol, reportaje mencionado.

en hombros. A la puerta del Estado Mayor habló Masferrer exhortándolos a intensificar la instrucción militar»[188].

Dos hombres, por razones bien diversas, trataron, con éxito, de ubicarse en cualesquiera de los batallones no comandados por Eufemio o por Masferrer: César Vega y Fidel Castro.

César porque «yo era familia de Masferrer y muy amigo de Eufemio y no quería aparecer parcializado a favor de uno o del otro»[189].

Fidel por evitar un riesgoso contacto con sus peligrosos enemigos.

No era muy estricta la disciplina en aquel campamento. Las peleas, recuerda Yániz Pujol, eran continuas.

«Surgían varias a la vez. Por cualquier cosa se insultaban los hombres. Nadie admitía la menor molestia de sus compañeros. Ya no importaban mucho los grados» narraba el periodista cubano.

Los pleitos se multiplicaban en cualquiera de los cuatro batallones. Los hombres, por cualquier motivo, se acometían con los puños, apelando a cuando objeto encontraran a mano. Un día se produjo una violentísima reyerta. Tan violento fue ese encuentro que sólo con el concurso de varios expedicionarios pudieron separar a los dos contendientes.

Arrestado, como provocador y causante del encuentro, fue detenido Jesús Alfaro «Mejoral»[190]. Al poco rato éste se encontraba en la puerta de la comandancia conversando con otros soldados cuando llegó uno de los expedicionarios con orden de arrestarlo. Se produjo un nuevo encuentro; éste, fatal. Al intentar arrestarlo, *Mejoral* le grita:
«Se necesita alguien más hombre que tú para llevarme preso».

Así describe Yániz aquel episodio:

---

[188] J. L. Wanguernert, estudiante de ingeniería de la Universidad de La Habana. Artículo publicado en la revista *Carteles*, septiembre, 1947.

[189] César Vega. Entrevista con el autor, enero 17, 2003.

[190] Ya, antes, había tenido «Mejoral» un serio enfrentamiento, a los puños, con Armando Feo.

«Desorbitado, nervioso, recogió del piso una botella vacía y se encimó a «Cascarita». Éste, sereno, se llevó el rifle a la cara y apuntó, diciéndole:
«Ni un paso más».
Pero no tuvo contestación. «Mejoral» decidido, avanzó. «Cascarita» estaba en peligro. Iba a ser agredido. Su vida peligraba... un paso más da el agresor y se escuchó una detonación. «Mejoral», dio un salto, se llevó las dos manos al estómago y cayó ensangrentado como un pelele.

Había muerto, a manos de un compañero, el primer expedicionario. La primera, «baja de guerra».

Rolando Masferrer, con el grado de teniente coronel, ordenó que los hombres del *«Guiteras»* se alinearan en la playa escogiendo a varios de ellos para integrar una guardia de honor. Envuelto en una bandera cubana y en hombros de sus amigos, el cadáver de «Mejoral» fue llevado ante la fosa recién abierta.

Tensiones hubo, muy fuertes, inclusive entre Rolando y Eufemio, los máximos dirigentes de la operación.

Era en aquel medio violento e inseguro, en el que predominaba la fuerza y cuya autoridad máxima la ejercía el temible Rolando Masferrer, donde Fidel Castro se encontraba tratando, siempre, de evadir la presencia del dirigente del MSR.

Dos días después se lee en la Orden del Día un radiotelegrama recién recibido:

«Salimos de La Habana rumbo al Cayo. Las cincuenta[191] *resuelto. Preparen fiesta. Firmado: Manolo Castro».*

A los pocos días llegaba a Cayo Confites un barco que, con impaciencia, todos esperaban: «El Fantasma»[192], una nave de la Segunda Guerra Mundial, buque de desembarco con dos escalerillas. Pero la

[191] Se refería a las ametralladoras calibre 50 que Manolo Castro estaba encargado de adquirir.

[192] «El Fantasma» es similar al «Aurora» en tonelaje pero, apunta Wanguemert, mientras el segundo es un buque de desembarco de tanques (LST) el primero tiene escaleras laterales propias para el desembarco de la infantería: es uno de los LSI.

llegada de «El Fantasma» ahora bautizado con el nombre de *«Máximo Gómez»* no cambió la situación de aquellos hombres que aislados en el cayo mostraban, con creciente impaciencia, su interés en partir hacia el objetivo asignado.

La monotonía, sólo quebrada con frecuentes reyertas, desapareció al informarse por el general Rodríguez –quien regresaba en el barco *«Máximo Gómez»* de Nuevitas–, que había divisado en su trayecto una goleta que creía que era la *«Angelita»*. El general Rodríguez, exclama: *«Hay que abordarla. Esa es la goleta del tirano»*.

Parte la *«Máximo Gómez»* a tratar de capturar la nave. En la torre de mando iba el teniente coronel Masferrer. A las pocas horas la *«Angelita»* era abordada; detenida la tripulación y devorado, por los expedicionarios, los abundantes alimentos que se encontraban a bordo.

De la tripulación del «Angelita» sólo su capitán, de apellido Brito, mantuvo una posición viril:

> *«Quiero advertirles que yo no peleo contra «El Jefe». Me rendí porque mis hombres no me secundaron. Pero haré contra ustedes todo lo que pueda. Lo mejor que deben hacer es fusilarme...»*[193].

Los expedicionarios mostraron respeto por aquel hombre.

En horas de la tarde recibía el campamento la visita de un oficial de la Marina de Guerra cubana quien se hizo cargo de conducir a tierra firme, en Nuevitas, al capitán dominicano.

A los pocos días llega a Cayo Confites, Manolo Castro. Llegaba a bordo del «Bertha» que era el más rápido de los barcos. Atraca junto al «Aurora». Cuando desembarca «una nube de gente lo acompaña en el trayecto hasta el Estado Mayor, junto con Eufemio y Rolando. Allí se encerró con el alto mando hasta que tocaron para el almuerzo y comió con nosotros el rancho que se servía a todos, de general en jefe para abajo»[194].

---

[193] Jorge Yániz, reportaje mencionado.

[194] J. L. Wanguermert, artículo citado. El joven Wanguermert morirá el 13 de marzo de 1957 en el asalto al Palacio presidencial.

Manolo Becerra –hermano de Humberto Becerra, en aquel momento, director de la cárcel de La Habana, y que llegaría a ser Ministro de Gobernación– era uno de los pocos expedicionarios con habilidad manual y preparación técnica. Fue capaz de instalar una pequeña planta eléctrica y se esforzó en mejorar las condiciones de supervivencia de los futuros invasores. Fidel Castro se esforzaba en pasar inadvertido.

Pero la inacción iba minando la moral de los expedicionarios que estaban conscientes de que «permanecer en Cayo Confites es la muerte de la expedición».

Al Cayo llegan noticias alarmantes. El ejército ha ocupado la finca «América» y ha incautado equipos militares con los que contaba la expedición. El general dominicano Juan Rodríguez trataba, inútilmente, de entrevistarse con el presidente Grau. Aumentaban las tensiones internas. Eufemio Fernández había partido hacia Venezuela, aparentemente en busca de contactos y recursos.

LOS PRIMEROS PASOS DE CAYO CONFITES

«Yo les conseguí a ellos (Manolo Castro y el grupo) $65 mil pesos que me dio Carlos Prío, y $25 mil que me dio Alemán al principio. Después, Alemán dio todo lo necesario», recuerda Salabarría en la entrevista con Ros.

> *«Yo los ayudé en la compra de un avión... que aterrizaron en el aeropuerto de Rancho Boyeros y Genovevo lo cogió y no lo quería devolver. Yo fuí a ver a Alemán, que tenía influencias con Pérez Dámera, y Alemán me dijo: «Vete a ver a Pepe San Martín». Lo ví; Pepe llamó a Genovevo que le tenía un respeto enorme y Genovevo les entregó el avión».*
>
> *«Intervine en otra cosa. Ellos necesitaban un aeropuerto por allá porque tenían dos P-38. Hablé con el comodoro Águila Ruiz quien dijo que estaba dispuesto a ofrecerle un aeropuerto de la Marina pero que tendría que ser con la aprobación del Presidente. Grau dio su consentimiento».*
>
> *«Tuve poca vinculación con Masferrer. La mía fue más con Manolo y con Eufemio. Mi amistad con Masferrer se produce*

después de lo de Orfila. Rolando cae en este problema por la muerte de Manolo Castro».

Existían dudas sobre la solidaridad que, hasta ese momento, había mostrado el general Pérez Dámera con la expedición. Precisamente en busca de apoyo es que, precipitadamente, había viajado a La Habana el general dominicano Juan Rodríguez. A Cayo Confites no llegaban ya ni alimentos, ni vituallas, ni aviones. Genovevo quiere suspender la operación.

La situación la agravaba la negativa del comodoro cubano Águila Ruiz a cumplir la orden de Genovevo Pérez Dámera de que la Marina cercara y arrestara a los expedicionarios.

Genovevo esgrimía ante el presidente Grau una razón que pudiera tener, o no, fundamento. Para el jefe del ejército cubano, los expedicionarios que respondían a los intereses del Ministro de la Educación José Manuel Alemán, tenían planeado un golpe militar contra el propio gobierno de Grau. Pérez Dámera insistía en que, de acuerdo a información que había recibido de hombres que tenía infiltrados en el campamento, se estaba planeando una operación para rescatar a Mario Salabarría. Para impedir ésto, afirmaba Genovevo, era necesario que la Marina de Guerra desmantelase la expedición. El Comodoro Águila Ruiz se oponía.

CANCELAN LA OPERACIÓN. LA «LEYENDA» DE FIDEL

Horas más tarde llegaba a La Habana un emisario personal del presidente Rómulo Betancourt quien en una entrevista al mediodía del viernes 25 con el presidente Grau exponía un plan militar venezolano de ayuda al movimiento pero, para entonces, el mandatario cubano había sopesado las advertencias de Genovevo Pérez y en horas de la tarde dio órdenes para capturar a los expedicionarios y liquidar la operación.

Para el presidente Grau no era necesaria la violencia. *«Una solución pacífica al asunto es factible. No hace falta que la Marina ataque Cayo Confites»* comentaba la prensa que había expresado el primer mandatario.

El 20 de septiembre la radio de La Habana informa sobre la ocupación de explosivos y armas en la finca *América*. Por la noche se da a conocer, también por la radio, la orden de detención contra Manolo Castro que, en esos momentos, se encontraba en Venezuela. Los expedicionarios oyen, consternados, la preocupante noticia.

Quien permanece en Confites imponiendo, con su fuerte carácter, la necesaria disciplina es Rolando Masferrer, y quien trata de mantenerse inadvertido, bien alejado del temido jefe, es Fidel Castro.

El jefe del ejército consideraba que la Marina de Guerra Cubana debía copar a los expedicionarios en Confites y desbandar la expedición.

Ya varias naves de la Marina de Guerra Cubana (la fragata «José Martí» y otros navíos menores) habían establecido un cerco a Cayo Confites.

El 28 de septiembre ya ha sido cancelada la Operación. Fidel, siempre precavido, se apresura a alejarse del Cayo y de Masferrer.

Superadas las diferencias entre Masferrer que comandaba «el Fantasma» y el dominicano Mainardi que comandaba el «Aurora» y recibía instrucciones del general Juan Rodríguez, los tres barcos, (el Aurora, el Fantasma y el Maceo antes llamado Angelina) navegan juntos por un largo trecho, para alejarse del inefectivo cerco.

En la madrugada del día 28 los barcos se separan. Masferrer en el Fantasma, donde también se encuentra Fidel, explica el rumbo que van a seguir:

> *«vamos hacia Port-Au-Prince, donde desembarcaremos para apoderarnos, de grado o por fuerza, de algunos elementos motorizados con los que podremos cruzar la frontera e internarnos en Santo Domingo».*

Por la noche haría la última escala en la gran bahía de Nipe. De allí partirá hacia Haití.

Aquella noche al Fantasma le faltará un tripulante que, con la complicidad de un capitán amigo, escapará en un pequeñito bote hasta las seguras orillas cercanas.

Al amanecer, el *«Fantasma»,* ya sin Fidel a bordo, se dirige hacia el este. Se le acerca una fragata de la Marina de Guerra Cubana que lo conmina a regresar a la bahía y Daniel Martín, su segundo, se niega, respondiendo: *«Nuestra misión es libertar a Santo Domingo»* y sigue avanzando. Pero ya la tripulación consideraba que todo estaba perdido.

Ante aquella situación Masferrer renuncia al mando y queda en calidad de simple expedicionario.

Tan pronto se conoció en Cayo Confites la orden de Grau varios expedicionarios habían abordado una de las naves partiendo hacia alta mar. En Cayo Winch (Guincho) dejaron a cerca de 350 hombres enviando un radiotelegrama a las oficinas del movimiento en La Habana para que la Marina de Guerra los recogiera.

Otros fueron apresados en Confites y enviados al campamento militar de Columbia. Un tercer grupo fue detenido a bordo del *«Angelita»*, que también navegaba bajo el nombre de «Maceo», rumbo este, en dirección a Cayo Mon, cerca de Maisí, donde suponían que se encontraban Manolo Castro y Eufemio Fernández y los restantes 900 expedicionarios que fueron capturados en las naves «Aurora» y «El Fantasma» el lunes 29.

Fue, éste, el triste final de aquella expedición en la que, con gran temor, participaba Fidel Castro.

Faltando groseramente a la verdad Fidel hará después al periodista colombiano Arturo Alape infantiles alardes de su participación en la frustrada expedición de Cayo Confites declarando que lo habían hecho teniente de un pelotón. Más adelante afirma que *«frente a una situación de peligro a mí me hacen jefe de una de las compañías de un batallón de los expedicionarios... en cierto momento yo me había convertido, sin proponérmelo, en el centro de aquella lucha contra el gobierno de Grau. Eso tenía lugar en el año de 1948»*[195]. Su fértil imaginación lo hace declarar, de nuevo, falsamente, que era «presidente de la Escuela de Derecho». Fidel distorsiona totalmente este episodio:

> *«En la escuela mía, que era la de Derecho, la mayoría de los delegados habían destituido al presidente (Marín), que estaba muy asociado al gobierno, y me habían elegido a mí. Las autoridades universitarias controladas por el gobierno no querían reconocer ese hecho. De manera que yo era vicepresi-*

---

[195] Declaraciones de Fidel Castro a Arturo Alape. «El Bogotazo: Memorias del Olvido», Editorial Universidad Central, 1983).

dente de la escuela y además, fui elegido en ese momento presidente de la escuela de Derecho».

Le cuenta Fidel al periodista colombiano, la fábula tantas veces repetida por él de que cuando se desbandó la expedición de Cayo Confites, él se lanzó del barco y nadó en la Bahía de Nipe, *«llena de tiburones»,* y nadó hasta la orilla. Ficción que de hecho destruye su compañero universitario, Osvaldo Soto, al afirmar que *«cuando Fidel regresa de aquella expedición se aparece con una inmensa ametralladora, como un trofeo que salvó cuando se tiró en la bahía de Nipe»*[196].

Uno de sus aduladores biógrafos también lo afirma:

«Fidel Castro salió de Cayo Confites en el Fantasma de donde se escabulló con armas y bagaje durante la noche en una pequeña balsa y ganó tierra sano y salvo»[197].

Otros confirman que Fidel se había hecho muy amigo del capitán del barco y que, por la noche, éste le consiguió un barquito pequeño, plegable, que Fidel lo bajó y, después se tiró al agua. Se fue a la orilla en ese pequeño barco plegable. (Jorge Besada, entrevista con el autor).

El capitán de la nave, Pichirilo Mejía, estrechó una fuerte amistad con Fidel. Al entrar la nave en la bahía de Nipe, Mejía disminuyó la marcha y dio una pequeña balsa a Castro para que escapara con otro de los expedicionarios. Pichirilo Mejía sería el timonel del Gramma en la expedición que desembarcaría en Playa Colorada y, dominicano, moriría en su patria en 1965[198] combatiendo la dictadura de Trujillo.

El episodio lo confirma al autor César Vega[199], uno de los expedicionarios envueltos en la fuga: *«Pichirilo y yo le conseguimos una*

---

[196] Entrevista de Osvaldo Soto con Enrique Ros. Agosto 9, 2002.

[197] Leonel Martín. «El Joven Fidel: los orígenes de su ideología comunista». *Obra citada.*

[198] Carlos Franqui *obra citada.*

[199] César Vega ingresó en la Escuela de Derecho en 1943. En la candidatura de los manicatos fue delegado de Economía Política. Al llegar Castro al poder, Vega encabezó una mal organizada invasión a Panamá de las Fuerzas Armadas Revolucionarias Cubanas de la que, al fracasar, Castro quiso distanciarse.

balsa a Fidel quien antes, había querido irse junto con los desertores».

La frustrada expedición se había costeado con fondos provenientes de distintas fuentes. Los revolucionarios dominicanos habían aportado $700 mil pesos; el gobierno cubano, $1 millón, y otras contribuciones provenían de los gobiernos de Venezuela y Guatemala.

Con dinero facilitado por el Ministro José Manuel Alemán se compraron seis aviones cazas P-38 y B-25 y 6 aviones Douglas de transporte.

DOMINICANOS QUE PARTICIPARON

La principal figura dominicana era, como hemos dicho, el general Juan Rodríguez García, rico hacendado y ganadero quien, en su patria, no había participado en la vida pública de aquella isla. Afirmaba que *«la actuación dictatorial de Trujillo, y su desconocimiento de los intereses fundamentales de la nación, lo impulsaban a participar en la lucha libertadora»* y que tomaba parte en aquella expedición *«con la sola ambición de contribuir a la libertad y a la implantación de un régimen de justicia social en la república dominicana».*

Trujillo, antes o después de estas declaraciones, incautaba al novel revolucionario ocho mil cabezas de ganado y todas sus propiedades. Otras distinguidas personalidades dominicanas estaban unidas a este movimiento. Una de ellas, Juan Isidro Jimenes Grullón, miembro de una familia de gran prestigio en la isla, vinculada estrechamente a la historia de aquella nación.

Médico, graduado en la facultad de La Sorbona, periodista y escritor Jimenes Grullón había escapado de la nación luego de haber sido condenado por el régimen trujillista acusado de participar en una conspiración[200].

Integrante del Comité Revolucionario Dominicano, compuesto por cinco miembros, era, también el Dr. Leovigildo Coello, médico, como

---

[200] Juan Isidro Jimenes Grullón se desenvolvía en los Estados Unidos y en otros países del continente como brillante conferencista y periodista, era autor de varios libros: «Luchemos por nuestra América», «Ideas y Doctrinas Políticas Contemporáneas», «La República Dominicana y una Gestapo en América».

Jimenes Grullón quien, exiliado, ejercía su carrera en Puerto Rico. Años atrás, en 1943, presidió el Primer Congreso del Exterior del Partido Revolucionario Dominicano, que se celebró en La Habana, participando al año siguiente en el Congreso del Frente Unido de Liberación Dominicana que se celebró en la capital cubana y cuyo acto de clausura se realizó en el Aula Magna de la Universidad presidido por el Profesor Roberto Agramonte.

El comité revolucionario al que hacemos referencia, estaba encabezado por el abogado Ángel Morales quien en la década anterior, antes de abandonar su patria, había ocupado importantes posiciones políticas y diplomáticas habiéndose desempeñado como Secretario de Relaciones Exteriores en el gobierno de Vicini Burgos, recién terminada la ocupación americana en la isla antes de que Trujillo se consolidara en el poder.

El quinto miembro de aquel comité era Juan Bosch, de gran prestigio en todos los círculos intelectuales y políticos del continente y quien, como otros revolucionarios dominicanos, se había acogido al asilo político que el gobierno cubano le ofrecía. El Hotel San Luis, de La Habana, donde residía, era centro de reunión de los que se aprestaban a combatir al régimen tiránico de Trujillo.

No habiendo sido posible adquirir en Guatemala el equipo militar necesario para la planeada invasión a Santo Domingo, el comité revolucionario, presidido por Ángel Morales, tocó en la puerta de los gobiernos amigos de Venezuela y Cuba.

A través de estos nuevos contactos pudieron adquirir en los Estados Unidos las armas necesarias y varios aviones cuyo traslado se realizó, con el concurso del presidente Grau, utilizando miembros y equipos de las Fuerzas Armadas Cubanas.

Tras varias entrevistas de estos distinguidos miembros con el presidente Grau, éste designó a Manolo Castro como su agente de enlace con aquel comité. El respaldo económico del gobierno cubano se haría a través de José Manuel Alemán, el Ministro de Educación.

Tres dirigentes del Movimiento Socialista Revolucionario (MSR) asumieron la responsabilidad de organizar aquella expedición: Rolando Masferrer, Eufemio Fernández y Manolo Castro. Los tres, temibles adversarios del nada confiable Fidel Castro.

El reclutamiento había comenzado el 15 de julio. Pronto los expedicionarios recibían 1,500 fusiles, 50 ametralladoras, 10 fusiles ametralladoras, 3 morteros, 1000 granadas de mano y 1 millón de tiros para los fusiles y más de 775,000 tiros calibre 45 para las ametralladoras, expresaba Rolando Masferrer al periodista Quintana cuando éste lo entrevistaba en octubre de 1947, recién fracasado el intento.

Señalaba el dirigente del MSR, que había mantenido, –antes y después del fallido intento de Cayo Confites– su enemistad y desprecio hacia Fidel Castro, que en el Mariel tuvieron guardado, bajo la custodia de la Marina Cubana, «el material explosivo, 6 cazas P-38 y 3 bombarderos 2-PT que se habían adquirido en los Estados Unidos».

El propio comodoro Águila Ruiz, expresaba Masferrer a Quintana, les facilitaba información sobre los efectivos navales dominicanos. «La Marina de Guerra –declaraba el ex-combatiente de la Guerra Civil Española– se comportó con una lealtad fervorosa con la causa del pueblo dominicano». No era ésa, decía, la posición del Ejército que se mostraba receloso y obstaculizaba las órdenes de cooperación dadas por el presidente Grau.

Para el comandante Roberto Meoqui:

«los motivos del fracaso de la expedición a Santo Domingo no estuvieron en Cayo Confites ni en los sucesos de Orfila... se frustró la expedición por intrigas políticas y temores inconfesables»[201].

CARGOS A MANOLO CASTRO

El martes 25 de noviembre de 1947 un Gran Jurado Federal procesa a Manolo Castro, Director General de Deportes de Cuba. ¿Razón?: Lo consideran complicado con Miguel A. Ramírez, dominicano, perito en explosivos y dos pilotos que son detenidos bajo la acusación de asociación ilícita para sacar armas de los Estados Unidos de contrabando[202]. Un Fiscal de la Aduana de Miami, (C.A. Emerick) declaró que un avión cargado con dos toneladas de explosivos salió para Cuba el

---

[201] Entrevista de Isaac Astudillo, edición extraordinaria de *Bohemia*, diciembre 14 de 1947.

[202] Cable de Prensa Unida, noviembre 25, 1947.

16 de agosto con destino a un supuesto complot para derrocar al gobierno del presidente Trujillo, en la República Dominicana.

Manolo Castro había quedado en libertad bajo fianza, al igual que los otros presuntos conspiradores.

No eran nada estrechos, como conocemos, los lazos que unían a Fidel Castro con Eufemio Fernández y los demás organizadores cubanos de Cayo Confites, ni, tampoco, los que en aquella aventura lo unían a los dominicanos (Juan Bosch, Juan Rodríguez, Miguel Ramírez y otros). Ni era profunda su solidaridad con aquellos, cubanos o dominicanos, que combatían la tiranía de Trujillo.

Ausente estuvo Fidel de la nueva intentona que realizaron los que se prepararon, esta vez en Guatemala, para una nueva expedición que desembarcaría en Luperón y, simultáneamente, en pequeños aviones que aterrizarían en distintos puntos de la isla. La operación se planeaba para junio de 1949 (José Duarte Oropesa, Tomo III, página 112).

Ya en La Habana, de donde había permanecido alejado por más de tres meses Fidel, en cada esquina, y ante cualquier micrófono a su alcance comienza a atacar al gobierno de Grau «de haber traicionado la causa de la liberación dominicana». Temeroso por su seguridad cambia con frecuencia de residencia y no asiste con regularidad a la universidad. Conociendo la impopularidad de Alemán, Ministro de Educación, Fidel lo acusa, con llamadas a la prensa, de corrupción, como si no hubiese procedido de Alemán y del BAGA el dinero con el que por esos cuatro meses se sostuvo la expedición.

LA MUERTE DE CARLOS MARTÍNEZ JUNCO. UN CORTEJO FÚNEBRE FRENTE A PALACIO

Días después, el 14, realiza Castro otra manifestación frente a la misma casa presidencial.

Al pasar frente al edificio del Instituto de La Habana una caravana de automóviles que se dirigían a participar en un «homenaje de desagravio al Ministro José Manuel Alemán», se produjeron disparos al tratar los estudiantes de arrancar propaganda de los carros del entonces ministro de educación. Uno de los disparos atraviesa el pecho del estudiante Carlos Martínez Junco que muere instantáneamente[203]. El cadáver de Carlos Martínez fue velado en el local del instituto donde sus compañeros le rindieron guardia de honor.

Al día siguiente el cortejo fúnebre partió de aquel centro docente rodeado de estudiantes arengados entre otros, por Fidel Castro que, como de costumbre, pretendió conducir la caravana fúnebre hacia el Palacio Presidencia pero, frente a la oposición de muchos, continuó hasta la Universidad, frente a la cual se pronunciaron encendidos discursos por dirigentes de la FEU; entre ellos Justo Fuentes, Alfredo Guevara, José Luis Massó y Evangelina Baeza. Enrique Ovares como presidente del alto organismo estudiantil redactó un manifiesto condenando el crimen.

Al reingresar los expedicionarios de Cayo Confites a la vida nacional se recrudeció la lucha entre los grupos del «Gatillo Alegre».

INGRESA FIDEL EN LA UIR

Orfila, donde Emilio Tró perdió la vida, ha quedado atrás y Castro está de regreso de la, para él, muy riesgosa aventura de Cayo Confites con la amenazante cercanía de Masferrer y Eufemio, de los que se siente, ya, felizmente desligado.

Es, entonces, que se decide a dar el paso que, hasta ahora, ha ido posponiendo a pesar de la continua insistencia de su buen amigo Pepe de Jesús Jinjaume:

> *«Un buen día Pepe de Jesús me trae una planilla y me dice: «Al fin logré que firmara». «¿Quién? «¡Fidel! Mira aquí la planilla. Y yo conservo la planilla por mucho tiempo porque yo era el Secretario de Organización y en ese momento estaba haciendo vida normal».*
>
> *«Cuando luego entro en la clandestinidad le entrego el archivo a Chicho, el hermano de Pepe de Jesús, quien lo conserva por un buen tiempo. Pero cuando Fidel llega al poder, Chicho se acobarda y destruye todo el archivo de la organización, entre*

[203] 9 de octubre, 1947.

ello la planilla firmada por Fidel. Planilla que yo la tuve en mis manos. ¡Que yo la ví!»[204].

La planilla de ingreso de Fidel en la UIR, según Carlos Franqui, la firmó José Luis Echeveite[205] como garante. De acuerdo a Franqui fue en casa de Pepe Estrada donde Fidel se reunió con Tró y la plana mayor de la UIR y decidió ingresar en esa organización.

La vinculación de Fidel Castro con la UIR es reconocida por todos, aún por uno de los más documentados analistas pro-castristas de la década del 40, Samuel Farber quien confirma que los elementos más violentos de la izquierda populista se incorporaron a grupos que obtenían beneficios de los ministros de los gobiernos de turno:

«Fidel Castro, que se envolvió en uno de estos grupos (UIR, Unión Insurreccional Revolucionaria) cuando fue estudiante de la Universidad de La Habana y antes de ingresar en el recién constituido partido Ortodoxo, explicaba que hombre jóvenes que habían sufrido once años de abuso e injusticia bajo el régimen de Batista deseaban vengar los asesinatos de sus compañeros»[206].

Por supuesto, Castro no culpaba de estas acciones a *«los jóvenes sino a los gobernantes que habían traicionado»*[207].

---

[204] Entrevista de Billiken, Secretario de Organización de la UIR, con Enrique Ros, Agosto 13, 2002.

[205] José Luis (Tambor) Echeveite es el estudiante que retó a Fidel a dispararle a Leonel Gómez y, luego, le facilitó la entrevista con Emilio Tró.

[206] Samuel Farber: «Revolution and Reaction in Cuba, 1933-1960», Wesleyan University Press, Middletown, Conn, 1976.

[207] Samuel Farber: «Revolución y Reacción en Cuba, 1933-1960», página 119.

INFORME SOBRE EL CONGRESO DE LA UIE EN PRAGA EN 1946

Ianolo Castro, presidente de la FEU, le ofrece información a un periodista sobre el esenvolvimiento del congreso estudiantil recién celebrado en Praga. De izquierda a derecha parecen Enrique Ovares, ya presidente de la Escuela de Arquitectura y Secretario General de a FEU; el periodista; Antonio Rodríguez; Odriozola, Secretario de Relaciones Exteriores; Ángel 'ázquez, el Gallego; Ernesto (el Chino) Atán; y Manolo Castro.

CAPÍTULO VII

LA CAMPANA DE LA DEMAJAGUA

RECHAZO AL ENVIADO DEL PRESIDENTE GRAU

Llegaba una mañana a Manzanillo, Alejo Cossío del Pino, Ministro de Gobernación con el propósito de convencer a los celosos guardianes de la histórica Campana de la Demajagüa que facilitasen la venerable reliquia para ser conducida en avión a La Habana y ser exhibida en el Salón de los Pasos Perdidos del Capitolio Nacional dándole, así, realce a la conmemoración de la fecha patria del Grito de Yara.

No era la primera vez en nuestra historia que se hacía tal petición.

Treinta años antes, el 9 de octubre de 1918, llegaba a La Habana, conducida en el Tren Central el venerado símbolo que en 1868 había llamado a la libertad. Veteranos, estudiantes, militares, instituciones y pueblo en general rindieron tributo a la reliquia histórica. Días después la regresaban a su hogar, a la ciudad de Manzanillo.

En aquella ocasión el pueblo cubano estaba unido respaldando la causa aliada en la etapa final de la Primera Guerra Mundial. Nadie vió, en aquel traslado de la venerada Campana, un intento político de bajo vuelo. Ahora, a un año de terminar el mandato del presidente Grau, encendidas las pasiones políticas, la petición del Ministro de Gobernación recibió el más firme rechazo de la ciudad oriental. Los custodios de la campana se negaron a enviarla a la capital de la república. Alejo Cossío del Pino regresó a La Habana con las manos vacías.

Pero estos guardianes que se negaron a entregarle al Ministro de Gobernación y al Gobierno Nacional la histórica campana se la entregaron a quienes consideraban más dignos de ella: a jóvenes dirigentes de la Federación Estudiantil Universitaria.

¿Cómo se produjo esta inesperada decisión de los celosos custodios de tan venerable reliquia histórica?. Veamos los detalles de uno de los que muy estrechamente participó en los pasos iniciales. Así lo narra Alfredo (el Chino) Esquivel:

LA CAMPANA

«Esta es una historia que hay que hacerla. Fidel y yo estábamos juntos leyendo el periódico y viene la noticia de que «Se niegan los veteranos a entregarle al gobierno la Campana de la Demajagüa para llevarla a La Habana».

Sigue explicando el Chino Esquivel:

«Entonces me dice Fidel, vamos a traerla nosotros». Le dije: «Guajiro, tú estás loco. Se la acaban de negar al Presidente, ¿cómo nos la van a dar a nosotros?». Me respondio Fidel: «A mí me la van a dar. Vamos a ver al Gordo Hernández», el que hacía las conferencias de medicina. Isidro estaba, en esos momentos, peleado con Grau porque le había dado mucho dinero para su campaña y se sentía traicionado por Grau. Isidro nos dijo: «Yo voy con ustedes a Oriente y, además, pago los gastos». Fidel fue quien ideó el viaje. Isidro quien lo pagó».

Al hablar de aquel viaje, Marta Rojas, escritora procastrista, en la obra de que es coautora *«Antes del Asalto al Moncada»* al referirse al episodio de la Campana de la Demajagüa afirma que Castro fue a Manzanillo *«como vicepresidente de la Asociación de Alumnos de la Escuela de Derecho de la Universidad de La Habana».*

No era ese un cargo por elección sino por designación. Electo sólo «Delegado de Curso» en su segundo año, Fidel, fracasó en sus varios intentos por alcanzar una más alta posición (Ver Capítulo V, páginas 82 y 85).

Así narra Marta Rojas el episodio del traslado a La Habana del símbolo patrio, ofreciendo una versión ligeramente distinta a la expresada por Esquivel:

«Un día de aquellos, Fidel hizo contacto con uno de sus compañeros dirigentes de la FEU, Alfredo Guevara, entonces Secretario de la Federación Estudiantil Universitaria. Lo abordó en la cafetería de L y 27, hizo un aparte con él y le expuso su plan[208]*.*

---

[208] Con la expresión «sus compañeros dirigentes de la FEU», sigue pretendiendo la periodista cubana darle estatura de dirigente de la FEU a Fidel Castro.

El Secretario de la FEU acogió con calor el proyecto reivindicativo de la Campana, y la Federación Estudiantil Universitaria acordó que fuera el propio Fidel quien viajara a Manzanillo para solicitar la reliquia a los veteranos, que eran su custodio. Para acompañarlo en esta gestión fue designado, a proposición de Alfredo Guevara, el estudiante Lionel Soto, Vicepresidente de la Escuela de Filosofía y dirigente del Comité del Partido Socialista Popular en la Universidad, quien integraba con Guevara –militante secreto de la Juventud Socialista– y con otros estudiantes, un frente unido.

Fidel y Lionel se trasladaron en avión a Manzanillo. «Recuerdo que fue la primera vez que monté en un avión» nos dice hoy Lionel. El regreso a La Habana, en posesión de la Campana, lo hicieron en el Tren Central».

Volvamos a la narración de Alfredo Esquivel:

«Tan convencido estaba Castro de que le entregarían la campana que me pidió que yo me quedara en La Habana para organizar el recibimiento paseándola desde la Terminal de los Trenes hasta la Escalinata de la Universidad. «Alquila todos los carros abiertos» me dijo. Touriño tenía algún dinero de algunas actividades anteriores y es el que se encarga de pagar por esos gastos. Fidel se lleva a Lionel Soto a Oriente y, a los dos días me llama informándome que viene para La Habana con uno o dos concejales de Manzanillo».

SU TRASLADO A LA HABANA

En Matanzas Enrique Ovares, Presidente de la FEU y Alfredo Guevara, Secretario General, junto a gran número de estudiantes recibieron la preciada reliquia, conducida desde Manzanillo hasta aquella ciudad, por Lionel Soto y Fidel Castro y un número apreciable de viejos mambises. El tren seguiría hasta la Estación Terminal de La Habana.

LLEGA A MATANZAS LA CAMPANA
Rodeando a Fidel Castro en la estación del tren en Matanzas aparecen Enrique Ovares, Alfredo Guevara y Justo Fuentes. En La Habana, en el propio Salón de los Mártires, «desaparecerá» la reliquia histórica.

Millares de estudiantes marcharon hacia la Terminal para recibir la venerada campana de la Demajagüa que fue colocada en un carro abierto rodeada de una gran multitud y seguida de una caravana de automóviles con jóvenes universitarios y de los institutos de segunda enseñanza.

Allí, en la terminal se encontraban el Presidente y el Secretario de la FEU Enrique Ovares y Alfredo Guevara junto con Aracelio Azcuy, José Luis Massó y otros. Hacia el Alma Mater partió la entusiasta comitiva. A las dos horas y media llegaba a la Universidad. Allí fue depositada en la Galería de los Mártires expresando, en ese momento, Ovares unas palabras de agradecimiento al pueblo de Manzanillo y en particular a los libertadores por la confianza que se depositaba en el estudiantado. Todos, llenos de alegría.

Alegría que compartían estudiantes y toda la ciudadanía. Los más, desconocían las pugnas internas que habían existido –y que estaban, aún, latentes– sobre la tónica que se le daría al mitin anunciado por los dirigentes universitarios.

El ambiente, en los días y semanas anteriores, había estado caldeado por los sangrientos sucesos de Orfila que costaron la vida a Emilio Tró, a la señora de Morín Dopico y a otros, y por la fracasada, y ahora pública, expedición de Cayo Confites.

Se enfrentaban, a la llegada a la Universidad de la histórica campana, dos grupos que perseguían propósitos antagónicos. La ciudadanía lo desconocía[209].

Los estudiantes más radicales, Justo Fuentes y Pedro Mirassou, con Fidel Castro a la cabeza, pretendían darle al mitin de la Escalinata un carácter antigubernamental que, inclusive, exigiese la renuncia del presidente Grau San Martín.

El Presidente de la FEU Enrique Ovares aceptaba lo primero pero tenía serias objeciones a la pretensión de exigir la renuncia del primer mandatario de la nación. En contra de los que enarbolaban la tesis de señalar con el dedo acusatorio al Presidente de la República y a su Ministro de Educación José Manuel Alemán, se encontraban militantes del MSR, el Director General de Deportes, Manolo Castro, antiguo presidente de la FEU, y algunos dirigentes de la propia Federación

---

[209] El miércoles 5 de noviembre (1947) el Comité Estudiantil de Superación Universitaria hizo declaraciones protestando «por el uso de la Escalinata de la Universidad de La Habana para actos de tipo político. Igualmente dieron a conocer un manifiesto criticando al gobierno de Grau. En el manifiesto afirmaban que «nadie puede usar la Escalinata de la Universidad para campañas electorales en favor o en contra del gobierno. Tales miserias deben ser debatidas en la Asamblea Política».

Estudiantil Universitaria como Isaac Araña, Federico Marín y Jorge Arredondo. Todos ellos hacían recaer la responsabilidad de la recientemente fracasa expedición de Cayo Confites en Genovevo Pérez, Jefe del Ejército, y no en el presidente Grau.

Pero, algunos, además de discutir, actuaban. Entre ellos, Eufemio Fernández y Tony Santiago. En próximos párrafos nos referiremos a ellos.

Veinticuatro horas antes del mitin, que se esperaba acapararía toda la atención nacional, aún no se habían seleccionado los oradores ni la tónica que se le daría.

La FEU convocó a una reunión a las nueve de la noche del miércoles 8; a ella sólo fueron citados los presidentes y vices de cada escuela; pero fuera del recinto se encontraban grupos de las dos tendencias en pugna, muchos de ellos armados. Para impedir una violenta confrontación la policía universitaria custodiaba el local. Entre la multitud amenazante se encontraban militantes de la UIR, «Joven Cuba», Asociación Libertaria, MSR y otras.

Aislados, en su local, pero sintiendo la presión de los grupos que discutían y gritaban desde el exterior, los presidentes y vicepresidentes de las escuelas que componían la FEU decidían quienes serían los oradores.

> *«Se da la reunión de la FEU para designar a los oradores que van a hablar. En esa reunión, la gente contraria a nosotros (Manolo Castro, Eufemio y otros del MSR) tienen mayoría y son ellos los que van a designar los oradores»*, recuerda el Chino Esquivel. *«El anunciador o maestro de ceremonia sería Enrique Benavides»* (comunista, de acuerdo a Pepito Sánchez Boudy presente en la entrevista del autor con Alfredo Esquivel, compañero de su curso).

En la votación quedó eliminado Fidel Castro, vocero de la tendencia más violenta; pero quien continuaría agitando las pasiones. Fue, también, eliminado Mirassou. Tras interminables debates fueron señalados los oradores: Enrique Ovares como dirigentes máximo de la FEU, junto con Gustavo Massó, Presidente de la Asociación de Estudiantes del Instituto Número Uno; Arredondo, en ese momento el más moderado de todos; Justo Fuentes y Alfredo Guevara.

PRIMERA PRESIDENCIA DE ENRIQUE OVARES

Dirigentes universitarios que han ofrecido su respaldo al nuevo presidente de la Federación Estudiantil Universitaria. Rodeando al rector Clemente Inclán aparecen, de izquierda a derecha, entre otros, Rafael Díaz-Balart, Gustavo Mejía; Mongo Miyar, Secretario de la Universidad; Humberto Ruiz Leiro, Evangelina Baeza, el propio Ovares, Isaac Araña, Bernabé Ordaz y Pedro Mirassou.

La sesión terminó en horas de la madrugada. Durante toda la noche la atención estuvo centrada en el local de la FEU donde se discutía el programa de la gran concentración.

Allá, en la Galería de los Mártires situada en el sótano del edificio de Física, se encontraba la Campana de «*La Demajagüa*».

TONY SANTIAGO EN CUYO HOGAR SE MANTUVO
LA CAMPANA «ROBADA»
En la foto aparece Tony Santiago, junto a Enrique Ros, durante la entrevista que le hiciera el autor para este libro.

A las ocho de la mañana del día siguiente, el mismo día en que se celebraría el mitin, jueves, los jóvenes de la FEU conocieron que mientras ellos debatían acaloradamente sobre los oradores y el programa, la histórica y venerada campana había desaparecido.

Los que la sustrajeron dejaron sobre la mesa en que descansaba la campana la siguiente nota: «*Con las reliquias que nos legaron los mambises no se hace política. Se veneran*».

SE «ROBAN» LA CAMPANA

¿Qué había sucedido?.

En horas tempranas del mediodía anterior cuando la comitiva estudiantil, llena de entusiasmo, colocaba aquel símbolo nacional en la Galería de los Mártires se mezclaba entre los eufóricos estudiantes Tony Santiago, militante Auténtico, grausista, quien, a los pocos pasos, se encontró, merodeando por la Colina, a un viejo compañero de lucha y éste le pregunta: *«Tony, ¿qué haces por aquí?»*. La respuesta es breve y rápida: *«Seguramente lo mismo que tú; viendo a ver como nos llevamos la Campana»*.

De inmediato se pusieron de acuerdo. Esa noche se metieron en la asamblea en que se estaban escogiendo los oradores que hablarían en el acto que se celebraría al día siguiente.

Eufemio[210] y Tony se sentaron en la reunión apoyando con marcado entusiasmo todo lo que se proponía, porque lo que ambos deseaban era que se terminase cuanto antes la asamblea de la FEU y se retirasen todos los allí reunidos. Ambos conocían en detalle, por su activa participación en la vida universitaria, todos los rincones y recodos de los locales que rodeaban la Plaza Cadenas.

Sabían que por una pequeña puerta que daba atrás a un patiecito muy pequeño había una escalera de caracol por donde se subía al nivel superior.

Ya era de noche cuando Eufemio y Tony, y otros dos compañeros, en el auto del primero se alejan para dejar sus armas en casa de Tony, detrás del Instituto del Vedado, y volver a la Universidad desarmados ya que la Policía Universitaria estaba registrando los carros en busca de armas.

Sigamos la narración que nos ofrece Tony Santiago:

> *«Al regresar a la universidad oíamos el murmullo de la gente en la Escalinata; serían la una o las dos de la madrugada. Entramos por la parte de atrás del Salón de los Mártires. Forzamos la puertecita de atrás. Ya se nos habían incorporado*

[210] Eufemio Fernández.

Armando Feo[211]*, el Mulato Jimmy y Leal, que era veterano de la Guerra Civil Española.*
Nos acercamos a la Campana. Eufemio había extraviado el letrero que había escrito para dejarlo en el lugar en que se encontraba la Campana: «Con las reliquias que nos legaron no se hace política. Se veneran», pero pudimos encontrar un cartón anunciando un juego de fútbol y en la parte de atrás el propio Eufemio escribió la misma nota.
La Campana pesa unas seiscientas libras.
Teníamos dos hombres de la Policía Universitaria que nos ayudaron. Uno era el sargento Mongo Quesada (Mongo el Diablo)[212]*, y el otro era René Cano, (médico que murió aquí en el exilio), que era segundo jefe de la Policía Universitaria.*
Desde arriba Mongo vigilaba mirando a un lado y a otro.
Entre todos sacamos la Campana por la reja que está detrás de la Escuela de Derecho y la metimos en el carro. De allí la llevamos para mi casa, detrás del Instituto del Vedado donde la colocamos en un closet. Con el ruido toda mi familia se despertó».

Eufemio volvía a ganarle otra partida a Fidel Castro. Años después, pagará con su vida.

EXPECTACIÓN POR EL ROBO DE LA CAMPANA DE «LA DEMAJAGUA»

Ante el hecho consumado, Fidel que había planeado pedir la destitución de Grau resonando el metal de la histórica campana, encabezó una manifestación que marchaba, no hacia Palacio sino hacia la Jefatura de la Policía para formalizar una denuncia como si se

---

[211] Armando Feo, como Mongo Quesada, había formado parte de la expedición de Cayo Confites. Con el grado de teniente en la tripulación del «Batallón Guiteras» y César Vega, del batallón «Sandino», tuvo que enfrentarse, repetidamente, a Jesús Alfaro, «Mejoral» en varios incidentes de indisciplina (Ver Capítulo VI. Cayo Confites).

[212] Mongo Quesada mostraba una limpia historia revolucionaria. Apenas tres meses antes había participado activamente, al frente de un pelotón, en la frustrada expedición de Cayo Confites.

tratase de un simple robo. Por supuesto, a medida que avanzaba la manifestación ésta se hacía más tenue; por cada esquina decenas de estudiantes abandonaban aquella marcha hacia una simple estación de policía.

En Fidel Castro y Lionel Soto habían confiado la ciudad de Manzanillo y los veteranos de nuestra Guerra de Independencia el cuidado de la sagrada reliquia. Fidel, más preocupado esa noche en ser designado orador del mitin en que esperaba ser la estrella refulgente, no se había preocupado de garantizar la seguridad de la reliquia que había prometido a los que, en Manzanillo, habían confiado en él.

En los predios universitarios, todo era acusaciones. Ovares y Guevara, Presidente y Secretario General de la FEU respectivamente, culpaban «a los agentes del BAGA» sin mencionar sus nombres. La Federación de Institutos de Cuba –de la que era uno de sus voceros Gustavo Massó–, responsabilizó a Manolo Castro, calificándolo de «jefe de una expedición fracasada y pandillero del Inciso K». Ante el caos reinante el Rector Clemente Inclán a quien algunos señalaban como responsable, por negligencia, de la sustracción, suspendió las clases por setenta y dos horas nombrando a un juez instructor.

El Consejo Universitario nombra un oficial investigador y para esta tarea es designado Mongo Quesada.

> *«Mongo se reúne de inmediato con nosotros y nos dice que aparecemos acusados Eufemio, Armando Feo y yo, y que el acusador es un muchacho comunista amigo de todos nosotros. Demora al máximo las investigaciones buscando que pasase el tiempo en que la pesquisa nada arrojase. Al final no se inició ninguna causa ni se presentaron cargos contra ninguno de los que actuamos»*[213].

La FEU acusa a Eufemio Fernández y a Rolando Masferrer de ser los autores materiales de la sustracción de la campana, en complicidad con el Jefe de la Policía Universitaria Alberto Ávila y el Rector Inclán. La acusación la formularon Fidel Castro, Pedro Mirassou, Armando

---

[213] Tony Santiago. Entrevista citada.

Gali Meléndez, Armando Balart, Alfredo Esquivel y Rafael del Pino, quienes se atribuyen la representación de la FEU.

Los estudiantes están indignados. Se organizan para marchar, como dijimos, a la más próxima estación de policía a denunciar el robo del que hacen responsable a los militantes del MRS y a altos oficiales de la propia policía. Fidel es uno de los líderes de la manifestación.

Fidel luego de denunciar al gobierno de Grau por haberse «robado» la campana, temeroso de Eufemio Fernández y Rolando Masferrer, se trasladó a la casa de Ovares. Para la periodista Marta Rojas, fue una simple visita: *«Primero visitó la casa de Ovares con quien conversó largamente tratando de encontrar una pista; a la salida de la casa se cruzaron con el automóvil donde viajaba Eufemio Fernández* con otros individuos, *el auto estaba totalmente artillado»*. La visión del automóvil de Eufemio «totalmente artillado» motivó que Fidel permaneciera «aún más largamente» en la segura casa del Presidente de la FEU.

Existe otra versión muy distinta. De acuerdo a otros estudiantes estrechamente vinculados al traslado de la Campana, Fidel, al conocer que la reliquia había sido sustraída se acobardó –temiendo acciones violentas del MRS– y se escondió en casa de Ovares para evitar una confrontación con Masferrer. Ovares suaviza algo esta versión manifestando:

> *«Fidel era un hombre inteligente. ¿Por qué él iba a salir de mi casa... para suicidarse?»*[214].

Veamos la versión del personaje viviente más íntimamente envuelto en el robo de la Campana, episodio que conmovió por varios días a toda la nación, Tony Santiago:

> *«Ese día yo estoy con Eufemio en una cuña que le prestó un amigo y pasamos frente a la casa de Ovares que vivía cerca de mi casa.*
>
> *Están en el portal Ovares, Alfredo Guevara, Fidel y Rafael del Pino. Alfredo me ve y me grita: «Tony, para»..., y Eufemio para el carro.*

---

[214] Declaraciones de Enrique Ovares a Tad Szulc en el libro de éste «Fidel. Un retrato crítico».

Por el lado mío está Alfredo hablando conmigo. Por el lado de Eufemio, Ovares le está hablando y, en ese momento sale Fidel de la casa, creo que inocentemente, como para saludarnos.
Esa mañana Fidel había hecho unas declaraciones culpando «a Manolo Castro, Eufemio Fernández y Mario Salabarría» del robo de la Campana. Al accercarse Fidel, Eufemio le dice: «Oye Fidel, la próxima vez que quieras mencionarme o acusarme, me lo haces a mí solo; no incluyas a más nadie; porque, si tú lo vuelves a hacer, nos vamos a descojonar...».
Pero Rafael del Pino, que viene caminando detrás de Fidel, saca su pistola. Fidel no lo ve, pero Eufemio saca la suya y yo la mía. Fidel, que no ha visto a del Pino, cree que le vamos a tirar, y empieza a correr. Esto sucede en segundos.
Se tira detrás de una manigua que hay detrás de la casa de Ovares, y Ovares grita pidiéndoles calma a todos. «Coño, esta es mi casa. Respétenla. Dejen sus pistolas».
Sale la madre de Ovares, mete a del Pino y a Fidel en la casa; y nosotros nos vamos».
Luego le dijimos a Ovares: «Enrique, ni Eufemio ni yo sacamos primero el arma frente a tu casa». Nos contestó: *«Sí, yo lo ví. Fue el estúpido ese de Rafael del Pino».*

Enrique Ovares describe en forma distinta detalles secundarios de este episodio: Eufemio llega, con un grupo en dos carros; se baja frente a la casa e increpa a Fidel desde la puerta; al oír la discusión sale la madre de Ovares al portal y le pide a Tony Santiago, a quien conoce, que todos se retiren.

En lo esencial, coinciden la descripción de Ovares y Tony Santiago: al conocerse la sustracción de la Campana, Fidel va (se refugia?) a casa de Ovares; Eufemio increpa a Fidel; Eufemio se retira .

Agrega Ovares un dato adicional:
«Al retirarse Eufemio, Rafael del Pino le grita violentamente a Castro: «Tú eres un mierda. ¿Para qué quieres tu pistola?. Este hombre te ha dicho hasta c......» y tú no has respondido».
Fidel le responde: «Tú eres un estúpido. ¿No ves que venían con ametralladoras y lo que querían era que yo saliera para matarme?»

Venciendo su temor Fidel se decidió a concurrir a una concentración que se había convocado en la colina, donde volvió a atacar al gobierno.

En aquel confuso ambiente se inició el Acto de la Escalinata en el que Fidel Castro había soñado ser el astro refulgente. Pocos concurrieron. Ningún miembro del Consejo Universitario asistió. En la mesa presidencial sólo se encontraban los representantes de dos asociaciones estudiantiles. Junto a ellos los dos concejales de Manzanillo que habían acompañado a la Campana, César Montero y Juvenio Guerra. Todos los oradores atacaron al gobierno. Algunos, a Alemán, al BAGA y al propio presidente. Otros, a éstos y al Jefe del Ejército.

Eran, opinión de muchos, discursos carentes de vigor, de orientación. Antes de terminar el acto, ya gran parte del público se había marchado.

Volvamos a la narración de Esquivel:

«Cuando llegamos, formamos un escándalo, pintamos las guaguas, los tranvías y ya teníamos reunidos más de 300 hombres con gente de la UIR y otras organizaciones para cuidar el mitin que se iba a dar aunque se hubieran robado la reliquia histórica. Dimos la consigna de que detrás de «fulano» (no recuerdo quien) iba a hablar Fidel, a la brava.

Enrique Benavides está anunciando a los oradores. Cuando llega el momento lo tocan por debajo y le dicen: «Oye, anuncia ahora a Fidel Castro». Eso estaba lleno de gente de la UIR y otras organizaciones amigas de la UIR. No le quedó más remedio a Benavides que anunciar a Fidel. «Así que Fidel habló sin estar designado».

Recuerda Esquivel que tomaron varias fotos del evento.

La prensa menciona que los oradores en el acto fueron Jorge Redondo, Presidente de la Escuela de Ingeniería; César Montejo, Concejal del Ayuntamiento de Manzanillo; Gustavo Massó, Presidente de los Estudiantes del Instituto Número Uno; Justo Fuentes, de la Asociación de Odontología; Fidel Castro, Presidente (?) de la Escuela de Derecho; –ya nos referimos a como Fidel pudo hablar en ese acto– Alfredo Guevara, Secretario de la FEU y Enrique Ovares, Presidente de la misma (Periódico *El Mundo,* viernes 7 de noviembre de 1947).

Fidel Castro al hablar mencionó a los hombres que habían rodeado a Grau en las distintas etapas de su gobierno destacando los latrocinios que le atribuía a cada uno «de los públicamente acusados».

Otro orador aludió, con la retórica propia de la época, *«especialmente al imperialismo yanqui como un factor de perturbación en Cuba, indicando que uno de los grandes propósitos era desarrollar un vigoroso movimiento anti-imperialista».*

APARECE LA CAMPANA

Al día siguiente, el viernes 7 de noviembre, seguía sin aparecer ni la Campana ni el Presidente de la Federación de Estudiantes de Institutos de Cuba, José Hidalgo Peraza que había sido secuestrado cuando transitaba por la esquina de Dragones y Zulueta.

En esos momentos entregaba el general Loynaz del Castillo la campana en la puerta de Palacio.

¿Cómo había llegado aquel símbolo nacional a manos del respetado veterano?.

En horas de la tarde de aquel viernes un joven había visitado al viejo libertador indicándole que *la Demajagüa* estaba en lugar seguro, debidamente protegida y que los que la tenían en su poder deseaban entregarla a una persona de insospechable honestidad y habían decidido que esa persona era el general Loynaz del Castillo para que él decidiera el destino final de la reliquia. El viejo mambí le informó que la entregaría al Presidente de la República.

Los que la habían sustraído de la Universidad dejaron en la dirección de la revista *Bohemia* la siguiente carta manuscrita:

> *«Los que creíamos que nuestro deber era evitar, a toda costa, que la Campana de la Demajagüa fuera profanada por la lucha política, resolvimos sacarla de la Universidad para dar una lección que no pudieran olvidar ni los estudiantes, ni el Ayuntamiento de Manzanillo, ni el gobierno, ni el pueblo de Cuba.*
>
> *Al ponerla en las manos del mayor general Enrique Loynaz del Castillo, sólo le reclamamos que la entregara libremente a quien él eligiera, con la única condición de que de ese momen-*

to en adelante la gloriosa reliquia nada más se usaría para ser reverenciada, jamás utilizada con fines políticos.
El hecho mismo de que hayamos conservado el anonimato es una prueba de nuestro respeto a esa reliquia histórica; pues en manera alguna hemos querido tener publicidad a costa de un acto que ejecutamos con toda conciencia de estar sirviendo a la patria en el rescate de uno de sus símbolos más caros. La Habana, 10 de noviembre de 1947".
Veamos la narración del único de los dos actores que aún vive:
«La Campana estaba en mi casa. No sabíamos qué hacer con esa venerada reliquia. No queríamos que se viera, o pensase, que era un hecho realizado para ayudar al gobierno. Aunque éramos Auténticos, lo habíamos hecho para evitar que la Campana la tomase un grupo para una actividad política de bajo vuelo.
Consideramos distintas soluciones.
Queríamos entregarla a la Asociación de Veteranos, pero ésta enfrentaba, en aquel momento, una crisis en su seno. Entonces a Eufemio se le ocurrió entregarla al oficial del Ejército Mambí de más alta graduación. Éste era el general Loynaz del Castillo. Fue Eufemio a ver al general Loynaz para informarle lo que habíamos hecho y las razones que nos movieron para ello. De pie, el General lo abrazó efusivamente felicitándolo por no haber permitido que tan sagrada reliquia hubiese sido utilizada para fines deleznables y se ofreció a ir tres horas después a mi casa a rendirle reverencia a la Campana y decidir sobre su entrega.
Regresamos presurosos Eufemio y yo a mi casa. Yo quería vestir con alguna solemnidad el acto de la entrega de la Campana al general Loynaz. Para eso solicité de mi amigo Pepe Surís Lavastida que me prestara una bandera cubana con la cual cubrimos aquel símbolo patrio. Llegó el General Mambí y en una noche memorable llena de anécdotas de la Guerra de Independencia pasó varias horas el digno veterano.
Al día siguiente en el carro de Eufemio, con la ayuda de alguno de los compañeros que nos habían acompañado, colocamos

la Campana y, luego, recogimos al general Loynaz en su casa y con él seguimos a Palacio para entregarla, sin publicidad alguna, en la mansión ejecutiva. Lo demás es historia conocida»[215].

En Manzanillo los veteranos y la ciudadanía exigían la inmediata devolución a aquella ciudad de la campana, a la que, en La Habana, los militares rendían honores afirmando que en un solemne acto el Premier y el Jefe del Ejército la entregarían en Manzanillo[216].

El lunes 10 de noviembre (1947) el Consejo de Ministros, en Sesión Extraordinaria, había acordado pedir al Congreso la aprobación de una ley que determine donde debe colocarse la simbólica Campana de La Demajagüa.

La Cámara de Representantes discute al día siguiente las mociones presentadas predominando la opinión de que sea enviada, por avión, a Manzanillo, donde ha cundido una enérgica protesta exigiendo la devolución a aquella ciudad de la histórica campana.

El 11 las fuerzas militares le rinden honores, al tiempo que el miércoles 12 quedaba depositada en Manzanillo la histórica reliquia que había sido conducida por una comitiva integrada por el Primer Ministro del Gobierno López del Castillo, el general Genovevo Pérez Dámera, Jefe del Ejército; los veteranos comandantes Ramón Hernández Paz y Manuel Berro Reyes, comisionados que habían llevado el glorioso trofeo a La Habana.

---

[215] Relato de Tony Santiago a Enrique Ros. Julio 17, 2002.

[216] Periódico *El Mundo,* miércoles 12 de noviembre, 1947.

CAPÍTULO VIII

DE NUEVO EN LA ESCALINATA

VELADA EN LA PLAZA CADENAS

Numerosos actos se efectuarán el jueves 27 de noviembre de 1947 en conmemoración de la luctuosa fecha. El Rector Clemente Inclán, junto con el Presidente de la FEU, Enrique Ovares y el Presidente del Comité 27 de Noviembre, Eduardo Bernabé Ordaz[217], confeccionaron el Programa de Actos. A partir de las nueve de la mañana, ante la tumba de los estudiantes, en la necrópolis de Colón harían uso de la palabra Isidro Sosa Pimentel, Arturo Quintana Cabrera, Rafael Martorel y el Dr. Adriano Carmona Romay, Profesor de la Universidad.

A las tres de la tarde en el Parque de los Mártires hablaban Justo Fuentes, René Arza Balart; Santiago Touriño, Isaac Araña y el Dr. José Chelala Aguilera, miembro del profesorado universitario.

A las nueve de la noche se celebraría una velada solemne en la Plaza Cadenas de la Universidad en la que hablarían Gustavo Massó, por la Segunda Enseñanza, Evangelina Baeza, por la FEU; José Fernández Echazábal, por los Estudiantes de Medicina; Bernabé Ordaz, Presidente del Comité 27 de Noviembre; el Dr. Aquiles Capablanca, profesor de la Universidad, y el resumen estaría a cargo de Enrique Ovares, Presidente de la FEU. (Fuente: Periódico *El Mundo,* La Habana).

Muy poca cobertura le dio la prensa a este acto.

HUELGA EN LA UNIVERSIDAD NACIONAL

Un claustro ha modificado un plan de estudio y eliminado los exámenes parciales.

---

[217] Eduardo Bernabé Ordaz, al triunfo de la Revolución el primero de enero de 1959, será designado Director del Hospital de Dementes, de Mazorra y será objeto de severas críticas por muchos presos políticos que lo acusan de ordenar o permitir torturas psicológicas.

El martes 9 de diciembre la Federación Estudiantil Universitaria acordó solidarizarse con las demandas de los alumnos de la Escuela de Filosofía y Letras y decretar una huelga general universitaria hasta que se reúna el Consejo General Universitario. El movimiento se opone al plan de estudios puesto en vigor por el claustro. También piden libros de texto, programas y exámenes parciales que han sido suprimidos de conformidad con el nuevo plan de estudios.

Para el sábado 13 continuaba la huelga en la Escuela de Filosofía al no haber accedido el claustro de dicha facultad a las demandas planteadas.

Pero la FEU no se reunió para ordenar la huelga general acordada en principio, con anterioridad, si las demandas no eran satisfechas.

La Federación Estudiantil Universitaria explicó que ante el acuerdo adoptado por el Claustro de Filosofía y Letras, que hizo caso omiso de las recomendaciones del Consejo Universitario, *«que con justo y fiel comprensivo espíritu solicitó del susodicho Claustro que se declarara optativo el nuevo plan de estudios en atención a las necesidades estudiantiles y al pliego de demandas presentadas conjuntamente por la Asociación de Alumnos de Filosofía y Letras y por esta Federación»,* decidió aplazar el movimiento de huelga general, informando que adoptaban esa medida en atención a la actitud del Consejo Universitario y de parte del Rector, Dr. Clemente Inclán, quienes *«han demostrado que se encuentran dotados del mejor estado de ánimo para resolver el grave problema».*

Al día siguiente el Consejo Universitario reafirmaba que cada facultad podía resolver de la forma que considerara más conveniente los problemas que pudieran suscitarse. Ni actuaba el Consejo ni actuaba la FEU.

Siguen los cambios de posición. Para el miércoles 17 continúan las conversaciones para resolver los conflictos.

Mientras, en Jacksonville, Florida, Manolo Castro declaraba que *«el rencor político del régimen dominicano ha hecho que él se vea complicado en un supuesto complot para realizar un contrabando de armas»* (UP, diciembre 9 de 1947).

El ex-comandante de la Policía, Meoqui, refugiado en México, denuncia desde la capital mexicana a Genovevo Pérez, acusándolo de utilizar los sucesos de Orfila como pretexto para lanzarse en ofensiva sobre el poder civil[218].

Afirma Meoqui que *«Genovevo despojó de sus cargos a muchos amigos de Grau; hizo que otros se ausentaran del país y a otro logró encarcelar».* El depuesto comandante acusaba a Pérez Dámera de pretender ser *«un nuevo salvador de la República».*

El 12 de diciembre se acoge a un retiro voluntario el coronel José R. Carreño Fiallo, Ex-Jefe de la Policía Nacional.

FIDEL DEJA DE SER ESTUDIANTE UNIVERSITARIO

Ha estado Castro por más de tres meses –desde mediados de julio hasta fines de octubre– sin asistir, ni siquiera matricularse, en los cursos regulares de la Universidad.

Los primeros días de julio (1947) los había empleado en contactar amigos comunes que pudieran facilitarle su admisión en la expedición que se prepara para derrocar al régimen de Trujillo y en garantizarle su vida en aquella expedición que está siendo organizada por sus ahora enconados enemigos Eufemio Fernández, Rolando Masferrer y Manolo Castro.

El 29 de julio parte para lo que considera será una histórica operación. No regresará hasta fines de octubre.

Porque está ausente no se ha podido matricular en la Universidad. Ya no es un alumno oficial. Tendrá que pasar los exámenes, en su momento, por la libre. Esta ausencia de las aulas universitarias se extiende aún más allá del Bogotazo, episodio al que llega sin ser estudiante universitario, y al que nos referiremos en próximo capítulo.

Es una verdad que tratan de ocultar o, al menos, soslayar, el propio Castro y sus biógrafos. Sólo hurgando cuidadosamente entre miles de páginas podemos encontrar alguna referencia a este aspecto de su vida universitaria.

---

[218] Declaraciones de Roberto Meoqui a Isaac Astudillo. Revista *Bohemia,* diciembre 14, 1947.

Uno de sus compañeros universitarios coincide en ese juicio: *«Terminamos la universidad en 1950. A Castro todavía le quedaban algunas asignaturas pendientes»*[219].

Varios de los que con él compartieron años de estudio concurren en esa afirmación:

En uno de sus últimos años en la Universidad, recuerda Raúl Granado, Fidel no pudo matricularse por la oficial. Sánchez-Boudy afirma que ese año matriculó asignaturas «por la libre».

Lo admite, repetidamente, el propio Fidel Castro. Reconoce Fidel que *«mientras estuvimos entrenándonos para la expedición había transcurrido el mes de agosto, septiembre, octubre y yo perdí mi época de exámenes»*[220]. Fidel no pudo matricularse oficialmente y, por eso *«perdí mis derechos políticos oficiales en la universidad». Lo explica así: «No me matriculé oficialmente y me quedé como estudiante libre, para sacar las asignaturas que me quedaban de tercer año y las de cuarto año. De manera que, en ese momento, yo era estudiante por la libre y no tenía derechos políticos».*

En el momento en que se aleja de La Habana en 1947 para participar en la expedición de Cayo Confites, Fidel se encontraba terminando su tercer año de la carrera pero le faltaba pasar algunos exámenes a los que no pudo presentarse.

Cuando regresó se encuentra en esa muy peculiar situación académica. Así la describe Fidel a Arturo Álape[221]:

> *«Entonces me ví en una situación en que tenía que renunciar a mis derechos políticos oficiales en la Universidad o matricularme otra vez en el tercer año, si quería seguir siendo dirigente estudiantil. Yo detestaba el tipo de estudiante que no sacaba las asignaturas y no aprobaba los cursos y se quedaba retrasado, relegado, como eterno líder estudiantil.*

---

[219] José Ignacio Rasco: *Obra citada.*

[220] Declaraciones de Fidel Castro a Arturo Alape. *Obra citada.*

[221] Arturo Alape. Obra citada, página 178.

Siendo consecuente con esas condiciones, no me matriculé oficialmente y me que quedé como estudiante libre, para sacar las asignaturas que me quedaban del tercer año y las de cuarto año».

«De manera que en este momento yo era estudiante por la libre. Y no tenía derechos políticos, pero tenía una gran ascendencia entre los estudiantes universitarios por la política de oposición al régimen de Grau...eso tenía lugar en el año de 1948».

Se desprende, de sus propias palabras, un hecho evidente: En los momentos en que se desarrollan los trágicos acontecimientos de Bogotá, Fidel Castro no era, oficialmente, estudiante universitario.

LA MUERTE DE MANOLO CASTRO

Seis hombres curtidos en la lucha revolucionaria conversaban animadamente el domingo 22, en horas de la noche frente al cine «Resumen» (luego llamado «Cinecito") y el café «Uncle Sam» en la calle San Rafael, cerca del Prado. Uno de ellos, acababa de salir del cine a petición de un amigo.

El que entra y *«lo saca del Cinecito es Manolo Corrales*[222] *que era comunista de toda la vida, eterno estudiante universitario»*[223].

Manolo Castro, el carismático y respetado expresidente de la Federación Estudiantil Universitaria, recostado a un automóvil, comentaba los tópicos de actualidad con Carlos Puchol Samper, Ignacio Valdés Rodríguez y José Miró, todos participantes de la frustrada expedición contra el gobierno de Trujillo y, los dos primeros, excombatientes de la guerra civil española. El otro miembro del grupo era el estudiante universitario, Manuel Corrales.

No sólo serían Alfredo Guevara y Lionel Soto los estudiantes marxistas que influirían sobre el joven Fidel. También lo haría Manolo Corrales «el más persistente, tenaz, aunque no brillante, de los activis-

---

[222] A Manolo (Salivita) Corrales, al triunfo de la Revolución, Fidel lo nombró secretario permanente de la Comisión Nacional Cubana de la UNESCO.

[223] Alfredo Esquivel. Entrevista con Enrique Ros.

tas claves del Partido Socialista Popular en la Universidad que llegaría a ser, nada menos, que Secretario Permanente –designado por resolución ministerial del gobierno de Castro– de la Comisión Nacional Cubana de la UNESCO»[224]

«Si eres hombre, Manolo Corrales –gritó el sobrino de Manolo Castro, que salió del cinecito poco después– dí la verdad...».

Manuel Corrales, en el juicio aseguró no haber visto nada[225].

Se oyen unos disparos y todos, hombres experimentados, se arrojan de inmediato al suelo. Luego de un breve silencio Manolo Castro se levanta ileso para observar, por encima del auto, de donde partía la agresión.

En ese instante se produce la segunda ráfaga y cae herido. Junto a él, en el suelo, malherido, se encuentran Puchol y Valdés Rodríguez. Se vió huir a cinco jóvenes armados. Carlos de Zayas Castro, sobrino de Manolo, que segundos antes salía del cine, y Corrales, que había salido ileso del atentado, se llevaron a los heridos al Hospital de Emergencias. Manolo Castro y Puchol llegaron cadáveres.

El descanso dominical de los periódicos y la radio impidió que esa noche se diera de inmediato la noticia, pero amigos cercanos de las víctimas se agruparon en horas de la madrugada en el Hospital de Emergencias. Allí estaban el rector de la Universidad, Clemente Inclán, el Secretario Ramón Miyar, el líder dominicano exiliado Juan Bosch, Eufemio Fernández y otros.

Como el atentado se había producido en una calle muy concurrida, huyendo a pie los agresores uno de éstos fue inmediatamente detenido cuando, enfrentando a un agente de la autoridad se le encasquilló su pistola, tirándola al suelo. Se trataba del estudiante de agronomía Gustavo Ortiz Fáez, de sólo veinte años. En sus bolsillos se encontraban peines cargados de balas. Lo primero que hizo el estudiante arrestado fue mencionar que era ahijado del Presidente de la República. Que era un miembro, lo destacó de inmediato la prensa, del grupo

---

[224] Alberto Baeza Flores, «Las Cadenas Vienen de Lejos»; Editorial Letras, S.A., página 270.

[225] Alberto Baeza Flores. *Obra citada.*

universitario capitaneado por Fidel Castro, Justo Fuentes y Pedro Mirassou. Pertenecía Ortiz Fáez a la UIR que dirigiera Emilio Tró hasta que éste perdiera la vida en los sucesos de Orfila seis meses antes.

Cuando Ortega Chomat detiene a Ortiz Fáez éste tiene todavía la pistola en la mano, y la deja caer. En las primeras actuaciones de la detención de Ortiz Fáez se hace constar eso; pero cuando llega el juicio, Ortega Chomat niega que él lo hubiese visto con la pistola.

Horas después del asesinato, el cuerpo de Manolo era tendido en el Aula Magna de la Universidad de La Habana; desde las tres de la madrugada se le rendían guardias de honor. A la universidad llegó, entre otras, una corona enviada *«A mi hermano Manolo, de Mario Salabarría»*[226], identificados los dos, con el MSR que dirigía Rolando Masferrer.

Distintos grupos revolucionarios señalaron, de inmediato, a varios estudiantes como autores materiales de la muerte del antiguo dirigente universitario. Fidel Castro y otros tres estudiantes[227] fueron presentados, el miércoles 25 de febrero, por el comandante del ejército Pedro Aragón Medinilla, supervisor de la sección motorizada ante el teniente Roberto Ortega Chomat, Jefe de la Tercera Estación de la Policía Nacional, quedando desde ese momento a la disposición del juez de instrucción que venía conociendo de los hechos.

Carlos Manuel Zayas Castro, sobrino de Manolo y, como éste, vecino del barrio de La Víbora, señaló como posibles autores del atentado a los integrantes de Unión Insurreccional Revolucionaria (UIR) *«que estaban chequeando a Manolo para liquidarlo, ya que su tío era íntimo amigo del comandante Mario Salabarría, actualmente detenido en las prisiones militares por los sucesos de Orfila».*

---

[226] Revista *Bohemia*, febrero 29, 1948.

[227] Los otros estudiantes presentados fueron Justo Fuentes Clavel, Presidente de la Escuela de Odontología, Carlos Menéndez Larraguechea, Presidente de la Escuela de Medicina Veterinaria y Pedro Mirassou Tarnío, Presidente de la Escuela de Farmacia.

Expresó el joven Zayas Castro que los miembros de la UIR *«Justo Fuentes, Gustavo Ortiz Fáez, Mirassou y Fidel Castro, chequeaban a Manolo para liquidarlo»*.

La semana anterior al atentado a Manolo Castro se habían celebrado elecciones en la universidad con la presencia en la Colina de hombres armados.

No fueron remisos la UIR y el MSR en intercambiar acusaciones y amenazas.

Masferrer, como vocero del MSR al que tan estrechamente estaba vinculado Mario Salabarría, acusaba a la UIR de haber participado en el crimen. La organización fundada por Emilio Tró respondía a estos cargos insinuando, no muy veladamente que Manolo Castro y Mario Salabarría habían participado directamente en la muerte de Tró y sugería la participación de ambos en la muerte de los estudiantes Mario Sáenz de Buroaga, Andrés Noroña, Hugo Dupotey y el profesor Raúl Fernández Fiallos[228].

MANOLO CASTRO

Desde muy joven Manolo Castro había tomado parte en actividades revolucionarias. Como uno de los dirigentes de la Asociación Pro-Ley y Justicia participó en varias acciones durante los efímeros gobiernos que se sucedieron en septiembre de 1933. En noviembre de aquel año fue nombrado teniente de la policía y, destituido Grau en 1934, fundó con René Moreno, el guajiro Castell, Mario Salabarría, Guillermo Ara y otros la Legión Revolucionaria de Cuba.

Por esas actividades fue condenado a muerte por el Tribunal de Urgencias junto con José (Pepín) Díaz Garrido y Giraud, pero la sentencia fue conmutada cumpliendo dos años de prisión.

A la muerte del Rector Cadenas fue designado Rodolfo Méndez Peñate y se creó el Comité Estudiantil de Superación Universitario (CESU) de la que formaban parte Mario Salabarría y Cándido Mora quienes se enfrentaron al *bonche*. El 4 de junio Antonio Morín Dopico fue herido de un balazo por Cándido Mora. El 9 Mario Sáenz de

---

[228] Revista *Bohemia*, La Habana, 29 de febrero, 1948.

Burohaga fue baleado en la Plaza Cadenas. Para evitar hechos similares Valdés Daussá nombró como miembros de la Policía Universitaria a Eufemio Fernández, Oscar Fernández Caral, Roberto Meoqui y Roberto Pérez Dulzaides. Dos meses después Valdés Daussá era asesinado.

Además de los detenidos en el momento del atentado a Daussá, son arrestados Morín Dopico, Miguel Echegarrúa y otros.

Cuando Valdés Daussá es asesinado ocupa Roberto Meoqui la jefatura del Cuerpo de Seguridad.

Unido a Ramiro Valdés Daussá funda Manolo el Comité Estudiantil de Superación Universitaria combatiendo al *bonche* que se dedicaba a la extorsión y al pandillerismo.

Aquella acción de Ramiro Valdés Daussá y Manolo Castro –como explicábamos en capítulos anteriores– le costó la vida al primero[229]. Manolo Castro acusó al rector de la universidad, Méndez Peñate, de complicidad, provocando su renuncia, designándose a Clemente Inclán como nuevo rector.

En 1944 era electo Manolo Castro presidente de la FEU, cuya presidencia se distinguió por su continuada lucha contra el «bonche» y labores extrauniversitarias en favor de los desamparados y de los campesinos. Junto con Lelio Álvarez, Enrique C. Henríquez y otros participó en la fundación de la Confederación Campesina de Cuba. En abril de 1947 fue designado por el presidente Grau, Director General de Deportes, actividad a la que dedicó inmensa atención igual que a la organización de un movimiento armado destinado al derrocamiento del gobierno de Trujillo que fracasó con la frustrada expedición de Cayo Confites.

FIDEL ACUSADO POR ESA MUERTE

En su edición del martes 24 de febrero (cumpliendo el descanso dominical no había ediciones los días lunes) *El Mundo* destacaba en su primera plana que el MSR esperaba la agresión a Manolo Castro

[229] Ramiro Valdés Daussá fue asesinado el 15 de agosto de 1940.

informando que habían comunicado al presidente Grau el plan que existía contra el dirigente universitario.

El jueves 26 de febrero de 1948 *El Mundo* destaca en la página 6 que «líderes de la FEU fueron detenidos anoche».

Los estudiantes que habían sido detenidos por la Policía Nacional y presentados a las autoridades judiciales eran cuatro. Uno de ellos Fidel Castro, a quien describían, incorrectamente, como Presidente de la Escuela de Derecho, de veintiún años, y vecino de la calle L, Número 306 en El Vedado[230].

Los otros detenidos eran Justo Fuentes Clavel, Presidente de la Escuela de Odontología, cinco años mayor que Fidel, y vecino de San Lázaro 164. Armando Gali Menéndez Larranguechea, Vicepresidente de la Escuela de Medicina Veterinaria, de veintiocho años de edad, vecino de Carlos Tercero, Número 864, y Pedro Mirassou Tarmio, Presidente de la Escuela de Farmacia, de veintiún años y vecino de la calle de Xifres, Número 14.

La noche de la detención el Dr. José A. Díaz Padrón, Director del Laboratorio de Química Legal, les aplicó la prueba de la parafina.

En sus declaraciones, al levantarse el acta correspondiente en la Tercera Estación, Fidel Castro y los otros acusados afirmaban que *«en todo ello sólo se veía la intención maliciosa de Rolando Masferrer, Director de la revista «Tiempo en Cuba», con el ánimo de poderles, después, hacerlos víctimas de atentados personales».*

Justo Fuentes afirmó, en declaraciones oficiales ante el teniente Ortega Chomat, que *«no pertenecía a ninguna organización revolucionaria ni partido político; que no era enemigo personal de ningún estudiante universitario y menos de Manolo Castro el que, a su juicio, estaba retirado de las luchas de la universidad».* Decía Fuentes que de lo ocurrido se había enterado en horas de la madrugada y terminó sus declaraciones afirmando que Rolando Masferrer lo había injuriado y amenazado en la revista «Tiempo en Cuba».

A continuación prestó declaraciones Gali Menéndez quien repitió los mismos argumentos del Presidente de la Escuela de Odontología

---

[230] Periódico *Diario de La Marina*, jueves 26 de febrero 1948.

y ratificando que *«Rolando Masferrer lo ha amenazado varias veces con prepararle un atentado».*

El ejecutivo y los integrantes de la Asociación de Estudiantes de Medicina Veterinaria refutaban enérgicamente las acusaciones formuladas a Gali Menéndez, vicepresidente de dicha asociación.(*Diario de la Marina*, viernes 27 de febrero, 1948).

El último en declarar fue Fidel Castro quien negó las imputaciones hechas considerándolas falsas y que habían sido expresadas por Masferrer *«para hacernos víctimas de nuevos atentados con la finalidad de obtener él el control absoluto de la universidad».*

En las declaraciones formuladas a reporteros policíacos que se encontraban en la Tercera Estación, Fidel manifestaba que *«Rolando Masferrer quiere apoderarse de la dirigencia de la Universidad para ponerla al servicio de sus intereses personales, y como nosotros se lo hemos impedido, a pesar de las coacciones y violencias practicadas desde hace tiempo, cuando aún estaba en la calle Mario Salabarría... pretende difamarnos y no sólo eso, sino que justificándose en esa falsa acusación quiere atentar contra nuestras vidas tomando como bandera a Manolo Castro; o sea, lucrando con la muerte de su amigo».*

Al igual que había expresado Justo Fuentes, Fidel pretendía hacer ver que Manolo Castro ya no era parte de la vida diaria de la Universidad de La Habana. *«Manolo Castro no luchaba ya en la Universidad y no tenía, por tanto, motivo alguno para que fuese agredido».*

Al resultar negativa la prueba de la parafina –algunos afirman que para ello se utilizaron técnicas conocidas– los cuatro detenidos quedaron en libertad. Quien aún enfrentaba una seria acusación era el joven Gustavo Ernesto Ortiz Fáez a quien se le procesó *«excluyéndolo de toda fianza, señalándole la suma de doce mil pesos para responder a la acción civil que pueda recaerle en la causa».*

Cuando matan a Manolo Castro, dice al autor, Jorge Besada, se encuentran en un café al aire libre viendo el Paseo de Carnavales, el Chino Esquivel, Pedro Mirassou, Benito Besada y otros cuando vieron pasar a Fidel y le gritan: «Oye guajiro, ven a tomarte una cerveza aquí con nosotros». Fidel se sentó con ellos y al poco rato, media o una hora después, llega alguien y dice: «¿Supieron lo que ha pasado?. Acaban de asesinar a Manolo Castro». Fidel se levantó y llamó al camarero y le dijo: «Míreme bien, usted sabe que yo he estado aquí hace más de media hora».

«Frank Díaz-Balart, que no andaba metido en aquellos líos, estaba con Fidel Castro aquella noche de paseo de carnaval»[231].

Días después citan como testigo de juicio a Benito Besada, Mirassou y los demás y, también, al camarero[232].

El Rector de la Universidad, Dr. Clemente Inclán, suspendió todas las actividades en el Alma Máter mientras estuviese insepulto el cadáver de Manolo Castro. En declaraciones a la prensa declaró que siempre había considerado al líder caído como un poder moderador en las luchas universitarias.

Se constituyó un Comité que acusa a Fidel por el atentado a Manolo. Las acusaciones las firman Fernando Flores Ibarra, Armando Torres, Alfredo Yabur y Eduardo Corona[233]. Pero cuando el primero de enero triunfa Castro, nos encontramos que Yabur es Ministro de Justicia; y Flores Ibarra es Jefe de Fiscales y, luego, Ministro de Justicia y Embajador[234] y Armando Torres; que fue, también, Fiscal y Ministro de Justicia.

Fidel, afirma Esquivel, no le tiró a Manolo. Estaba en el Prado, tal vez para probar que no participó, pero sí sabía del planeado atentado.

Ante los violentos disturbios que, ante el crimen, se produjeron frente a la Universidad las autoridades universitarias suspendieron todas las actividades por 72 horas.

Coincide esta decisión con la orden del Gral. Hernández Nardo, Supervisor Militar de la Policía Nacional, de disponer el traslado del comandante José M. Caramés, que prestaba servicios como inspector del Tercer Distrito, al Quinto Distrito designándose al comandante Rafael Díaz Díaz para ocupar la Dirección del Tercer Distrito. Al

---

[231] Carlos Franqui: «Vida, Aventuras y Desastres de un hombre llamado Castro».

[232] Jorge Besada y Fernando Rodríguez. Entrevista con el autor.

[233] Los cuatro ocuparán altas posiciones en el gobierno de Fidel Castro, al triunfo de la Revolución.

[234] Alfredo Esquivel en entrevista con Enrique Ros.

mismo tiempo, el Presidente de la FEU y su Secretario General expresan su solidaridad con los estudiantes del Instituto de Guantánamo que habían venido solicitando la construcción de un edificio adecuado contando con el apoyo de todo el pueblo de aquella ciudad. También se solidarizaba la FEU con los estudiantes del Instituto Número Uno de La Habana que habían protestado contra *«las arbitrariedades llevadas a cabo por el Ministro de Educación señor Carlos Arazoza»*.

Denunciaba la FEU que al hacer patente su protesta en un acto realizado frente a la Universidad, el comandante Caramés, acompañado de varias perseguidoras y una veintena de policías arremetieron contra los estudiantes «llegando Caramés a violar la autonomía universitaria penetrando en nuestro recinto pistola en mano».

La FEU demandaba *«la retirada de las fuerzas públicas de los alrededores de la Universidad; el más absoluto respeto para la autonomía universitaria; la formación de un expediente al comandante Caramés y la realización de gestiones pertinentes a lograr la libertad de los dirigentes de la Asociación de Alumnos del Instituto de La Habana»*. Firmaban el manifiesto de la FEU: Enrique Ovares, Presidente y Alfredo Guevara, Secretario. (*El Mundo*, sábado 14 de febrero de 1948.

LEÓN LEMUS PREPARA SU REGRESO. DETENIDO GUANCHO

De México había salido, a fines de 1947, Orlando León Lemus sobre quien, allí, pesaban serias acusaciones.

Ya, en Caracas, «el Colorado» había sido detenido y varios de sus amigos habían contactado al cónsul cubano en Venezuela, Luis Rodríguez Embil, para que intercediese con las autoridades venezolanas y lograra la libertad del revolucionario a quien, muchos calificaban de pistolero. Gestiones del cónsul no pudieron evitar que se dispusiese la salida del país de León Lemus antes de cumplirse las 72 horas. No tuvo otra alternativa el inquieto hombre de acción que preparar sus maletas y trasladarse a la cercana Panamá. De allá, volverá a aparecer pronto, en las intranquilas calles de la capital cubana.

Si de Venezuela hacia Panamá un avión llevaba, como intranquilo pasajero, a León Lemus, de Caracas hacia Camaguey partía, semanas después, una nave aérea que conducía a otro cubano, también vinculado a hechos de sangre.

El 31 de enero (1948) aterrizaba en la ciudad de los tinajones un nutrido grupo de comerciantes y turistas. Uno de ellos llamó la atención, por su nerviosismo, de los funcionarios de aduana. Su pasaporte mostraba los siguientes datos: Juan de Cárdenas, cubano, casado, natural de Matanzas. El pasajero apenas podía responder las más elementales preguntas. Bajo sospecha fue trasladado a la jefatura del regimiento «Agramonte» donde, al entrar, era recibido por el comandante Ponce quien, de inmediato, lo reconoció como *Guancho de Cárdenas.*

Conocidas sus relaciones con altas figuras del gobierno, se le permitió comunicarse con Genovevo Pérez, Jefe del Estado Mayor del Ejército. Sólo tres días después de su inesperado regreso tuvo la prensa conocimiento de este hecho cuando ya el ex-comandante de la Policía Nacional era enviado a las prisiones militares bajo la acusación de haberle dado muerte al abogado Eugenio Llanillo el 14 de marzo de 1945 en la carretera de Cangrejeras.

CONTINÚA EL JUICIO POR LA MATANZA DE ORFILA

Las sesiones del tribunal que juzga los sucesos de Orfila se suceden con profusión de testigos. El teniente de la Policía Nacional Oscar González, que había sido segundo jefe de la Sección Radiorepresiva, testifica que vió al «Turquito» y al cabo Sabater disparar continuamente contra las personas que salían de la casa de Morín Dopico y *«que el comandante Salabarría había ordenado que no se hicieran más disparos, pero quienes tiraban a distancia, cree, no oyeron la disposición».* Posición opuesta esgrime otro testigo.

El comandante José Caramés ratificaba su declaración anterior en el sentido de que *«creía responsables de todo al coronel Fabio Ruiz Rojas y al comandante Meoqui y a Salabarría, quienes en sus reuniones nunca contaron con la alta oficialidad del cuerpo».* Las declaraciones de Caramés se debilitan al afirmar que «no sabía de las supuestas rivalidades de Morín Dopico, Tró y Salabarría y que no conocía de grupo alguno en la policía». Aparentemente el oficial Caramés era la única autoridad que ignoraba las serias diferencias que, por años, distanciaban a Tró de Mario Salabarría[235].

El jueves 26 de febrero (1948) se dicta sentencia contra los acusados por los sucesos de Orfila.

ESTUDIANTES TOMAN LOS INSTITUTOS

Mientras continúan las sesiones del juicio por los sucesos de Orfila, alumnos del Instituto Número Uno de La Habana ocupan el edificio del plantel escolar. Para desalojarlos la policía utiliza bombas lacrimógenas sin lograr el efecto deseado. Sólo consiguen penetrar en el edificio derribando una de sus puertas.

Quedan detenidos 21 estudiantes que son remitidos al Vivac. Cinco quedan en libertad por ser menores de edad.

Líderes estudiantiles de la segunda enseñanza nombran un comité que logra entrevistarse con el Presidente de la República. Grau San Martín escucha, con atención, a la comisión integrada por Gustavo Massó, Sinesio Aporteda, Jesús Mampel y José Mon.

Los estudiantes alegaban que sus protestas la ocasionaban la imposición del Ministro de Educación de mantener como delegado al estudiante González Verragut que no era alumno del plantel y cuya elección había sido invalidada por el Director del Instituto de La Habana.

La arbitraria decisión del Ministro de Educación había provocado la renuncia del director del Instituto, del sub-director y del secretario, doctores Armando Rodríguez, Miguel Beneján y Cecilio García Tudurí.

Los alumnos afirmaban que elementos relacionados al BAGA habían intervenido en las recientes elecciones para constituir la Asociación de Alumnos, lograr su control y designar a González Verragut.

La protesta la habían llevado los estudiantes de segunda enseñanza a la calle paralizando el tránsito de los tranvías y dañando físicamente a varios de esos vehículos.

---

[235] Periódico *El Mundo,* viernes 6 de febrero, 1948.

Las protestas de los jóvenes del Instituto Número Uno reciben la solidaridad de los estudiantes pinareños y de otras provincias.

Pronto son los alumnos de la Escuela Profesional de Periodismo «Manuel Márquez Sterling» los que se apoderan de su escuela. A la Octava Estación de policía se presentó, presuroso, Miguel Ángel Tamayo Ávila, director de la escuela, para denunciar la violentación que se había producido en aquel recinto. Al presentar la denuncia, el Sr. Tamayo cumplía las instrucciones recibidas de Octavio de la Suaree, Secretario de la Escuela de Periodismo, que afirmaba que un grupo de alumnos habían tomado la escuela. La policía detuvo, entre otros, a los estudiantes: Pedro Leiva Ugarriza, José R. Wanguermert, Jorge Valdés Miranda, Carlos Rodríguez López, e Inaldo Rodríguez Tirador. Mientras, se suman a la huelga el Instituto de la Víbora, el de Marianao, el de Holguín y otros muchos.

Nuevos disturbios estudiantiles se producen en la capital. El de mayor gravedad se origina frente a la Universidad Nacional cuando un nutrido grupo de jóvenes interrumpe el tránsito de tranvías y otros vehículos. Poco antes de su traslado tiene que intervenir el comandante José M. Caramés para restablecer el orden.

CAPÍTULO IX

EL BOGOTAZO: UN EVENTO QUE TERMINÓ EN TRAGEDIA

LOS PRIMEROS PASOS

En noviembre (1945) la FEU había enviado una delegación al Congreso Mundial Juvenil de Londres, que constituirá la Federación Mundial de Juventudes Democráticas (FMJD). *«A ese congreso en la delegación de la FEU, presidida por Manolo Castro, participaron Rubén Arango Alsina, José Luis Massó y Enrique Poveda, presidente de mi Escuela»*[236].

La delegación de la FEU asistirá al Congreso de la Unión Internacional de Estudiantes (UIE)[237].

Luego, en el mes de agosto de 1946, se celebró en la ciudad de Praga la primera reunión de la Unión Internacional de Estudiantes (U.I.E.) después de finalizada la Segunda Guerra Mundial.

La delegación de la FEU que viajó a Praga estaba integrada *«no sólo por sus comisionados directos, encabezados por su presidente Manolo Castro, y los representantes de la Sección Juvenil del Partido Auténtico, sino también con dos delegados de pública militancia comunista (Jaime Gravalora, por la Juventud Obrera Cubana, y Flavio Bravo, por la Juventud Socialista)»*[238].

En un borrador que ha preparado Enrique Ovares sobre la «Historia del Bogotazo» aparece que *«a esa reunión asiste una nutrida delegación cubana representando a la FEU que por esa época estaba presi-*

---

[236] Entrevista de Enrique Ovares con Enrique Ros.

[237] Ramón de Armas: «Historia de la Universidad de La Habana 1930-1978». Volumen 2. Editorial de Ciencias Sociales, La Habana, 1984.

[238] Ramón de Armas. *Obra citada.*

dida por el presidente de la Escuela de Ingeniería, Manolo Castro, el cual no puede asistir por sus múltiples ocupaciones y porque el año anterior había concurrido, con José Luis Massó y Arango Alsina a la Reunión Mundial de Juventudes que se celebró en Londres»[239].

Siendo Enrique Ovares Secretario General de la FEU, y Presidente de la Asociación de Estudiantes de la Escuela de Arquitectura, es designado por Manolo Castro para asistir a dicha reunión en Praga ocupando la Secretaría General de la Delegación que la preside Antonio Rodríguez Odriozola, Secretario de Relaciones Exteriores de la FEU.

Entre los acuerdos que se toman por la U.I.E. está el de celebrar en el futuro el Primer Congreso de Estudiantes de Latinoamérica y que sea Cuba el país que lo convoque.

OVARES Y TOURIÑO

La Delegación Cubana obtiene una posición dentro del Ejecutivo Mundial de la U.I.E. así como una representación permanente en Praga donde radican las oficinas. Este cargo –de acuerdo a los datos de la minuta de Enrique Ovares– lo ocupa más tarde Ángel Vázquez[240] que se traslada a vivir a Praga cuando Ovares es electo Presidente de la FEU en junio de 1947.

Se nombra a Santiago Touriño en un comité que tendría la responsabilidad de organizar el Primer Congreso Latinoamericano de Estudiantes de Latinoamérica (CLELA), cumpliendo el acuerdo tomado en el Contreso de la U.I.E.

En febrero de 1948 Touriño se encuentra en Buenos Aires y tiene la oportunidad de hablar con el presidente Perón *«a quien le entusiasmó la idea»* –recuerda Touriño–[241]. Quizás le resultó oportuna a su idea de mantener una tercera posición, antesala de lo que después llegó

---

[239] La FEU estaba afiliada a la Federación Mundial de Juventudes Democráticas (FMJD) y a la Unión Internacional de Estudiantes (U.I.E.).

[240] Ángel Vázquez (El Gallego) es aquel estudiante quien, con otros, emplazó a Castro a mostrar su condición de hombre de acción disparándole a Leonel Gómez.

[241] *The Miami Herald*, 9 de abril de 1988.

a llamarse el Tercer Mundo, y aceptó correr con los gastos que ocasionaba la organización y celebración del proyectado congreso.

El congreso estaba planeado para celebrarse en Buenos Aires el 17 de octubre, fecha del triunfo del movimiento popular que consolidó a Perón en el poder. Pero hubo un cambio repentino.

Para el 10 de abril se había convocado la celebración, en la ciudad de Bogotá, de la IX Conferencia Internacional Americana que reuniría a los cancilleres de las naciones del continente y que tenía, entre sus distintas metas, redactar las bases en que descansaría la Organización de Estados Americanos que sustituiría a la Unión Pan-Americana en la dirección de la política hemisférica.

Cuando Fidel está escondido por las sospechas que pesan sobre él de haber participado en el atentado de Manolo Castro[242] llega un senador peronista muy conocido, Diego Luis Molinari[243]. El senador manda a buscar a los de la FEU y les dice que Perón está dispuesto a costear un evento «preparatorio» del de octubre si se celebra en Bogotá durante la Reunión Panamericana (que luego se convertirá en la OEA), porque a esa Reunión viene Marshall con un plan de hacer en Latinoamérica lo que había hecho en Europa; *«y eso a Perón lo ponía en una deslucida posición»*.

Molinari, explicó a los dirigentes cubanos que era *«imperiosamente necesario que los representantes de las juventudes estudiantiles de Latinoamérica se reunieran ese día en Bogotá... con el objeto de respaldar el planteamiento que harán las delegaciones de Argentina y Guatemala»* refiriéndose a la situación de Las Malvinas y Belize.

Deciden los estudiantes, entonces, hacer un congreso preparatorio al que Perón quería hacer en Buenos Aires. *«Yo era la única persona que era miembro del Comité Central de la Organización Mundial de Estudiantes porque había estado en Praga y había sido allí, en aquella ciudad, donde se acordó dos años antes que Cuba debía ser el país*

---

[242] *«Fidel no participa en el atentado a Manolo Castro porque en ese tiempo no tenía suficiente jerarquía dentro del grupo para participar en un atentado a tan alta figura. Y, sobre todo, porque a Manolo lo matan no por tener enemistad personal con él (ya él ni siquiera andaba armado»*, afirma E. Ovares.

[243] Presidente del Comité de Relaciones Exteriores del Senado Argentino.

que lo convocara. Aquel acuerdo se tomó porque yo lo planteé basado en el sueño de Julio Antonio Mella de celebrar un congreso de juventudes (en Praga los únicos estudiantes americanos éramos nosotros y un grupo de panameños (1946)»[244].

Fidel sigue escondido[245], se entera de los preparativos, habla con Touriño y éste le promete que lo va a ayudar con los argentinos, porque una de las cosas que le pide Fidel es que se quiere ir y, para irse, quiere ver si los argentinos le ofrecen el automóvil con la bandera para salir de La Habana bajo la protección de la bandera, y, además, no tenía dinero.

«Quevedo, de Bohemia, me dio un cheque de quinientos pesos para que lo cambiara y se lo diera a Fidel. Así lo hice. Hablé con la gente que me envió Molinari y le dije que sí, que yo le daba credenciales a Fidel y, entonces, lo sacaba»[246].

Volvamos a la narración de Touriño, que confirma lo expresado por Ovares:

«En el fragor de aquellos días –relata Touriño al Nuevo Herald– *llegó un recado de Fidel, a través de Alfredo Esquivel: Me pedía que nos reuniéramos con él en un lugar donde se encontraba oculto, ya que varios amigos de Manolo Castro lo acusaban de haber participado en el atentado en que Manolo perdió la vida. Le ví, y me pidió interceder ante la Embajada Argentina, y ante el Senador Molinari, para recibir algún tipo de protección diplomática y poder salir de Cuba hacia Venezuela sin riesgo alguno. Me contó que Miguel Angel Quevedo (director de la revista Bohemia) le había dado $500 dólares y una carta de presentación para Rómulo Betancourt, ya que estimaba que su permanencia en Cuba representaba un grave peligro para su vida».*

---

[244] Entrevista de Enrique Ovares con el autor.

[245] Fidel, Rafael Díaz-Balart y Baudilio Castellanos editaban un boletín mimeografiado titulado Acción Universitaria (AU) criticando al grupo que respondía a Manolo Castro, el líder universitario que moriría el 12 de febrero.

[246] Enrique Ovares: «Historia del Bogotazo».

Se le dan las credenciales a Fidel y se le facilita su salida de Cuba rumbo a Venezuela.

Ovares en su «Historia del Bogotazo» expone que *«una vez más, Fidel traiciona a un amigo que lo ayuda pues al enrolarse Fidel y Rafael del Pino al peronismo, intrigan con los argentinos en contra de Touriño, desplazándolo».*

Continuemos ahora con Ovares:

«Fidel es tan h.p. que después que Touriño consiguió todo eso (porque yo lo hice por Touriño) lo primero que hizo Fidel fue «darle cranque a los argentinos en contra de Touriño y Touriño no pudo ni siquiera ir a Bogotá. Se quedó en Cuba ya que para ese momento ya yo me había ido separando de Fidel porque los mismos comunistas lo tenían tirado a un lado».

Pero al presidente de la FEU le presentan objeciones algunos miembros de su comité ejecutivo.

El Partido Comunista en Cuba se mostraba reacio a facilitar el viaje a Bogotá.

«Tengo problemas porque los del grupo de la Universidad, que eran del Partido o simpatizantes, no aprobaban que fuéramos a la reunión preliminar del congreso. En primer lugar, porque sabían que Perón, en aquel momento, hablaba de una tercera posición. Es el primero que habla de la tercera posición. Perón está en contra de los americanos pero, también, en contra de los comunistas. El Partido no quería que fuéramos porque consideraban que «todo eso es un invento de Perón. Al fin aceptan llevando a Alfredo Guevara representando al Partido»[247].

«Fidel en esos momentos tiene una posición muy difícil, nos confirma Ovares, porque está acusado de intervenir en lo del atentado a Manolo Castro. No es así; aunque él, anteriormente, había matado a Fernández Caral, un hecho que por éste no representar mucho no tuvo mayor repercusión».

---

[247] Entrevista de Enrique Ovares con el autor, ya citada.

La influencia decisiva del peronismo en la organización, planeación y financiación del Congreso Estudiantil Latinoamericano pretende negarla, posteriormente, Alfredo Guevara en declaraciones a un periodista marxista[248] que ha escrito el más detallado libro sobre lo que la historia ha recogido con el nombre del «*Bogotazo*».

Veamos ahora las declaraciones de Alfredo Guevara al periodista colombiano, Arturo Alape.

En su larga exposición al militante comunista Alape le reconoce Guevara *«a la FEU de aquella época, pero también a la FEU anterior, una posición anti-imperialista»;* pero, en forma arbitraria, pretende limitar esa posición a un movimiento dirigido *«a un imperialismo en decadencia...relacionado con Las Malvinas y con Belize, es decir, dirigido contra el imperialismo inglés»*.

Los argentinos, insiste Alfredo Guevara en su análisis de aquel hecho histórico, *«querían limitar la conferencia al caso de las colonias europeas en la América Latina, olvidando a Puerto Rico, Panamá y la base naval en Guantánamo»*.

Alfredo Guevara, calificado vocero de los estudiantes marxistas cubanos, reconoce su propia intención y la de Fidel Castro, de participar en la conferencia que se celebraría en Bogotá para *«cambiar la faz del congreso...porque, nosotros los cubanos, llevábamos ideas muy claras de como transformar aquéllo y como hacerlo»*[249]. Los primeros contactos de Alfredo Guevara fueron *«con estudiantes que se me identificaron como de la Juventud Comunista...me trajeron materiales, me trajeron publicaciones»*.

Guevara no tiene todavía, cuando se va a celebrar el Congreso de Estudiantes Latinoamericanos, un estrecho contacto con Fidel Castro. De hecho han participado en candidaturas opuestas en distintas lides estudiantiles, en todas las cuales Guevara ha derrotado a Castro. A Bogotá llegará Fidel con Rafael del Pino, tras extensos recorridos por Venezuela y Panamá. Guevara, Secretario General de la FEU, llegará

---

[248] Arturo Alape: *Obra citada.*

[249] Declaraciones de Alfredo Guevara en «El Bogotazo, memorias del olvido», de Arturo Alape.

directamente a la capital colombiana acompañando a Enrique Ovares, presidente de la más alta organización universitaria de Cuba.

VERSIÓN DE PABLO ACOSTA

Tenemos otra versión, igualmente valiosa, sobre ese evento que habrá de revestir trascendencia histórica. Nos la ofrece quien, cuando va a celebrarse el Congreso Preparatorio, representaba al Tercer Curso de la Escuela de Derecho de la Universidad de La Habana:

El Senador Molinari tiene gran interés en contactar a dirigentes universitarios cubanos. Para ello utiliza, entre otros, a Carlos Iglesias Mónica, que es el delegado de los estudiantes argentinos y, muy importante, presidente continental de la Federación Latinoamericana de Estudiantes.

Mónica contacta a Pablo Acosta que, en ese momento, repetimos, es el delegado del Tercer Curso de la Escuela de Derecho. Así describe Pablo las conversaciones que sostiene con el dirigente estudiantil:

«Hablamos y me invita a almorzar en el Hotel Nacional donde Mónica paraba. Tocamos varios tópicos; entre ellos, el de Las Malvinas y el coloniaje europeo en el continente».

«Me ofreció entregarme al día siguiente varios ejemplares de un libro. Cuando los estoy recibiendo se encuentra Fidel detrás de mí. Recuerdo que hay una foto publicada en el periódico «Información» en la que él aparece.

Me dice Mónica que van a celebrar en Colombia un congreso que habrá de coincidir con la reunión de cancilleres, y me pide que, para participar en la orgnaización de dicho Congreso, yo viajase a Venezuela y de allí, a Colombia, pidiéndome que, además, invitase a otros dirigentes universitarios cubanos a acompañarme en el viaje. De inmediato le recomendé a Carlos Moreno».

«Fidel conoce del viaje y le dice a Mónica que él desea ir a Venezuela y Colombia, pero Mónica le responde que ya se me

ha ofrecido a mí y a Moreno ese viaje, y le recomienda que hable conmigo»[250].

Fidel es persistente. Va a ver a Pablo Acosta y le pide que como Acosta va a ir al Congreso que en octubre se celebrará en Argentina, le permita a él ir, ahora, a Venezuela y Colombia. Era evidente el gran interés que tenía Fidel Castro en salir, en aquel momento, de la isla. Las conversaciones de Pablo y Fidel se prolongan durante varios días. Insiste Fidel también con Iglesias Mónica, repitiéndole, una y otra vez los argumentos. El delegado argentino tiene una larga conversación con Pablo Acosta y le pregunta si éste tenía mucho interés en ir a Venezuela y Colombia *«porque Fidel Castro –por alguna razón– está sumamente interesado en ir»*.

LA DELEGACIÓN CUBANA EN GUATEMALA
Aramís Taboada y Alfredo Esquivel junto al presidente de la delegación guatemalteca qu asistirá a la reunión preparatoria del Primer Congreso Latinoamericano de Estudiantes.

---

[250] Entrevista de Pablo Acosta con Enrique Ros.

Pablo Acosta cede ante la amistosa petición de Carlos Iglesias Mónica. Irá a Guatemala con Carlos Moreno coincidiendo brevemente con otra delegación de la FEU –la presencia de los estudiantes guatemaltecos era sumamente importante porque uno de los temas a plantear era la situación de Belize– para invitar a los estudiantes de aquel país al Congreso Preparatorio de Bogotá y al que habrá de celebrarse en octubre en Buenos Aires. De allí partirá hacia Honduras, con igual propósito. Luego a Nicaragua donde permanece por más tiempo. Luego a Costa Rica donde la estadía es bien corta. *«De hecho, nos botaron»* recuerda Pablo Acosta.

Todos estos gastos –quiere dejar bien establecido Pablo Acosta– fueron sufragados por el embajador argentino a través de Carlos Iglesias Mónica. Aclara Acosta:

«Yo estaba allí, en el Hotel Nacional, cuando Mónica recibió de Molinari ese dinero. Yo afirmo, a plena responsabilidad, que el dinero conque fue Fidel Castro con Rafael del Pino a Bogotá lo recibió del embajador de Argentina, no de otra fuente».

Continúa ahora Ovares su narración:

«Para cumplir con la petición se forman dos delegaciones:
Una integrada por Aramís Taboada y Alfredo Esquivel, que visitarían Guatemala, México y El Salvador.
Otra integrada por Pablo Acosta y Carlos Moreno que visitarían Nicaragua, Honduras y Costa Rica».

«Yo nombro una comisión para entregar las invitaciones a los países y la comisión está integrada por Aramís Taboada, el Chino Esquivel y Pablo Acosta (de la Escuela de Derecho). Ellos se van y entregan todas las invitaciones y aprovechamos que Fidel está en Venezuela para que él invite a los estudiantes de Venezuela. Fidel vuela a Bogotá. Y cuando llegamos Guevara y yo, ya empieza el problema porque Fidel había caído preso por repartir las Proclamas de las Islas Malvinas ya que Perón estaba reclamando esas islas y éste era uno de los tópicos del Congreso. Todo esto ocurría en los días anteriores al Bogotazo.

Fidel se aloja en el Hotel Claridge que está en el centro. Nosotros vamos directamente y nos ponemos en contacto con los estudiantes que habían allí, de izquierda todos. Nos sitúan en un hospedaje y, desde allí, vamos Alfredo Guevara y yo y llevamos al Presidente de la Delegación de México, Jorge Mendielle Porte Petite (que luego llegó a ser embajador en Rusia y figura importante en el PRI). Es así como Fidel sale de Cuba y se quita el problema del atentado a Manolo Castro».

Fidel se encuentra en Bogotá antes de que lleguen Ovares y Alfredo Guevara, Presidente y Secretario General de la FEU respectivamente.

«Rafael del Pino llegó con Fidel a Bogotá[251]*. Cuando se empieza a discutir el problema de que ellos (Fidel y del Pino) no tenían representación, tenemos una reunión y voy con Alfredo Guevara al Hotel Claridge donde vivían Fidel y Rafael.*

Les hice este planteamiento: Miren, nosotros acabamos de llegar; yo soy el presidente de la FEU y Guevara es el Secretario General, y nosotros somos los que vamos a presidir esto. Yo soy la única figura aquí que pertenece a la mesa de la Organización Mundial».

RAFAEL DEL PINO SE ENFRENTA A ALFREDO GUEVARA

«Fidel, que es muy vivo, me dijo: «Enrique yo lo que quiero es que me ayudes en esto que para mí es importante». Alfredo Guevara le responde: *«Eso no puede ser»* y, entonces, Rafael del Pino sacó una pistola se la puso a Guevara en la cabeza y le gritó: *«Hijo de puta, comunista; nos tienes que ayudar»* (porque del Pino era un anticomunista furibundo).

---

[251] «El jueves 1o. de abril de 1948, en vuelo directo desde Caracas arribaba al Aeropuerto del Techo el joven estudiante de leyes de la Universidad de La Habana, Fidel Castro Ruz». Así comienza Mario Mencía su reportaje sobre el Bogotazo. Llegaba aquella fría mañana a participar en las reuniones preparatorias al Congreso Latinoamericano de Estudiantes que, a través del general Molinari, auspiciaba el presidente argentino Juan Domingo Perón.

ARAMÍS TABOADA Y ALFREDO ESQUIVEL
Aramís Taboada (el segundo a la izquierda) y Alfredo (el Chino) Esquivel (el segundo a la derecha) con estudiantes y profesores universitarios en El Salvador invitando a los jóvenes a participar del Congreso que se celebraría en Bogotá.

Todo se arregló. No hubo problema, pero no hubo congreso. El Presidente de los Estudiantes de Yucatán, los dos colombianos y todos estábamos esperando cuando en ese momento mataron a Gaytán».

Al hacer su recuento de El Bogotazo, Fidel ni siquiera menciona el nombre de su compañero, Rafael del Pino, cuando narra su detención días antes del 9 de abril por estar repartiendo panfletos y literatura «subversiva»:

> *«A mí y al otro cubano que andaba conmigo, éramos dos, y tal vez algún estudiante colombiano. No recuerdo bien. Nos llevaron por aquellos edificios y pasillos y nos sentaron, nos hicieron un interrogatorio»*[252].

A aquel *«otro cubano que andaba conmigo»,* al triunfo de la revolución lo dejará morir, en una cárcel sin atención médica.

---

[252] Arturo Alape recoge, también, su conversación con Fidel Castro en un folleto titulado «De los recuerdos de Fidel Castro» editado por «Editora Política, La Habana».

PRIMERA REUNIÓN DE LA DELEGACIÓN ESTUDIANTIL CUBANA

Ya se encontraban en Bogotá varios dirigentes estudiantiles latinoamericanos: Pedro Villamisar, León Levy, Diego Pallarés y Néstor Mora venezolanos; Manuel Lorenzo, dominicano; Manuel Galich, en representación de Guatemala; el ecuatoriano Carlos Macarios Vicuña.

En Bogotá, Castro hace ver a los jóvenes estudiantes que él tenía la representación del estudiantado cubano: *«yo me arrogaba la representación de los estudiantes cubanos, aunque tenía conflictos con la dirección oficial de la FEU»*[253]. Admitía al periodista que lo entrevistaba que *«yo no llevaba la representación oficial de la FEU, pero llevaba la representación de una gran mayoría de estudiantes que me seguían considerando a mí como dirigente, a pesar de que yo no me había matriculado oficialmente y no podía ser cuadro oficial de la FEU»*.

Cierto que no formaba parte de la Federación Estudiantil Universitaria; falso, que los estudiantes lo hubiesen considerado como un dirigente universitario.

Recuerda Fidel que cuando se realiza aquel congreso en Bogotá *«ya yo había entrado en contacto con la literatura marxista...me sentía atraído por las ideas fundamentales del marxismo, yo fui adquiriendo una conciencia socialista a lo largo de mi carrera universitaria, a medida que fui entrando en contacto con la literatura marxista. En aquel tiempo había unos pocos estudiantes comunistas en la Universidad de La Habana y yo tenía relaciones amistosas con ellos pero yo no era militante del Partido Comunista»*.

A la llegada de Ovares y Guevara se produce una reunión el 8 de abril para definir el problema de la representación, acordándose que fuese Enrique Ovares, como Presidente de la FEU, quien ostentase la representación de la delegación cubana.

Al día siguiente, 9 de abril, Ovares y Guevara, junto con los delegados mexicanos Raúl Gazque y Jorge Nenvielle Portepetite que residían en la pensión «San José», una modesta casa de huéspedes para

---

[253] Declaraciones de Fidel Castro a Arturo Alape. *Obra citada.*

estudiantes, llevaron unas declaraciones sobre el congreso a distintos periódicos para reunirse, cerca de la 1:00 P.M. con Fidel y del Pino que se hospedaban en el Hotel Claridge donde también residía la delegación argentina. A las dos de la tarde sería la reunión con José Eliecer Gaytán[254].

CAE GAYTÁN ASESINADO

Minutos antes se oyeron varios disparos. Esta es la descripción de Ovares, testigo de la muerte del líder colombiano:

«En unos instantes dramáticos me ví en el medio de uno de los espectáculos más dantescos que se puedan imaginar. Sin saber todavía la razón por lo que lo hacía, una turba de limpiadores de zapatos, usando como arma sus cajas de madera, destrozaban un hombre que escasamente podía defenderse, hasta quedar totalmente inmóvil. Ya, en ese momento, había yo oído el motivo... habían asesinado a Gaytán».

«Corrimos al café donde ya me esperaban los demás estudiantes. Fidel y del Pino no habían llegado y quisimos esperarlos. Pero los estudiantes colombianos nos obligaron a irnos a la pensión...en el trayecto vimos como las turbas empezaban a saquear y prender fuego a todo. A la caída de la noche la ciudad ardía en llamas».

«Amaneció el día 10 y aunque se oían algunos disparos todo estaba en calma... el presidente Ospina Pérez seguía en Palacio negociando con los militares que ya tenían el control de la situación... En todo el día no salimos de la casa tratando de hacer contacto con la Embajada, pero los teléfonos no funcionaban. Al caer la tarde llegaron Fidel y del Pino».

Estas son, ahora, las palabras de Fidel Castro[255]:

---

[254] José Eliecer Gaytán, candidato presidencial por el mayoritario Partido Liberal había reunido ya, bajo su liderazgo, a las dos ramas de ese partido que, antes dividido, había perdido en las elecciones de 1946 frente al Partido Conservador que llevó de candidato victorioso a Mariano Ospina Pérez.

[255] Arturo Alape: *Obra citada.*

«Salimos a la calle, estuvimos viendo como se producían algunos combates de francotiradores contra el ejército y fuimos para la casa donde estaba Ovares, que era el Presidente de la FEU...».

Siguen al hotel en que se alojan las delegaciones estudiantiles, y el Presidente de la Delegación Argentina, Iglesias Mónica, los lleva en su automóvil al Consulado de Cuba donde pasan la noche.

REGRESA LA DELEGACIÓN CUBANA

Al gobierno cubano le preocupa la seguridad de la delegación cubana. No sólo la delegación estudiantil sino la oficial que representa a la nación ante la Novena Conferencia que se ha visto seriamente afectada por los violentos acontecimientos.

El Ministro de Estado, Rafael P. González Muñoz asegura a la nación que *«todos los miembros de la delegación cubana a la Novena Conferencia de Bogotá, están perfectamente bien»* y que será la propia Conferencia la que habrá de decidir en cuanto a su trabajo, con vista al curso que tomen los acontecimientos.

Había llegado a Bogotá un avión militar cubano. También se encontraba, en la parte comercial del aeropuerto, un avión de carga.

Lo siguiente es la descripción que hace Ovares de la salida de Bogotá de la delegación estudiantil cubana:

«El embajador Belt tenía todo arreglado; saldríamos mañana, día 12 por la mañana, por la parte comercial del aeropuerto en el avión de carga y sin documentos, aduciendo que los habíamos perdido en el incendio. Junto con nosotros venían los dos delegados mexicanos y el Sr. Rafael Rodríguez, que se encontraba actuando en Bogotá en la compañía de teatro «María Guerrero». Hay que destacar que el ardid del embajador dio resultado pues, mientras el gobierno de Colombia –que ya había decretado orden de arresto para nosotros– esperaba nuestra salida en el avión militar que había mandado el gobierno cubano para recogernos– salíamos nosotros con nombres cambiados como si fuéramos cubanos que actuábamos en la compañía de teatro. Era un avión de carga que había traído a Bogotá toros de lidia».

Días después, el 14 de abril, se reanudaba en Bogotá la conferencia panamericana. Cien muertos y más de 300 heridos habían producido los trágicos sucesos en la capital colombiana.

Se Reúnen los Delegados al Congreso Continental de la Juventud

DELEGADOS CUBANOS AL CONGRESO DE JUVENTUDES
CELEBRADO EN MÉXICO EN 1948

En los salones de la FEU aparecen miembros de la delegación que asistió al congreso celebrado en ciudad México. Entre otros, Alfredo Guevara (tercero desde la izquierda), Enrique Ovares que presidió la delegación; Flavio Bravo, alto dirigente de la Juventud Socialista y Héctor Carbonell.
El periódico *Hoy*, órgano del Partido Socialista Popular (PSP) destacó la celebración del congreso. (Foto del periódico Hoy, La Habana, sábado, 15 de mayo de 1948)

CONGRESO MUNDIAL DE JUVENTUDES

Delegación cubana que asistió a México al Congreso de la Federación Mundial de la Juventud Democrática. En la presidencia se encuentran, entre otros, Enrique Ovares, Aramís Taboada, Raúl Valdés Vivó. Asistieron también, nada joven, Lomberto Toledano y líderes de la izquierda mexicana.

ACTO EN LA GALERÍA DE LOS MÁRTIRES

Intercambio cultural celebrado en la Galería de los Mártires de la FEU, entre la Federación de Estudiantes de la Universidad Autónoma de México y la FEU de la Universidad de La Habana. Sentados, de izquierda a derecha aparecen: Camps, Salivita Corrales, dos estudiantes mexicanos Enrique Ovares, y Jorge Manvielle Portepetite, presidente la Federación de Estudiantes de México que, junto a Ovares, participó en el Botogazo. Manviello hoy en día es general retirado del ejército mexicano; Alfredo Guevara, Secretario General de la FEU y otro estudiante mexicano. De pie, de izquierda a derecha aparecen: un estudiante puertorriqueño, presidente de la Escuela de Ingeniería, un estudiante mexicano, Orlando Bosch, dos estudiantes mexicanos, Aramís Taboada (que murió en el presidio político de Cuba), Evangeliza Baeza, de la Escuela de Pedagogía y Adolfo Mejías, presidente de la Escuela de Ciencias Sociales.

CAPÍTULO X
MÁS VIOLENCIA

LA MUERTE DE FERNÁNDEZ CARAL

Fidel Castro está ya de regreso de la aventura de Confites en la que pudo participar traicionando la confianza que en él habían depositado los dirigentes de la UIR –y a las gestiones mediadoras de Manolo Castro, de Ovares y otros– cuando Fidel comprende que debe ganarse, nuevamente, la confianza de los hombres de la Unión Insurreccional Revolucionaria.

El primer paso que se vió obligado a dar, tal vez como una prueba inicial, fue el de participar –para muchos, activamente; para otros, como simple colaborador– en la muerte de Manolo Castro, prominente dirigente del MSR.

Las sospechas que recaían sobre él por su posible vinculación con este hecho lo indujeron a marcharse del país, aunque fuese por pocas semanas, a participar en lo que aparecía como un congreso más de juventudes latinoamericanas, y terminó siendo un magnicidio que conmovió toda la América. Ya está, de nuevo en La Habana.

Se le presenta, ahora, o la busca, una nueva oportunidad que tiene, para él, una doble motivación: vengar un viejo agravio y mostrarse, ante sus reconciliados amigos de la UIR, como un verdadero pistolero. En el mundo del «gatillo alegre» se sentirá a la altura de Orlando León Lemus (el Colorado), de tendencia contraria; de Jesús González Cartas (el Extraño); de García Riestra (Billiken); de Jesús Diéguez; de José de Jesús Jinjaume, a alguno de los cuales antes ya había utilizado[256].

Una noche cualquiera[257], cuando el sargento de la Policía Universitaria Oscar Fernández Caral se encontraba en la puerta de su casa

---

[256] Cuando planeó un atentado a Mario Salabarría en Jovellar y Espada (ver «Antecedentes de Orfila»).

[257] Julio 7, 1948.

esperando a su pequeño hijo, caía abatido a balazos por tres individuos; uno de ellos inmediatamente identificado como Pepe de Jesús Jinjaume.

Fue recogido y transportado al Hospital Municipal donde fue inmediatamente sometido a una intervención quirúrgica. Tan pronto se tuvo conocimiento del atentado los comandantes Aragón Medinilla y Rego Rubido se personaron en el hospital iniciando las actuaciones. Antes de ser llevado al salón de operaciones para inververnirlo, Fernández Caral señaló que sus atacantes habían sido cuatro individuos reconociendo entre ellos a Pepe de Jesús Jinjaume quien estaba también señalado como autor de la agresión de que fuera objeto el ex-detective de la Secreta, Danilo Álvarez Álvarez.

Pudo Fernández Caral en las largas y penosas horas que sobrevivió hacer declaraciones acusatorias. Afirmó que al caer herido al suelo pudo ver a tres individuos reconociendo con claridad a uno de ellos como José de Jesús Jinjaume. Malherido, Fernández Caral es ayudado por un joven transeúnte, Reynaldo Aranda, que identificó a Fidel Castro como otro de los tres agresores, al presentársele una foto de éste[258].

Los agresores luego de perpetrado el atentado huyeron en un carro que tenían estacionado en la proximidad.

Fernández Caral que ahora prestaba servicios en la Policía Universitaria, había sido miembro del Servicio de Investigación e Informaciones Especiales de la Oficina Nacional, que dirigió el comandante Mario Salabarría, con quien mantenía una muy estrecha relación.

José de Jesús Jinjaume había estado involucrado anteriormente en varios hechos de sangre; entre ellos la agresión a tiros al ex-detective de la Policía Secreta, Danilo Álvarez Álvarez.

Se le practica la prueba de la parafina a Jinjaume, que estaba guardando prisión preventiva, dando resultado positivo.

Se supo que cuando el juez de guardia esa noche en que ocurrió el hecho le tomó declaraciones al sargento Fernández Caral, éste le

---

[258] Citado por el juez José A. Riera Medina, para confirmar la identificación, Aranda Castillo, por razones que no se conocieron, no acudió a prestar dicha declaración. Posteriormente declaró que éste no era la misma persona que había visto.

manifestó que hacía algún tiempo recibió una llamada telefónica de una persona anónima en que le informaban que le darían muerte por ser amigo de Mario Salabarría[259].

OTRAS DOS VERSIONES

Proliferan las opiniones sobre los motivos que llevaron a Castro a asesinar al sargento Fernández Caral.

Un cercano compañero de Fidel, Raúl Granado, tiene una clara recolección del incidente que le costó la vida al sargento Fernández Caral:

«Días atrás había habido una bronca muy grande en la Escuela de Ciencias Comerciales, y el Jefe de la Policía Universitaria le había dado instrucciones a su personal de no permitir la entrada en la Universidad a estudiantes con armas».

«Fernández Caral vió que Fidel llevaba una pistola y le pidió que se la entregara o que regresara a su casa y la dejara allá. Pero Fidel no aceptó y le gritó: «Yo no te voy a dar la pistola y voy a regresar a mi casa». Pero Fernández Caral no le permitió la entrada ese día a Fidel.

«Dos o tres días después, Fernández Caral se encontraba frente a su casa –que quedaba muy cercana a la del propio Granado– con su pequeño hijo a su lado. Se acercó Fidel y le disparó cuatro balazos. Lo llevaron de inmediato a emergencia, vivo aún. Allí declaró, ante el Juez Riera Medina, que había sido Fidel Castro quien le había disparado».

Como Granado se había trasladado, también, a emergencia pudo conocer esta declaración. Siendo amigo de Fidel Castro fue a verlo a la casa en que éste estaba escondido y le dijo: *«Oye, el hombre dijo que fuiste tú quien le tiró. Te tienes que ir».*

Fidel Castro se fue en el tren para Oriente. *«Fue cuando se casó y, luego, lo sacaron en un avión y no regresó hasta un año y pico después, cuando se apareció con un Lincoln»* recuerda Granado[260].

---

[259] Periódico *El Mundo*, Julio 7, 1948.

[260] Declaraciones de Raúl Granado al autor, mayo 6, 2002.

Tenía Fidel que *«pagar más de $2 mil pesos de derechos de aduana y como yo trabajaba en la aduana hablé con el administrador para ayudarlo. Hicimos ver que era un carro chocado y se rebajaron los derechos a unos $500 pesos»* recuerda Granado.

Ni siquiera ese dinero tenía Fidel por lo que *«me llegué a casa de Frank Pérez, uno que era de la gente de Alemán, y del BAGA, muy amigo mío, que tenía una finca cerca de Artemisa, y Frank le prestó los quinientos pesos. Fidel vendió el Lincoln y se compró un Ford, pero yo tuve que vender dos vacas para pagarle a Frank Pérez sus quinientos pesos, porque no hubo forma que Fidel cumpiera con aquella obligación».*

Esquivel le dijo a Mario Salabarría que cuando Fidel le tiró a Leonel Gómez, estaba tratando de ubicarse dentro del núcleo de Manolo Castro pero no encontraba forma de aparecer suficientemente importante.

Veamos la explicación que ofrece Ovares:

¿Por qué Fidel mata a Fernández Caral?. *«Porque un día Fidel va a entrar en la Universidad y estaba Fernández Caral, de la Policía Universitaria, registrando allí. Le encuentran una pistola y Fernández Caral no le permite entrar. Tuvieron unas palabras. Fidel tuvo que retirarse. Pero muchos empiezan a crankear a Fidel. Días después Fidel toca la puerta de Fernández Caral y lo mata. Hay que destacar que Fernández Caral era del grupo de Masferrer, del grupo contrario a Fidel, por eso no lo dejó entrar. Igual que el caso de Venereo, que es el otro que sube a la Sierra y Fidel lo fusila. Eran individuos que ya estaban ubicados».*

La UIR tenía una deuda que saldar con el sargento universitario. Cuando se inició el tiroteo de Orfila *«Fernández Caral abandonó la posta que estaba haciendo y partió para Orfila*[261] *donde Emilio Tró se encontraba cercado por agentes comandados por su enemigo Mario Salabarría».*

El jueves 8 de julio de 1948 someten a José de Jesús Jinjaume a la prueba de la parafina en el Castillo del Príncipe donde guarda prisión,

---

[261] Avelino Lladó. Entrevista con el autor.

acusado de ser uno de los autores del atentado a Fernández Caral. Ese día, por orden del Dr. Riera Medina, fue presentado en el juzgado el joven Aranda Castillo, quien había declarado que al serle presentada una fotografía de Fidel Castro le encontró cierto parecido con uno de los autores del hecho que se investiga, pero que, posteriormente, al verlo personalmente comprobó que no era la misma persona.

Era muy comprensible la vacilante retractación del joven. En esos momentos caía muerto a balazos un vigilante «por dos desconocidos». Antonio Fernández Casademount era víctima de las pugnas con Acción Revolucionaria Guiteras en el campo del transporte urbano. Entre los detenidos por este último crimen se encuentra Jesús González Cartas.

En pocos días caería, asesinado en México, Cucú Hernández Vega con quien el detective Danilo Álvarez había tenido una estrecha relación.

ASESINADO EN MÉXICO CUCÚ HERNÁNDEZ

El viernes 16 de julio (1948) fue muerto Rogelio Hernández Vega (Cucú) que había sido segundo jefe de la policía secreta de Cuba[262]. El atentado se había producido cuando Cucú Hernández Vega visitaba a Raúl Vianello, el cónsul cubano.

Habían sido tres jóvenes, bien vestidos, los que ingresaron abruptamente en el consulado y abrieron fuego contra el ex-jefe de la Policía Secreta.

Junto a Hernández Vega se encontraba su esposa Xiomara O-Halloran.

La policía mexicana realizó distintos arrestos en relación con la muerte de Cucú Hernández. Al conocer que Hernández Vega había sido, tiempo atrás, sentenciado a muerte por Acción Revolucionaria Guiteras, las autoridades de aquel país mostraron mayor interés en

---

[262] Rogelio (Cucú) Hernández Vega, antiguo militante de Acción Revolucionaria Guiteras (ARG) no era ajeno a hechos de sangre. Dos años antes, el 6 de febrero de 1946, era acusado de haber sido el autor de un atentado contra el teniente de la policía del Ministerio de Educación, Abelardo Fernández González; en cuyo hecho aparecía también vinculado Erundino Vilela, jefe de la Policía Judicial.

investigar la muerte de ese hombre cuyas heridas las había recibido al lado derecho cuando los testigos afirmaban que los disparos se habían hecho desde el dintel de la puerta que quedaba a su izquierda.

Había recibido doce heridas, una de ellas mortal por necesidad (Cable AP, domingo 18 de julio, 1948). Según la investigación de la policía mexicana dos de los tres que ingresaron en el consulado dispararon.

En el momento en que se realiza el atentado se encontraban en ciudad México miembros de organizaciones revolucionarias antagónicas: militantes de la UIR y miembros del grupo de Orlando León Lemus y del propio Cucú Hernández Vega. Situación que se había agravado con la anunciada visita a la capital mexicana del presidente electo, Carlos Prío.

Para garantizarle la mayor seguridad al electo mandatario cubano, tanto el embajador Gonzalo Güell como el periodista Manolo Braña habían realizado gestiones frente al gobierno mexicano que se comprometió *«a internar a cada grupo en un estado distinto; la gente de «El Colorado» sería convencida de que debía pasar una temporada en Puebla; los herederos de Tró, con iguales métodos, serían suavemente proyectados hacia Yucatán[263]».*

La muerte de Cucú Hernández Vega se había producido pocos días después del fatal atentado a Fernández Caral, amigo de Mario Salabarría, y del asesinato del ex-jefe de la Policía Secreta, Danilo Álvarez, amigo de Hernández Vega. Todos estos personajes habían participado de la cruenta lucha del Reparto Orfila.

El viaje del presidente Prío a México se realizó sin mayores complicaciones regresando a La Habana días después[264].

A los dos días eran identificados, en ciudad México, los tres atacantes que dieron muerte a Cucú Hernández: Herminio Díaz García, Luis Antonio Rubio Benavente y Guillermo Valdés Hernández. El juez de instrucción ordenó de inmediato que estos dos últimos fueran procesados, después de haberse realizado investigaciones preliminares

---

[263] Revista *Bohemia*, julio 25, 1948.

[264] Lunes 2 de agosto, 1948.

basadas en las pruebas de laboratorio. Ambos quedaron en la penitenciaría excluidos de fianza. Misteriosamente los tres acusados, incluyendo a los dos *«detenidos» con «exclusión de fianza», «lograron escapar de México por el puerto de Veracruz, a bordo del trasantlático Marqués de Comillas*[265]*»*.

Detalles sobre aquel espectacular asesinato los ofreció, días después, el periodista Jorge Quintana[266]: La esposa de Cucú había llamado por teléfono al Cónsul Raúl Vianello solicitando una entrevista para su esposo que tenía interés de inscribir como ciudadano cubano al hijo que siete meses antes había nacido en Mérida. La cita quedó concertada para las doce del día en las oficinas del consulado.

Junto al cónsul se encontraba en aquel momento el médico cubano José Beltrán Ulloa que acostumbraba visitarlo con regularidad. Según el reportaje de Jorge Quintana, cuando el médico Beltrán abandonó el consulado se dirigió a la embajada de Cuba donde se encontró con Herminio Díaz y conociendo las intenciones de Herminio de ir al consulado y previendo el encuentro de éste con Cucú Hernández, Beltrán le aconsejó que no fuese al consulado. Ya, antes, Herminio Díaz y el Cónsul Vianello habían tenido un conflicto cuando aquel le reprochó al cónsul haberlo visto acompañado de Orlando León Lemus en la embajada. Pese a las advertencias, Herminio Díaz declaró su intención de concurrir al consulado. Quince minutos después Cucú Hernández moría acribillado por doce balazos.

Veamos, ahora, los pormenores de este ajusticiamiento relatados por uno de los que se confabularon para ejecutar esta acción:

> *Meses antes «la UIR le hace un juicio a Cucú y al Colorado y los condena a muerte por traidores a los principios revolucionarios. Ellos eran militantes de Acción Guiteras y, por eso, la sentencia de la UIR debe discutirse con aquella organización. Se produce una reunión con El Extraño y se le notifica el acuerdo de la UIR. El Extraño pide que le den tiempo para él discutir con su organización y determinar lo que deben hacer.*

---

[265] Informe de Karl Kupper, corresponsal del International News Service, agosto 13, 1948.

[266] *Bohemia*, agosto 1o., 1948.

Dos o tres días después se conoce el acuerdo que han tomado: un titular del periódico Prensa Libre lo destaca: «Expulsados de Acción Guiteras el Colorado y Cucú Hernández». Así, los dejan a merced de la UIR[267]*».*

Cinco organizaciones habían firmado un documento en el que condenaban a muerte a Orlando León Lemus. Los firmantes eran Jesús Diéguez por la UIR; Lázaro Blanco, de la Joven Cuba; Luis Pérez, de la Alianza Nacional Revolucionaria; Vicente Alea de la ALC y José Cardó por los Ex-combatientes Antifascistas.

Hasta poco antes León Lemus (El Colorado), Jesús González Cartas (El Extraño) y Rogelio Hernández Vega (Cucú) habían sido los máximos dirigentes de Acción Revolucionaria Guiteras.

Continúa Billiken su narración:

«Organizamos el atentado al Colorado en la calle Ayestarán del que ya hablamos, y, luego, el de 19 y D, en el Vedado al que también nos hemos referido.»

«Se produce poco después lo de Orfila, donde perdimos tantas armas más las que nos ocupan cuando fuimos a Columbia. Tan sólo en casa de Morín Dopico teníamos 20 mil balas calibre 45 y varias pistolas del mismo calibre».

«Conocimos que podíamos conseguirlas en México y enviamos allá a Pepe de Jesús para hacer los contactos necesarios. En México vivían –por estar becados por el gobierno de Grau cuando se tomó el Instituto de La Habana– Herminio Díaz y Laureano[268]*. Pepe de Jesús habla con ellos quienes, a su vez, lo ponen en contacto con Policarpo Soler que estaba en México y que no estaba relacionado con el proceso de las organiza-*

[267] Entrevista de Guillermo García Riestra «Billiken» con Enrique Ros, agosto 13, 2002.

[268] « En una toma del Instituto de La Habana en la que participan Herminio Díaz y Billiken forman parte de una comisión que va a ver al presidente Grau a Palacio. Será Ricardo Artigas, comandante jefe del distrito cuya jefatura se encontraba a una cuadra del Instituto, quien sirve de mediador entre Palacio y los estudiantes. Se resolvió la huelga, se entregó el Instituto, su actividad volvió a la normalidad, y a Palacio se le ocurrió becar al grupo de estudiantes que habían participado en la toma del Instituto, para que fueran a estudiar a México: Herminio será uno de ellos; Laureano Hernández, otro».

ciones revolucionarias cubanas. No tenía, con ellos, vinculación alguna[269]».

«A los pocos días llama Pepe de Jesús y plantea que llevemos dinero para comprar las armas porque ya tiene los contactos. Yo (Billiken) voy a México y llevo el dinero. Herminio y Laureano envían a Policarpo a que me vaya a esperar en el aeropuerto. Ni él ni yo nos conocíamos. Nos presentamos y fuimos a su casa. Policarpo, con sus hijos, vivía en una pensión».

«Empezamos a comprar las armas y nos enteramos, para nuestra sorpresa, que el Colorado y Cucú, «los fugitivos de Orfila», estaban en la ciudad. Llamamos a La Habana y le pedimos a Miguelito Muñoz, que era un magnífico chofer, que viniera a México para el chequeo previo".

«Nos dimos a la tarea de localizarlos. Supimos que con ellos estaban el Gallego Fusté, David y Juan Valdés Morejón[270] –con nosotros estaba Riverón, amigo de Policarpo, y hermano de Rosa Carmina, artista cubana que actuaba en México.

Pero ya, para entonces, el Colorado había salido de México. «Nos tuvimos que ir Miguelito y yo para La Habana pero Herminio, –y un mexicano al que le decían «El Torero[271]– nos dijeron que «ellos se ocuparían de eso». Fueron ellos, nos dice Billiken, los que le hicieron el atentado a Cucú.

Se han celebrado nuevas elecciones en la FEU. Ovares ocupa nuevamente la presidencia y su nuevo Secretario General es Orlando Bosch que había sido electo, por unanimidad, Presidente de la Escuela de Medicina en el segundo año de su carrera.

---

[269] Entrevista de Guillermo García («Billiken»), Avelino Lledó y Jesús Fernández, con Enrique Ros.

[270] «Juan Valdés Morejón es el responsable de la muerte de Emilio Tró» afirma Billiken.

[271] «El Torero» era amigo de Frida, la esposa del pintor Diego Rivera, y fue quien luego facilitó la salida a Herminio y Laureano en un barco».

NUEVOS DIRIGENTES DE LA FEU

Rodeando al presidente de la FEU, Enrique Ovares, aparece su nuevo comité ejecutivo. Entre ellos, Orlando Bosch, Gustavo Mejía, Baudilio Castellanos, Armando Gali Menéndez, Jorge Fundora (que se llenará de gloria y perderá su vida en octubre de 1961 combatiendo la tiranía de Castro), Justo Fuentes, Benavides y otros. (Foto revista *Bohemia*, La Habana).

LA FEU DECLARA SU TOTAL DESVINCULACIÓN

Les interesa a los estudiantes universitarios dejar constancia de la total desvinculación del estudiantado cubano en los sucesos de México. A ese efecto, Justo Fuentes que está sustituyendo esos días a Ovares como presidente, Orlando Bosch y Gali Menéndez, visitan al Canciller González Muñoz éste se muestra complacido con las palabras de los líderes universitarios:

> *«Me fue altamente grato escuchar de los jóvenes estudiantes cubanos elogiosos conceptos de orden político sobre la vida internacional de la República».*

Los estudiantes dejaron bien claro que del fatal atentado realizado en México en las oficinas de la sede consular cubana era totalmente ajena la Universidad Nacional. Tienen interés estos líderes en que se conozca que las pugnas universitarias se originan por legítimas, aunque controversiales, aspiraciones a ocupar posiciones jerárquicas en la FEU que producen diferencias, pero, jamás conducen al crimen.

Las diferencias ideológicas se discuten con calor sin que ellas quiebren los lazos de amistad y compañerismo entre sus miembros. Es el caso de Fidel y Bosch. De Osvaldo Soto con el propio Castro. De Enrique Ovares con todos.

Mantienen en aquel momento, Fidel y Bosch, una estrecha amistad. Vivían en casas colindantes; Orlando en la Calle L 309, y se reunían con frecuencia, casi todas las noches, junto con Frank Díaz-Balart, en Las Delicias de Medina[272]. Recuerda Bosch que Fidel lo acompañó en varias marchas de lucha. *«Salíamos bajando por la Escalinata, por San Lázaro, hasta Infanta y en esa esquina estaba la Policía, los bomberos con sus grandes mangueras para detenernos con sus chorros de agua; las perseguidoras y, a palos, nos detenían»*. Menciona Orlando que en el periódico El Pueblo salió una foto de los dos en que aparecía Fidel golpeado y sangrando.

Este último incidente se había originado como consecuencia de otro ocurrido en la capital de la provincia oriental:

En la segunda semana de febrero (1948) se producen violentos choques entre la policía y estudiantes de segunda enseñanza en Santiago de Cuba. La protesta y la violencia se extienden hasta La Habana y el día 11 la policía, infringiendo la autonomía universitaria, penetra en la Universidad Nacional. Al día siguiente Orlando Bosch y otros dirigentes universitarios han organizado una gigantesca manifestación que avanza por la calle San Lázaro hacia la calle Infanta. Se producen golpes y disparos y Fidel, que desfila junto a Bosch, es herido en la cabeza. Así recuerda el incidente el estudiante villareño de la Escuela de Medicina:

> *«Al llegar a la calle Infanta nos esperaba la policía con palos y mangueras. Comienzan los disparos y hay una gran confusión. Tratamos de seguir avanzando y veo que Fidel que está junto a mí está sangrando. Se acerca una joven estudiante y le*

---

[272] Entrevista de Orlando Bosch con el autor.

cubre la cabeza con uno de aquellos grandes pañuelos que usaban las muchachas. No fue nada grave».

¿Cómo recuerda Orlando Bosch al Fidel Castro de aquellos años?. Así nos lo describe:

«En la universidad, Fidel no tenía jerarquía de ninguna clase. Lo dominaba una gran megalomanía; un gran deseo de aparecer en la prensa. Y, aunque no era miembro de la federación universitaria ni tenía voto, siempre procuraba estar en las fotos. El Fidel de los años universitarios era, sólo, un miembro de la UIR».

CONTINÚAN LOS ATENTADOS

En horas de la noche del viernes 23 de julio (1948), era agredido a tiros *Cuchifeo* Cárdenas[273].

Herido, pudo imprimir velocidad a su carro para llegar a la Casa de Socorro situada en la Calle Seis del Vedado. Afirmaba *Cuchifeo* que no tenía sospecha alguna de quienes habían sido los ejecutores del hecho.

Antonio (Cuchifeo) de Cárdenas tenía estrechas vinculaciones con distintos grupos revolucionarios. Tres años atrás, en marzo de 1945, había sido acusado de participar, junto con González Cartas (El Extraño) y Wichy Salazar, en el asesinato de Eugenio Llanillo.

Pero el atentado realizado la semana anterior a una figura de gran relieve acapara la atención de todos.

Ante el Tribunal Penal del Séptimo Distrito de la Ciudad de México, el Secretario del Consulado de Cuba en aquella ciudad identificó a Luis Antonio Rubio Benavente y a Guillermo Hernández Valdés como los hombres que, junto a Herminio Díaz García, estaban en el consulado cuando Cucú Hernández fue asesinado[274].

---

[273] Antonio de Cárdenas Fuertes, más conocido por *Cuchifeo* era funcionario del Ministerio de Educación.

[274] Cable de Prensa Asociada de agosto 6, 1948, periódico *El Mundo*, La Habana.

Éstos y otros hechos violentos en México que involucraban a cubanos creó una difícil situación para ciudadanos de la isla residentes en aquel país que eran ajenos a todo acto de violencia. Por ese motivo una comisión de la Federación Estudiantil Universitaria (FEU) compuesta de su presidente p.s., Justo Fuentes, su Secretario General, Orlando Bosch y el de Prensa y Propaganda Justo Gali Menéndez se entrevistó con el Canciller González Muñoz para conocer las gestiones realizadas por la Cancillería sobre la situación de los cubanos residentes en México (agosto 7, 1948).

Mientras, un juez federal ordenaba en Ciudad México el procesamiento de Rubio Benavente y Guillermo Hernández Valdés por el asesinato de Rogelio (Cucú) Hernández Vega, que permanecerán en la penitenciaría excluidos de fianza hasta que finalice el juicio.

El 12 de agosto (1948) Noel Salazar[275], en aquel momento Teniente Jefe de la Policía del Ministerio de Educación), era detenido, junto con dos cómplices, acusado de haber perpetrado el asalto, en pleno día, al banco Royal Bank of Canada. Los asaltantes tomaron cerca de 200 mil dólares que se encontraban repartidos en distintas ventanillas mientras que otros de los atracadores forzaron al administrador a que abriese la bóveda principal de donde se llevaron otros 350 mil dólares.

Días después el *Chino* Prendes (Jesús Prendes Rivero) declaraba, al ser detenido, que era ajeno al asalto y que él sólo había servido como chofer de dos de los que participaron en el asalto admitiendo que en su auto los dos asaltantes se repartieron los billetes de distintas denominaciones. Será declarado culpable y condenado, pero no cumplirá prisión por mucho tiempo[276].

Apenas ha pasado un mes y Noel Salazar Callicó moría en un atentado en la carretera de San Felipe a Quivicán[277].

---

[275] Días después fue puesto en libertad sin que se le diera cuenta al Tribunal de Urgencias. Fuente: Periódico *El Mundo*, septiembre 5, 1948.

[276] En enero del próximo año el Chino Prendes y su cómplice Enrique Dubarganes Jorrín, alias «Guarina» se fugaban de la Cárcel «Modelo» de Isla de Pinos.

[277] Sábado, 4 de septiembre, 1948.

Algunos ajusticiamientos demoran en realizarse. Este es el caso del líder sindical Juan Arévalo, acusado de haber participado en la negociación con el ex-presidente Machado en 1932 del movimiento obrero y, posteriormente, haber sido reintegrado al comité ejecutivo de la CTC bajo la dirigencia de Lázaro Peña.

El primero de septiembre era fatalmente baleado frente a su residencia del Reparto Lawton, el polémico líder obrero que, dos años antes, distanciado nuevamente de las filas del Partido Comunista (PSP) había mantenido –febrero 1946– una vitriólica polémica con Aníbal Escalante.

Pero vuelve la atención a girar hacia la Colina.

SECUESTROS E INCENDIOS DE ÓMNIBUS URBANOS

Los estudiantes universitarios han comenzado a tomar guaguas y subirlas a la Colina como protesta por el aumento del pasaje. El movimiento lo inician dos jóvenes, entonces amigos y hoy en campos políticamente opuestos. Uno de ellos, nos relata como todo comenzó:

> *«A Fernando Flores Ibarra, que era del curso siguiente al mío, y a mí –nos dice Héctor Lamar– se nos ocurre meter una guagua en la Universidad. A punta de pistola paramos la primera que por allí pasaba, bajamos a los pasajeros y la subimos a la Colina. Ahí empezó el movimiento».*

Horas después, ya en horas de la noche, caen presos varios estudiantes acusados de tratar de prenderle fuego a uno de los talleres de la Cooperativa de Ómnibus Aliados. Detenidos Atan, Ovares, Gali Menéndez y Héctor Lamar son conducidos a la Novena Estación y trasladados al Príncipe. *«Allí estaban el Chino Prendes*[278]*, acusado de asaltar un banco, y el «Águila Negra*[279]*» conocido delincuente, que nos veían a nosotros, simples estudiantes universitarios, como héroes».*

---

[278] Trasladado a Isla de Pinos, el Chino Prendes permanecerá muy poco tiempo en prisión. En enero de 1940 se fugará de la «Cárcel Modelo».

[279] Juan Roque Ramírez más conocido como «El Águila Negra» especializado en la estafa del «tesoro escondido» había adquirido gran renombre. Meses atrás había sido remitido a Cuba, su país de origen, por las autoridades mexicanas de inmigración.

El viernes 10 de septiembre (1948) la Federación Estudiantil Universitaria dice que los actos de quemar ómnibus son ajenos a los acuerdos de los estudiantes de protestar contra la elevación de los pasajes, al tiempo que Justo Fuentes, en aquel momento presidente de la FEU y Lauro Blanco, ejecutivo del Sindicato de Empleados y Obreros de Ómnibus Aliados, firmaban una declaración haciendo constar que entre la clase estudiantil de Cuba y la clase obrera existían las relaciones más afines y de más absoluta comprensión para la defensa del pueblo en general[280].

La situación se tornaba más tirante cada día.

La dirigencia obrera consideraba que «en el movimiento iniciado por la FEU se han infiltrado elementos comunistas que degeneran el sentido de esa protesta» aclarando que si continuaba la serie de atentados a los ómnibus y que si alguno de los obreros era agredido saldrían a pelear a las calles «con los medios que creamos convenientes».

Todos se sentían afectados por el grave estado de inseguridad que atravesaba la ciudad.

La asamblea de la Cooperativa de Ómnibus Aliados (COA) tomó el acuerdo de informar al gobierno que si las autoridades no ofrecían las garantías necesarias para operar el servicio público de pasajeros éste sería suspendido totalmente. Tan anárquica era la situación que, accediendo a la petición de la COA, el Tribunal de Urgencia dispuso que el Rector de la Universidad de La Habana entregase a los administradores de rutas de ómnibus los carros que se encontraban secuestrados en el alto centro docente. Fue enérgica la actitud del Tribunal de Urgencias que, al mismo tiempo, ordenaba que la policía, con la asistencia del secretario de la Sala, procediera a practicar registros en los Institutos de Segunda Enseñanza de La Habana, Vedado, Víbora y Marianao.

Ya, en esos momentos, eran arrestados cincuenta y dos estudiantes de los institutos de segunda enseñanza. Entre ellos se encontrarán, también, poco después, alumnos de los colegios equiparados como Baldor, Trelles y otros.

---

280 Periódico *El Mundo*, La Habana, viernes 10 de septiembre, 1948.

La situación se hace más grave en la Universidad de La Habana. En un tiroteo en horas de la madrugada es herido de bala un joven estudiante. Los estudiantes y policías se inculpan mutuamente de haber iniciado la agresión. Tan crítico es el momento que la Policía Nacional ordenó el acuartelamiento general de las tropas así como el cierre de los establecimientos comerciales en la zona alrededor de la Universidad Nacional. Frente a la grave crisis los dirigentes universitarios actúan con gran moderación.

En una comunicación que dan a conocer a la opinión pública Justo Fuentes[281], Presidente p.s.r. y Orlando Bosch[282], Secretario General de la FEU aclaran *«falsas atribuciones y conceptos que han sido vertidos en la prensa por personajillos interesados en oponer a los obreros y los estudiantes y crear un ambiente propicio para lanzar en una lucha fratricida estos dos sectores representativos de la población»*.

CHOCAN CRITERIOS DE JUSTO FUENTES Y FIDEL

No quieren los dirigentes universitarios que elementos agazapados enfrenten a sectores de la clase obrera con la masa estudiantil.

Una vez más la posición de Justo Fuentes es antagónica a la de Fidel Castro. Esta vez por la oposición al secuestro de autobuses en

---

[281] Justo Fuentes, presidente de Odontología y Vicepresidente de la FEU, era amistoso, amable, pero no disfrutaba de la confianza de muchos de los que lo trataban. Generaba, a pesar de su carácter jovial, marcada suspicacia.

«Justo Fuentes era un personaje. Formaba parte de un grupo en el que hay que involucrar a Fidel y a Gali Menéndez. Tenían algo en común: que eran de la UIR; pero Fidel no tragaba a esa gente, e igual me pasaba a mí. Los teníamos como chantajistas a Justo y a Gali». Así lo describe el Chino Esquivel en una de sus varias entrevistas con el autor.

[282] Orlando Bosch ocupó la presidencia del Instituto de Segunda Enseñanza de Santa Clara y de la Asociación de Institutos de Las Villas. Posteriormente, al ingresar en la Universidad ocupó la Presidencia de la Escuela de Medicina y la Secretaría General de la FEU siendo el primer presidente de la Escuela de Medicina en ser reelegido. Fue de los primeros, y de los más enérgicos, en enfrentarse a la intención del gobierno de obtener un empréstito de $200 millones de pesos.

Detenido por pertenecer a una de las organizaciones revolucionarias ilícitas fue condenado por el Tribunal de Urgencia a un año de prisión.

septiembre de 1948, posición contraria a la mantenida por Fidel Castro[283].

Los comunistas, apoyando la posición de Fidel, avivan el fuego.

El órgano oficial del PSP señalaba que «los líderes estudiantiles fieles a la lucha, Fidel Castro, Lionel Soto, Guevara y otros han adoptado la decisión de practicar medidas de combate aún más drásticas si la policía se atreve a violar la autonomía universitaria».

Bosch y Fuentes abogan por una solución, pero una que no conlleve aumento en el precio del pasaje. La consigna se mantendría como siempre: CERO AUMENTO[284].

Rechazan los estudiantes la proposición de que no se le cobrase el aumento de pasaje a los estudiantes, maestros, empleados y veteranos pero que se mantuviese para el resto de los usuarios.

El presidente de la FEU, Enrique Ovares, por encontrarse fuera del país, ha estado ausente en la lucha. El vicepresidente, Justo Fuentes, ha asumido en este largo y duro proceso la representación de la FEU junto a Bosch, Secretario General. Se ha creado un Comité de Lucha presidido por Isidro Sosa e integrado, entre otros, por Aramís Taboada y Walterio Carbonell. Se multiplican las conversaciones informales entre algunos estudiantes y figuras del gobierno, lo que obligó a la FEU a declarar que sólo este organismo estaba autorizado para realizar gestiones oficiales. La situación se agudiza. El sábado 11 la COA reunió a sus accionistas y acordó suspender el servicio de transporte.

La orden del Tribunal de Urgencias de conceder un plazo hasta las doce de la noche para entregar los ómnibus secuestrados fue rechazada por la FEU como un ultimátum inaceptable.

Miembros de la Policía disparaban al azar mientras los estudiantes dejaban a oscuras la escalinata universitaria. Las balas rebotaban frente al muro de la calle Jovellar, frente al local de la FEU.

---

[283] Periódico *Hoy*, septiembre 11, 1948.

[284] Comunicación de la FEU de sábado 11 de septiembre de 1948.

FIDEL VIAJA A ESTADOS UNIDOS

En esta nueva lucha estará ausente Fidel Castro. Va a contraer matrimonio con Mirta Díaz-Balart, la hermana de Rafael[285], su compañero y amigo.

Rafael se había casado en Nueva York el 20 de marzo de 1948. Meses más tarde Fidel se casa, en Banes, con Mirta en octubre de 1948[286].

Luego de su matrimonio en octubre de 1948, Fidel viaja a Miami para pasar su luna de miel y a las pocas semanas se traslada a Nueva York donde reside en un muy modesto edificio en estrecho contacto con su cuñado Rafael. Compra allí un automóvil Lincoln, de segunda mano, en el que viajan los cuatro (Fidel y Mirta, y Rafael y su esposa) para Miami. De Miami siguen Fidel y Mirta hacia La Habana en el ferry boat con el Lincoln, y Rafael y su esposa regresan por avión.

> *«La primera vez que yo fui a los Estados Unidos fue cuando me casé. Estaba en el cuarto año de la carrera de Derecho, había dedicado mucho tiempo a las actividades estudiantiles, me había retrasado un poco en los estudios y había decidido hacer un esfuerzo para terminar[287]».*

Fidel menciona este viaje en la entrevista que le hace Carlos Franqui al hablarle de su matrimonio con Mirta y de su viaje a los Estados Unidos:

> *«Un familiar de mi señora, Martha Díaz-Balart, trabajaba en una universidad de Estados Unidos y decidimos visitarla y estar un tiempo allá antes de regresar. Estuvimos algún tiempo en Nueva York. Vivíamos en una casa de huéspedes de una alemana muy exigente y puntual a la hora de cobrar».*

Luego vuelve a referirse a aquel viaje a Nueva York:

---

[285] Rafael Díaz-Balart había partido para Nueva York a mediados de 1947 donde permanecerá por más de un año.

[286] Rafael Díaz-Balart afirma que días antes Rolando Masferrer se trasladó a Banes para tratar de matar a Fidel.

[287] Carlos Franqui, obra citada.

«Visité por aquellos días a un familiar de mi señora que trabajaba en la Universidad de Princenton. Recorrí en una tarde todos los pabellones. Era domingo. Creo que había un juego de fútbol americano entre los equipos de Harvard y Princenton... fueron aquellos días de elecciones presidenciales en los que, a pesar de que todo el mundo creía que no, salió electo Truman presidente[288]*»*.

Mientras, ha continuado la explosiva situación creada en el transporte urbano.

Ya el Consejo Universitario ha designado a tres de sus integrantes –Raimundo Lazo, Raúl Roa y Martínez Azcue– para gestionar con el Jefe de la Policía el cese de las hostilidades.

Aumenta por días la presión. El Comité Ejecutivo de la Federación Provincial de Trabajadores de La Habana en asamblea celebrada el sábado 2 de octubre (1948) acordó, por unanimidad, solidarizarse con los trabajadores de la COA y reclamar un 30 por ciento de aumento en sus salarios.

Quien se ha mantenido al margen de estos violentos enfrentamientos es Fidel Castro que encuentra en su matrimonio y prolongada luna de miel, una magnífica excusa para alejarse de esa confrontación.

Se mantiene en la calle la intensa lucha por evitar el aumento del pasaje en el transporte urbano, y el presidente Prío, recién posesionado de su cargo, ofrecía a una comisión de la FEU una fórmula para solucionar el grave conflicto.

La comisión estaba compuesta por Enrique Ovares, presidente del organismo estudiantil, que recién se incorporaba luego de su viaje al exterior; Justo Fuentes, Vicepresidente de la FEU y Presidente de la Escuela de Odontología; Orlando Bosch, Secretario de la FEU y Presidente de la Escuela de Medicina; José Buján, de Agronomía; Guillermo Bermello, de Ciencias Comerciales; Gustavo Mejía y Mercedes Longoya, de Ciencias Sociales; Pedro Mirassou, de Farmacia; Fidelio Carranza y Lionel Soto, de Filosofía; Baudilio Castellanos,

---

[288] Carlos Franqui: obra citada.

de Derecho, y los miembros del Comité de Lucha: Aramís Taboada, Isidro Sosa, Santiago Touriño y Ramón Ital.

La fórmula, aceptada ya por patronos y trabajadores, consistía en autorizar a la Cooperativa a poner en servicio, en un plazo de noventa a ciento veinte días, mayor cantidad de ómnibus especiales que seguirían cobrando el ya vigente precio del pasaje del 10 centavos. Al mismo tiempo, los ómnibus ordinarios, que constituirían el 40% del equipo, continuarían cobrando los 5 centavos por pasaje.

FÓRMULA DE LA FEU

En una reunión que se prolongó hasta horas de la madrugada, la FEU acordó ofrecer al presidente Prío Socarrás una fórmula de solución que comprendía varios puntos:

- Mantenimiento en circulación de un 50% de los ómnibus corrientes y un 50% de los ómnibus especiales, en todas las rutas; alternándose los de cada clase para así comprobar fácilmente el cumplimiento de la disposición.
- Mantenimiento en circulación de todos los ómnibus ordinarios actuales y de todos los especiales, trayendo a la mayor brevedad el número de ómnibus especiales necesarios para mantener la paridad.

Para poner en efecto la fórmula salvadora se pedía que el gobierno gestionara un préstamo reintegrable en favor de la COA para facilitarle la adquisición de los nuevos equipos.

Como no hubo una solución satisfactoria a esta última proposición continuaron, pero con menor intensidad, los secuestros de ómnibus en la Colina universitaria.

PUGNAS ENTRE SINDICALISTAS Y GRUPOS DE ACCIÓN

Comienza el año 1949 con un hecho de sangre y la agudización de la pugna entre Acción Revolucionaria Guiteras (ARG) y la CTC de Mujal.

Los choques entre los integrantes de la Comisión Obrera Nacional (CON) lidereado por Mujal y la ARG fuerzan la renuncia de los dirigentes mujalistas de la Federación Nacional Obrera de Transporte, condición impuesta por los guiteristas; lo que conduce a resolver tales discrepancias en una mesa de conciliación convocada por el presidente de la república. Se señala al Primer Ministro Tony Varona y al Ministro Rubén de León como los gestores de este concilio que, se comentaba, estaban interesados en debilitar políticamente a Mujal –adversario en la provincia de Oriente de Rubén de León Ministro de Gobernación– fortaleciendo, así, a las huestes de la ARG que va adquiriendo un mayor vigor en el campo obrero oficialista.

Guiteristas y Auténticos, unidos, representarían la única fuerza obrera capaz de enfrentar con éxito a las fuerzas agrupadas en la CTC lideradas por Lázaro Peña. Producida aquella unidad quedarían reducidas las posibilidades de que el CONI, de Ángel Cofiño, pudiera aglutinar a otros sectores obreros en adición a la Federación Eléctrica y a la Federación Telefónica que, desde siempre, Cofiño y Rubiera controlaban.

González Cartas y Marcos Hirigoyen se afanan en propiciar la unidad de ARG y la CON. La unidad de los Guiteristas con los Auténticos.

Otros estudiantes universitarios seguían con toda normalidad sus actividades. El equipo de «football» de la Universidad partía hacia México la primera semana de diciembre.

Entre los atletas universitarios se encuentran Santiago Leyte Vidal, Dagoberto Gracia, Jorge Amaro, J. A. Hernández, Miguel Gracia, Enrique Fonte, C. Arboleya, Julio Delfín, Alberto Argudín, J. Díaz de Villegas. Manolo Fontanils, Benito Besada, S. Casanova, M. Moreira, Gabriel Sorzano, H. Febles, H. Pérez, A. E. Recio, John Terry, A. Surís, Ángel Mont, Serafín Valiñas, S. Adams, M. Hoyos, M. Rocha, Héctor Lamar, M. Díaz, Norberto Gutiérrez, Juan Muñoz, A. Fredericks, M. Balais, Luis Centurión, Manolo Escarda, V. Sahig, Juan Tomás, D. Azicre, Otto Hernández y Félix Acosta[289].

---

[289] Periódico Diario de la Marina, jueves 9 de diciembre, 1948.

El miércoles 15 «La Voz de la Universidad», órgano oficial de estudiantes de Ciencias Sociales y Derecho, bajo el lema de «Por la Sociedad y la Cultura», continuaba su programación habitual[290].

Hablaba esa tarde el doctor Adriano Carmona, asesor de dicha facultad que ostentaba la representación de su decano Raúl Roa. Participaría, también, el profesor Rafael Santos Jiménez y los estudiantes Alfredo Guevara, Secretario de Relaciones Exteriores de la FEU y Gustavo Mejía, Presidente de la Asociación de Estudiantes de Ciencias Sociales y Derecho Público.

La situación era normal, igualmente, en otras universidades oficiales. La Universidad de Oriente, unida a diversas instituciones de aquella región (Acción Ciudadana, la Sociedad de Geografía e Historia de Oriente, la Escuela de Artes y Oficios, la Asociación de Veteranos de la Independencia y los Club Rotario y Leones) destacaban su respaldo «a la política de rescate y adecentamiento» que decían advertir «en el gobierno que apenas dos meses atrás había tomado posesión».

No sólo eran futbolistas caribeños los que viajaban al país azteca aquel mes de diciembre (1948) que había presenciado, con bastante indiferencia, el encuentro a puñetazos entre los jóvenes que se identificaban con la FEU y los más conservadores que se sentían vinculados a la Agrupación Católica Universitaria. Regresaba de México la Misión Cultural de Estudiantes de la Universidad de La Habana que integraron dos alumnos de cada facultad que habían viajado a la nación hermana con el propósito de promover un intercambio de estudiantes y profesores de ambos centros docentes.

La misión cultural la integraban, entre otros, Enrique Ovares, Presidente de la FEU; Fidelia Carranza, Presidenta de la Escuela de Ciencias, Héctor González, secretario de aquella Escuela, Tomás E. Diego, de la Escuela de Derecho, el delegado de Veterinaria, Ignacio Serralta; el Secretario General de la FEU, Orlando Bosch, y Aramís Taboada.

Pronto la atención varió del campo sindical al del gangsterismo, tan lamentablemente ligado al de la fuerza pública.

---

[290] Emisora C.M.C.H., de Radio Cadena Habana.

CAPÍTULO XI

LA FEU, LOS TRANSPORTISTAS Y LOS GRUPOS DE ACCIÓN

La violencia, en particular, los hechos de sangre vinculados a los grupos de acción en las calles de La Habana se extendían.

Un estudioso[291] de la violencia en Cuba en aquellos años se refiere a este episodio:

«El año 1949 empezó con el asesinato de dos estudiantes, supuestamente por haber participado en la muerte de un sargento de la policía, quien, a su vez, se consideraba que había tomado parte en el asesinato de Manolo Castro (antiguo) Presidente de la Federación Estudiantil Universitaria de la Universidad de La Habana».

En horas de la noche[292] era acribillado a balazos –le fueron contadas diecisiete heridas– Rubén Darío González, sargento de la Policía Nacional, considerado por muchos como uno de los participantes en el asesinato de Manolo Castro y vinculado a la UIR que había fundado Emilio Tró.

El *Diario de la Marina,* tal vez inadvertidamente, trata de sustraerle toda motivación política al atentado describiéndolo así:

«Poco después de las once de la noche, cuando el sargento Rubén Darío, que estaba de recorrido por la demarcación de la unidad en que prestaba servicio, se hallaba en el «Ancla Bar», al ver a la joven Gladys Bonzón Cabrera, de diecinueve años, natural de Santiago de Cuba, soltera, vecina de San

---

[291] William S. Stockes es el autor de varios estudios sobre la política cubana en aquella época: «El Sistema Parlamentario Cubano en Acción, 1940-1947»; «La Revolución Cubana y la Elección Presidencial de 1948» y «Virulencia Nacional y Local en la Política Cubana».

[292] Enero 12, 1949.

Isidro 162, habitación 2, a la que conocía desde hacía tiempo, le pidió un cigarrillo americano.
Cuando la muchacha se dirigía a su también amigo el marinero Chester Hyde, tripulante de la motonave «Teresa» para que le facilitara el cigarrillo, llegó al comercio un individuo de la raza blanca, trigueño, que vestía guayabera y pantalón blanco y esgrimió una pistola ametralladora quien, al tiempo de decirle a los allí presentes: «Apártense a un lado», comenzó a disparar contra el sargento Rubén Darío».

El carro, en el que se habían alejado el agresor y sus cómplices, es interceptado por un carro patrullero de la Policía Nacional que logró detener a uno de los ocupantes, Amado Laura, vinculado al MSR, de Rolando Masferrer.

GUSTAVO MASSÓ Y JUAN REGUEIRO MUEREN EN EL LAGUITO

De acuerdo a las actas oficiales, Laura, joven de apenas 20 años, fue interrogado por el entonces teniente Armando Correa, miembro de la UIR y por el coronel José María Caramés, jefe de la Policía Nacional. Sometido a un «enérgico interrogatorio» Laura identificó a los cómplices como Gustavo Massó y Juan Regueiro, ambos vinculados a la ARG de González Cartas, indicando que éste último había sido el victimario[293].

¿Quiénes eran, en el incontrolable campo del *gatillo alegre*, estos hombres?. Algunos, sumamente jóvenes. Todos, con un impresionante historial de violencia que llevó al periodista Ernesto de la Fe, dirigente de la ATOM, a declarar que *«el atentado contra Rubén Darío González era sólo el inicio de una ola de asesinatos».*

Gustavo Massó, de apenas 20 años, capitaneaba uno de los grupos que luchaban por controlar la Asociación de Estudiantes del Instituto Número Uno de La Habana, en cuyo intento se enfrentaba a Rubén Darío González a quien lo movía igual pretensión. Bajo el amparo que,

---

[293] A Gustavo Massó y a J. Regueiro se les consideraba autores del asesinato de Rubén Casariego, sargento de la Policía Nacional, miembro de la UIR. Fuente: Orlando Rodríguez Pérez. «Testimonios de un Rebelde».

tiempo atrás, le había ofrecido el comandante Morín Dopico, Rubén Darío había perseguido sistemáticamente a los que seguían a Massó quien, ahora, cursaba su segundo año de enseñanza universitaria y presidía el Comité de Asuntos Campesinos.

Juan Regueiro era, aún, más joven. Recién había cumplido 18 años pero ya, en febrero del año anterior, había resultado herido en un intenso tiroteo frente al edificio del Instituto Número Uno durante las investigaciones que se llevaban a cabo por la muerte de un obrero portuario[294]. Armando Correa y Rubén Darío González fueron los principales acusadores de Massó en aquella ocasión. Se acusaba a Massó y a Regueiro de *«recibir favores del Movimiento Socialista Revolucionario, cuyo líder, el representante Rolando Masferrer, parecía haberles ofrecido el armamento y los vehículos que hicieron posible aquel hecho[295]»*.

Pocas horas de vida le quedaban a los dos jóvenes que, según se comentaba, habían sido expulsados por incontrolables de las filas guiteristas y acogidos por Masferrer y su MSR.

> *«Regueiro era un desajustado mental. Mató a un infeliz cartero en una apuesta de atreverse a matar a la primera persona que pasara por donde Massó y él se encontraban»* recuerda un conocido de ambos jóvenes[296].

Gustavo Massó y Juan Regueiro se habían vinculado a Acción Revolucionaria Guiteras (ARG) y, amparados en el respaldo que pudiera ofrecerles Jesús González Cartas, comenzaron a participar en amenazas y, con frecuencia, frustrados atentados. En una de esas acciones que para la víctima, lamentablemente, no resultó frustrado, fue asesinado Rubén Casariego, militante de la UIR y, en ese momento, Sargento de la Policía Nacional.

---

[294] El obrero portuario Ricardo Mesa Chacón había sido objeto de un atentado en febrero de 1948.

[295] Revista *Bohemia*, La Habana, febrero 6, 1949.

[296] Guillermo García Riestra.

Los miembros de la UIR se movilizan. De inmediato se pusieron en contacto con Acción Guiteras para informarles de la participación de estos jóvenes en la muerte de Rubén Darío que era, además, concuño de Armando Correa.

«Ellos nos dicen que no saben nada de este asunto, que ese era un problema de Rolando, pero que si esos jóvenes eran culpables que dejáramos eso en sus manos».

Es Pepe de Jesús Jinjaume quien cita a González Cartas para hablar sobre este hecho.

Así describe el Secretario de Organización de la UIR este episodio.

«Pepe de Jesús le dice a Roberto Pérez: «Yo voy a conversar con éste; si no entro en un arreglo con él, yo me saco el pañuelo y me seco la frente; ya puedes tirarle y matarlo».

«Pepe de Jesús comienza a hablar con González Cartas. Pero éste no le presenta objeción alguna: «Olvídate, que ese problema lo voy a resolver yo, para que no haya problemas entre las organizaciones», y le dice que él tiene escondidos a los dos muchachos en una casa de seguridad».

Días después González Cartas le cuenta a Pepe de Jesús el final de la historia: El Extraño les dice a los dos jóvenes. *«Vamos que las voy a poner en otra casa de seguridad».* Les dan de comer y los montan en un carro y se los llevan para el Laguito *«y le dan guiso»,* le narra Guillermo García Riestra al autor. *«Pero esas muertes se las cargaron por años a Armando Correa»,* expresa Billiken

Massó y Regueiro tenían planes de eliminar, también, a Paquito Salazar, hermano de Wichy y de Noel y a Orlando Rodríguez Pérez, todos vinculados a la UIR. La amenaza no pudo cumplirse porque días después eran ellos los que aparecían muertos, junto al laguito del Country Club.

Eduardo Chibás en su hora radial denunciaba el crimen:

«Los estudiantes Regueiro y Massó fueron detenidos por la Policía el viernes. El sábado por la madrugada aparecieron sus cadáveres, desfigurados por la tortura, en una calle solitaria de los repartos».

Los hechos confirmarían la advertencia de Ernesto de la Fe de que el atentado contra Rubén Darío González era sólo el inicio de una nueva ola de asesinatos. Afirmaba que la agresión se producía como consecuencia de un pacto concertado recientemente en México *«entre las oscuras fuerzas del crimen que integran los señores Orlando León Lemus, Rolando Masferrer y Eustaquio Soto Carmenatti, lugarteniente éste de Mario Salabarría*[297]*»*. El propósito era, repetía de la Fe, forzar al presidente Prío a indultar a Mario Salabarría. Tales declaraciones fueron ripostadas de inmmediato por Masferrer calificándolas de fantásticas.

El miércoles 11 de noviembre del pasado año la Cámara de Representantes había aprobado la Ley contra el Gangsterismo aprobada anteriormente en el Senado. Pasaba luego a la firma del presidente Prío. La ley *«no ha acabado con la violencia apandillada»* apunta Jorge Mañach en su artículo «¿Qué hacer con el pistolerismo?» lleno de ingenuas sugerencias.

La ciudadanía se muestra indignada ante la creciente ola de crímenes, muchos de ellos cometidos a nombre de la «justicia revolucionaria».

Coincide –aunque no tiene, necesariamente, relación– el resurgimiento gangsteril con un repudiado aumento al costo del pasaje urbano al elevar la COA un centavo el pasaje de las maltrechas guaguas, los ya maltratados omnibuses.

Ya se han producido desórdenes públicos, mayormente frente a la Universidad, cuando el lunes 24 de enero (1949) se pone en efecto el aumento de un centavo en los carros ordinarios de los Ómnibus Aliados[298]. Tan intensa es la protesta de los estudiantes universitarios –en cuyas filas se han infiltrado miembros de los grupos de acción– que el Rector Inclán se siente obligado a suspender las actividades docentes por 72 horas.

---

[297] *Bohemia*, La Habana, Enero 29, 1949.

[298] El lunes 24 comenzó a cobrarse el aumento de un centavo en los pagos ordinarios de los Ómnibus Aliados. La COA se había comprometido a poner en servicio en un plazo de 40 días 121 ómnibus especiales. Tras un enfrentamiento entre la policía y los estudiantes que protestaban del aumento el Rector Clemente Inclán, para evitar males mayores suspendió por 72 horas las actividades docentes en la Universidad de La Habana.

El impopular incremento se produce a pesar de que el informe del interventor José Morell Romero mostraba que la COA podía satisfacer el aumento del salario sin elevar la tarifa de pasaje.

El interventor afirmaba categóricamente:

«Mantengo mi opinión, basada en la realidad, de que toda fórmula que implique aumento del pasaje es falsa y perjudicial. La empresa puede aumentar los salarios si se va a una reorganización de la cooperativa y a un efectivo control de sus ingresos».

Los trabajadores exigían que se respetasen las demandas aprobadas en el Decreto 1441 por el que el salario básico se aumentaba en un 51.6%.

Se ofrecen distintas fórmulas. Una de ellas la llamada «Fórmula Prío-Buttari». Mientras, los tribunales de justicia suspendieron la aplicación del Decreto 1441. Se propuso ofrecer al pasajero un comprobante de pago que le permitiría participar en determinado sorteo. Los delegados de la COA planteaban la supresión de los conductores para que, así, las empresas pudieran recibir un mayor ingreso que les permitiese sufragar los aumentos de salarios.

NUEVAS PROTESTAS POR EL AUMENTO DEL PASAJE

La FEU, de la que es Secretario de Organización Orlando Bosch, ha convocado a una huelga por el aumento en el costo del trasporte urbano. Ya se había aumentado a siete centavos el pasaje en los Ómnibus Especiales, manteniéndose en cinco centavos el costo del pasaje en los ómnibus regulares. La empresa quería aumentar a diez centavos el que ahora costaba siete, y a siete centavos el que aún valía cinco. Para la dirigencia universitaria la aparente incosteabilidad que aducía la empresa era producto de la corrupción en los organismos de transporte.

Se convocó a un mitin gigantesco en la plazoleta de la universidad. Más de 70 mil personas concurrieron al mismo. En la tribuna se encontraba Enrique Ovares, Presidente de la FEU; Orlando Bosch, Secretario General del más alto organismo estudiantil. Junto a ellos Justo Fuentes y Gali Menéndez. Actuaba de maestro de ceremonia

Enrique Huertas que antes, cuando Bosch presidió la Escuela de Medicina fue, también, Secretario General de aquella escuela.

Para demostrar la falsa apreciación de incosteabilidad que alegaba la empresa, la FEU le propuso a la COA que permitiera a 50 estudiantes de Ciencias Comerciales ser inspectores para demostrar que se podía recaudar mucho más de lo que estaba siendo reportado. La oferta no fue aceptada por la Cooperativa de Ómnibus Aliados.

«CIUDADANO: ESCONDE TU KILO»

Ya antes, en enero de 1949, la FEU y al frente de ella Justo Fuentes y Orlando Bosch, habían encabezado la protesta por el intento de aumentar un centavo el pasaje de las maltrechas guaguas ordinarias. Fue la lucha que enfrentó a Fidel Castro, recién regresado de su extenso viaje de luna de miel por los Estados Unidos, y a Orlando Bosch. En aquella incriminatoria polémica Ovares, Bosch y Fuentes respondieron a las diatribas de Fidel Castro e Isidro Sosa. Salieron a relucir las pistolas pero, ante las persuasivas y conciliadoras palabras de Alfredo Guevara, que presidía la Escuela de Filosofía y Letras, los ánimos quedaron calmados[299].

Después de su prolongado viaje de luna de miel por los Estados Unidos Fidel y Mirta vivieron en un modesto hotel en el 1218 de la calle San Lázaro, cerca de la universidad. El gobierno había aprobado el 20 de enero (1949), el aumento al pasaje del transporte urbano. El Comité de Lucha de la FEU apelaba al enfrentamiento violento contra tal aumento, pretensión que rechazaba la dirección de la FEU que no deseaba darle al gobierno una excusa para violar nuevamente la autonomía universitaria. El 24 de enero miles de estudiantes se reunieron en la Colina para iniciar la marcha hacia el centro de la ciudad.

La FEU había convocado el sábado 22 de enero una nueva reunión para seguir discutiendo el tema del aumento a los pasajes del transporte urbano.

Ovares, por la Escuela de Arquitectura; Bosch, por Medicina; Mirassou, por Farmacia; Justo Fuentes, por Odontología; y Gali Me-

---

[299] Bohemia, febrero de 1949.

néndez, por Veterinaria, mantuvieron un frente unido de franca oposición al intento de aumento del pasaje.

En la mañana del lunes, la Policía Nacional cercaba la universidad con impresionante número de perseguidoras, desde las cuales se disparaba hacia el recinto del Alma Mater. Orlando Bosch y otros de sus compañeros cuando salían de la universidad fueron golpeados y detenidos. Se suspende el tránsito frente a la Colina y el Rector Inclán impone un receso de actividades académicas por 72 horas y protesta ante el coronel Caramés, Jefe de la Policía Nacional, por la agresión al recinto universitario.

Es necesario destacar que en febrero y marzo de ese año, Fidel Castro lanzaba contra Justo Fuentes las más groseras acusaciones. No era la primera vez que la posición de Justo Fuentes y la de Fidel Castro diferían.

Al denunciar el robo de la Campana de la Demajagüa, Fidel Castro había concentrado su ataque en el presidente Grau, demandando su sustitución; mientras que Fuentes, aunque criticando al presidente, consideró que era necesario su permanencia «para conjurar la amenaza que representaban «las hordas rojas». Es decir, Justo Fuentes se distanciaba del simple «antigrausismo» de Castro para concentrar su ataque en el peligro que representaban los grupos marxistas infiltrados en la universidad.

Pocas semanas después, cuando Justo Fuentes llega malherido al Hospital de Emergencias, luego de la violenta discusión sobre el aumento del pasaje, Fidel Castro se quiere presentar ante la opinión pública como el buen compañero a quien Justo Fuentes confiesa sus postreras inquietudes.

FIDEL CASTRO ATACA A DIRIGENTES UNIVERSITARIOS

Pasaban los días sin que se lograse acuerdo alguno. La FEU, que siempre había marchado a la cabeza en las luchas ocasionadas por los problemas de transporte urbano, convocó a una reunión del organismo. Algunos enarbolaban la consigna de *«cero aumento del pasaje»*. Entre ellos, Fidel Castro quien, ausente de La Habana y de la Universidad por muchos meses, acusó a *«algunos dirigentes de la FEU, que sin conocimiento ni la aprobación de ésta, han sostenido entrevistas en el Café «Vista Alegre*[300]*» con el administrador de las rutas 21 y 22 y han aceptado dinero para impedir la lucha contra el aumento del pasaje...».*

La acusación, formulada sin prueba alguna, fue refutada de inmediato por otro dirigente estudiantil, Orlando Bosch, Presidente de la Escuela de Medicina quien le respondió violentamente:

> *«Sí, fuimos varias veces al «Vista Alegre»...igual que otros se entrevistaban antes con Becerra*[301] *pero para acusar hay que tener moral. No pueden hablar los que se vendieron a Frank Pérez*[302]» exclamó con aspereza Orlando Bosch. Igual posición de denuncia a Fidel Castro asumió Enrique Ovares, presidente de la FEU.

A ellos se unieron, en la reunión del sábado 22 celebrada en la Escuela de Medicina, Justo Fuentes, Gali Menéndez y Mirassou. Horas después eran detenidos Bosch y varios de sus compañeros al salir de los predios universitarios, lo que provocó que estudiantes que se encontraban en la escalinata atacaran con piedras a la policía que amenazaba con violar la autonomía universitaria.

AURELIANO EN LA UNIVERSIDAD NACIONAL

Aureliano Sánchez Arango de regreso de un duro enfrentamiento con estudiantes del Instituto de Matanzas, va a la Universidad Nacional a visitar al Decano de la Escuela de Derecho, Hernández Figueroa. Se conoce, pronto, en toda la Colina la presencia del Ministro de Educación. Desde la oficina del Decanato Aureliano oye los gritos: *¡Que se vaya!.* Sánchez Arango sale y se les enfrenta: *«¿Por qué me*

---

[300] Situado en Belascoain y San Lázaro en La Habana.

[301] Humberto Becerra, Ministro de Gobernación.

[302] Frank Pérez, considerado como vinculado al BAGA en pagos de dádivas y sobornos. Se acusaba a Fidel Castro –afirma Alfredo Esquivel– de haber recibido varios cheques del gobierno a través de Frank Pérez, «un matón que empezaba a introducirse en la Universidad». Este es el mismo que –de acuerdo a la versión de Raúl Granado– le había pagado a Fidel los derechos arancelarios por el Lincoln que había traído de los Estados Unidos.

tengo que ir?». En esos momentos bajaba Osvaldo Soto, presidente de la Escuela de Derecho, de su aula en el segundo piso y le responde:

«Porque usted ha traicionado a los estudiantes del año 30».

La respuesta de Aureliano: *«Dígamelo frente a una asamblea»*. Y, de inmediato se dio la asamblea en el Aula Magna.

Comienza el debate. Vuelve Soto a acusar al ministro de haber traicionado la memoria de Trejo, y Aureliano le responde que el presidente de la Escuela de Derecho no puede hablar de Trejo porque no lo conoció. Afirmación que provoca una tajante respuesta:

«Yo hablo de Trejo con el mismo derecho que usted habla de Martí[303]».

Han regresado a La Habana Fidel y Rafael Díaz-Balart.

Cuando Rafael, ausente de la Colina por más de un año, llega a la universidad se está celebrando la asamblea en el Aula Magna de Derecho; y escucha gritos, aplausos. Conoce entonces que el Ministro de Educación está manteniendo una fuerte polémica con Osvaldo Soto, porque Aureliano había aceptado la expulsión de tres alumnos del Instituto de Matanzas y los estudiantes universitarios habían organizado un enorme movimiento de protesta. Fue esto lo que motivó la presencia de Aureliano en la universidad, de la que era profesor en uso de licencia.

Se sucedían gritos y abucheos. Osvaldo discute acaloradamente con el Ministro de Educación; éste le responde. Desde la puerta entra en la acalorada polémica Díaz-Balart. *«Le dije cosas muy desagradables, muy fuertes; los estudiantes me abrieron paso y me fuí acercando. La primera vez, Aureliano, muy hábilmente se hizo el que no me oyó y siguió hablando»* recuerda Díaz-Balart en entrevista con Enrique Ros.

Aureliano no perdió su compostura y le respondió: *«Oiga joven, yo estoy aquí exponiendo mis razones, y no creo que sea correcto que*

---

303 Recuerda Osvaldo Soto que fue Ramón Abadín, compañero de curso, quien segundos antes le sugirió la comparación.

usted venga aquí, en forma tan indecente, diciendo malas palabras, a insultarme. Déjeme terminar y, después, habla usted[304]*»*.

Ya había llegado Díaz Baldoquín con varios policías. También Fidel.

JOSÉ CARAGOL PARTICIPÓ EN DEBATE DE LA ESCUELA DE DERECHO
Con el autor aparece José Caragol, quien participó en el candente debate de la Escuela de Derecho con Aureliano Sánchez Arango.

Sigue violenta la discusión. Castro se ha acercado al alto estrado desde donde está hablando Aureliano. Trata de arrebatarle el micrófono lo que otro estudiante de Derecho –Fernando Flores Ibarra– le

---

[304] Palabras de Rafael Díaz-Balart a Enrique Ros. Descripción similar a la de Díaz-Balart la ofreció Fidel González.

impide hacerlo halando a Fidel por una pierna y forcejeando con él[305]. Al terminar de hablar, Aureliano se aleja en dirección a su automóvil[306]. Fidel le grita: *«No te vayas como una rata. Ahora nos tienes que oír»*. Ya están en la Plaza Cadenas donde se produce una riña tumultuaria. Fidel se enreda a puñetazos con Fernando Flores Ibarra[307] –que luego, al triunfo de la Revolución, es designado Fiscal y será conocido como *«Charco de Sangre»*.

Narración muy parecida le ofrece al autor, Osvaldo Soto que presidió la improvisada asamblea. *«La actitud de Aureliano ante los agresivos actos de hostigamientos, fue valiente[308]»*.

Pepito Sánchez Boudy, que junto con Cristóbal Díaz y otros se encontraba en la presidencia de la tumultuosa reunión, recuerda que Aureliano antes de partir, se encara a Fidel y le dice:

> *«Usted hizo esto y aquello en el Instituto de Matanzas. Usted es un gángster[309]»*.

Se dirige a su automóvil y, antes de abordarlo, se le acerca José Caragol, con quien en los últimos meses ha mantenido estrecho contacto por su común afición a la aviación y le dice: *«Ministro, ¿cuándo es el próximo vuelo?»*. Aureliano le responde con jovialidad: *«Móntate conmigo»*. Caragol le toma el maletín y se va en el Cadillac con el ministro[310].

---

[305] Osvaldo Soto. Entrevista con el autor.

[306] Lo acompaña Ernesto Venereo, de la Policía Universitaria.

[307] Rafael Díaz-Balart. Entrevista con el autor.

[308] Entrevista de Osvaldo Soto con el autor.

[309] Entrevista de Pepito Sánchez Boudy con el autor, mayo 6, 2002.

[310] «Para mí eso era normal. Yo conversaba con frecuencia con Aureliano y había volado con él en su pequeño avión. Algunos de mis compañeros que, lo ignoraban, me criticaron pero los más lo tiraron a broma». (José Caragol, entrevista con el autor).

CENSURABLE AFRENTA

El 10 de marzo (1949) fondeaban en la bahía de La Habana varios barcos de la marina norteamericana[311]. Aquella visita que debió haber sido intrascendente se convirtió, veinticuatro horas después, en un triste acontecimiento que conmovió a la nación cubana.

En la noche del 11 de marzo, un marino[312] completamente borracho, al pasear por el Parque Central se encaramó en la estatua de Martí convirtiendo aquel respetado monumento en un urinario. Sospechosamente un fotógrafo se encontraba en la escena y pudo tomar fotos que pronto fueron publicadas por la prensa nacional.

La FEU es uno de los primeros organismos en condenar el deleznable acto realizado por cuatro marinos norteamericanos borrachos. Convoca a un acto en la Escalinata y a otro, posterior, en la Plaza de Armas, frente al edificio de la embajada de Estados Unidos.

Curiosamente, los dos primeros dirigentes universitarios en conocer del incidente –Guevara y Lionel Soto– están íntimamente vinculados al Partido Comunista. Temprano, Alfredo Guevara llama a Ovares y, sin darle más detalles, le dice: *«Tenemos un problema con la Embajada Americana. Ven enseguida a la FEU»*.

Cuando Ovares llega ve a Aramís éste le dice que *«Lionel Soto había pasado por allí muy temprano informando a otros, que se había ido con Fidel y el Chino Esquivel y que estaban hablando de tirarle piedras a la Embajada»*.

Es decir, Guevara y Lionel Soto estrechamente relacionados con el PSP (partido comunista cubano) fueron los primeros en saber del vandálico y vergonzoso hecho.

Castro se esfuerza en provocar un violento desorden frente a la Embajada incitando a los allí reunidos a lanzarle piedras a la mansión diplomática. Así lo recuerda Alfredo Esquivel:

«Cuando nosotros íbamos a apedrear la embajada americana, Fidel me dijo: «Chino, sube y dile a Bilito que saque unos

---

[311] El portaaviones «Palau», los barreminas «Rodman», «Hobson» y «Jeffer» y el recortador «Papago».

[312] Richard Choinsgy, acompañado de Herbert Dave White y George Jacob Walgner.

estudiantes y venga a la embajada». Cuano vino Bilito con los estudiantes ya nosotros habíamos apedreado la embajada y fue cuando a Bilito le dan golpes y gomazos. Yo tengo esas fotos».

Hay sincronización en los esfuerzos de los que se empeñan en maximizar este episodio.

La agitación en la calle –lanzar piedras a la embajada– a cargo de Fidel. La publicidad –«oportunas» fotos tomadas por el periódico «HOY» y repartidas a otros medios– a cargo de los cuadros dirigentes del PSP.

Los agitadores, con Fidel Castro a la cabeza, quieren elevar el incidente provocado por estos cuatro irresponsables marinos, a una tolerada agresión del gobierno y de la marina norteamericana. No lo consiguieron.

EL EMBAJADOR BUTLER CON PERSONALIDADES Y DIRIGENTES ESTUDIANTILES

Rodeando al embajador Robert Butler aparecen, entre otros, el Ing. Carlos Hevia, Wendell Blanke, Segundo Secretario de la Embajada Norteamericana; Raúl Ruiz, Subsecretario de Estado; con otras personalidades y dirigentes universitarios. (Foto del periódico *Información*, La Habana, domingo 13 de marzo de 1949).

EL EMBAJADOR DE ESTADOS UNIDOS EN DESAGRAVIO A MARTÍ

El embajador norteamericano Robert Butler dando explicaciones al ministro de Estado, ingeniero Carlos Hevia, por el incidente provocado en el Parque Central de La Habana por marinos de la armada estadounidense.

A las oficinas de la FEU ya han llegado Justo Fuentes, Aramís y otros y, junto con Ovares, trazan el plan de acción que no es, por supuesto, el que está ejecutando Fidel Castro. Lo primero que decide Ovares es llamar a Carlos Hevia, Ministro de Estado para concertar una entrevista con el embajador Roberto Butler para exigirle un desagravio público. Horas después se ha producido la reunión y el embajador, acompañado de los estudiantes, deposita una ofrenda floral en la estatua del Apóstol.

La prensa se hace eco de la ceremonia publicando las palabras del diplomático y fotos del sentido acto en la que aparecen, entre otros el Ministro Hevia, el embajador Butler, Oscar Gans, Ovares, Guevara y Justo Fuentes.

Mario Kuchilán –el hombre que, al triunfo de la Revolución prodigará los más almibarados elogios a Castro– le dedicará, semanas después, dos páginas de elogios y zalamerías al embajador norteamericano. Fidel no pudo conseguir ni siquiera del adulón Kuchilán respaldo a su acción provocadora.

Es éste uno de los párrafos del reportaje del obsequioso –con los poderosos– Chino Kuchilán:

«Es condición necesaria la de ser amigo de un país, para ser Embajador en él. Y Roberto Butler, americano, ingeniero, capitán, constructor y banquero, la posee a plenitud...[313]*».*

Resume así el lamentable incidente un editorial de Sergio Carbó en Prensa Libre[314] que, luego de criticar severamente la irresponsabilidad de los que perpetraron el indigno acto, concluía señalando que *«las magníficas relaciones entre dos pueblos amigos y libres pueden lastimarse llevando el asunto más allá de los límites que en realidad tiene: una insolencia de cuatro marineros borrachos».*

---

313 Revista *Bohemia, julio 3, 1949.*

314 *Prensa Libre*, 13 de marzo 1949.

ORTODOXOS, BATISTIANOS Y COMUNISTAS CELEBRAN ACTO POLÍTICO EN LA ESCALINATA

Ya Carlos Prío ha tomado posesión de la presidencia. Los partidos políticos se aprestan a participar en las próximas elecciones. El ex-presidente Batista, recién electo senador, ha regresado a la isla. Se ha convocado a un polémico acto político.

Así recuerda uno de los participantes aquel episodio:

«Nosotros dábamos un acto muy importante frente a la Escalinata (finales de 1948 o un poco más tarde). Hablaba por el Partido Comunista Lionel Soto; por los batistianos Rafael Díaz-Balart; Carone, como Ortodoxo y profesor; Fidel, Aramís y yo (Esquivel). El Extraño (Jesús González Cartas), que tenía la organización ARG, amenazó con romper el mitin a tiros porque lo dábamos con los comunistas y los batistianos. Fidel me preguntó qué gente teníamos para cuidar el acto. Le dije que ya teníamos bastante; pero me contestó: «No, necesitamos más»... vamos a La Víbora a casa de Rafaelito Díaz-Balart». Fuimos allá y Fidel le pidió a Rafaelito que hablara con Batista (que estaba en la oposición) y nos diera gente para cuidar el acto.

Batista aceptó.

El día del mitin salimos como a las ocho de la noche (media hora antes de comenzar el acto) de la oficina del PAU, en la Calle Once del Vedado. Íbamos Fidel, Aramís, Rafael Díaz-Balart y yo, custodiados por la escolta de Batista. Al frente de la escolta iba el coronel Orlando Piedra quien, después, fue gran amigo mío.

El acto se desenvolvió sin violencia alguna[315]*».*

NUEVA PUGNA POR EL RECTORADO DE LA UNIVERSIDAD: REELECTO CLEMENTE INCLÁN

Ante el extendido rumor de que el Dr. Clemente Inclán no volvería a aspirar, Rodolfo Méndez Peñate, el antiguo rector que se vió forzado

[315] Alfredo Esquivel. Entrevista con Enrique Ros.

a renunciar a su alta posición, por su aparente sometimiento al *bonche* que había asolado a la comunidad en los comienzos de la década, realizaba activas gestiones con los decanos de los claustros para volver a alcanzar el rectorado.

Contaba con el respaldo de las facultades de Odontología, Derecho, Pedagogía, Veterinaria y Ciencias Naturales. Éstas cinco facultades le ofrecían su apoyo.

Ante el temor de que volviera a surgir la etapa ya superada del *«bonche»* que le costara la vida a Valdés Daussá, varios profesores se movilizan para impedir que cristalizara la aspiración de Méndez Peñate.

No sólo preocupaciones académicas motivan a los profesores que iniciaron este movimiento. La vinculación política de Méndez Peñate con el presidente Prío era bien conocida. Fue ésta, muy posiblemente, la razón que movió a Manuel Bisbé, Roberto Agramonte, Gran, Iglesias Betancourt y otros –todos dirigentes del Partido Ortodoxo– a oponerse a tal pretensión. Pronto tuvieron alineados junto a ellos a los decanos de las facultades de Ciencias Sociales, Filosofía, Arquitectura, Medicina, que con los de Farmacia, Ingeniería, Agronomía y Ciencias Comerciales reeligieron al Dr. Clemente Inclán para un nuevo período.

FATAL ATENTADO A JUSTO FUENTES

Pronto otros acontecimientos confirmaban la afirmación de Ernesto de la Fe. La ola de crímenes se agigantaba. Justo Fuentes, vicepresidente de la FEU y presidente de la Escuela de Odontología era abatido a balazos y, gravemente herido, trasladado al Hospital de Emergencia para ser sometido a una urgente operación donde ya, inexplicablemente, se encontraba Fidel Castro. Según éste, Fuentes pudo decirle: *«Fueron «El Colorado, Masferrer, Aguerreberre y Soto Carmenatti»,* antes de desmayarse.

Quería Fidel Castro, en los minutos finales de la vida de Justo Fuentes, aparecer como su amigo y confidente. No era cierto.

Justo Fuentes y Fidel mantenían un programa diario de radio en la COCO. Aquel día Fidel no había ido a la emisora[316].

Algún investigador histórico podrá indagar por qué aquella mañana, en que Justo Fuentes sería asesinado, Castro no asistió al programa radial que compartía con el líder universitario.

Justo y Fidel pertenecían a la UIR, la organización fundada por Emilio Tró, pero Fuentes se había distanciado de la UIR cuando ésta no lo respaldó en su aspiración a ser reelecto a la presidencia de la Escuela de Odontología porque consideraba que Fuentes se había independizado de la línea política seguida por la UIR. Fue Castro uno de aquéllos que se distanciaron de Fuentes que, poco después, con el respaldo de la UIR, era acusado por Fidel de haberse sometido a la COA, la Cooperativa de Ómnibus Aliados.

No era, por tanto, Fidel Castro la persona que pudiera aparecer como confidente del líder universitario que moría en la sala de operaciones del Hospital de Emergencia.

Días antes se había producido una escisión en la UIR. Un grupo estuvo dirigido por Herminio Díaz, a quien muchos consideraban como el autor de la muerte de Rogelio Hernández Vega (Cucú) en ciudad México[317]. Justo Fuentes se había incorporado a este sector liderado por Herminio Díaz.

El otro núcleo del UIR estaba comandado por José de Jesús Jinjaume estrechamente ligado a Fidel y quien había salido de la prisión[318] el día anterior al fatal atentado a Justo Fuentes. Era muy estrecha la vinculación de Fidel con Pepe de Jesús. Éste último había sido el *«gatillo alegre»* que Castro utilizó en el intento de asesinar a Mario Salabarría en el apartamento de Jovellar y Espada (Ver Pág. 65).

Los más veían en la pugna interna de la UIR el motor impulsor de la muerte del Vicepresidente de la FEU.

---

[316] Hughes Thomas. Cuba, Tomo II, página 1058.

[317] Muerte ocurrida el 16 de Julio de 1948.

[318] Rolando Masferrer afirmó que Grau, se interesó «delante de Humberto Becerra y Albertico Cruz, porque pusieran en libertad a Pepe de Jesús Jinjaume» según le informó Néstor Piñango.

Algunos, discrepaban de esa interpretación y apuntaban hacia otros responsables.

Uno de ellos, Ernesto de la Fe, el líder la ATOM –muy vinculado a Fuentes– quien responsabilizaba a Rolando Masferrer y Mario Salabarría, dirigentes del MSR, como los autores intelectuales del atentado.

Afirmaba de la Fe que *«dos días antes de su muerte, el extinto líder estudiantil radió desde La Voz de la FEU que el gobierno preparaba la fuga de Salabarría*[319] *y aportaba los siguientes datos: pasaporte a nombre de Mario Claudio Isidro Salabarría Aguiar; expediente 6424-1949, giro postal por $5 pesos de la Administración de Correos de La Habana, Número 89-3930. Y solicitud de Mario Salabarría firmada por el Notario Luis Ramos Izquierdo Ronquillo con la firma de dos testigos».*

Eduardo Chibás, Presidente del Partido del Pueblo Cubano, Ortodoxo, acusaba, como horas antes lo había hecho Orlando Bosch, al gobierno *«que incita y protege a los asesinos»*. La acusación la lanzaba, también, *«a la mayoría del congreso, que después de haber aprobado una ley contra el gangsterismo, no permite que sean juzgados los gángsters que alberga en su seno».*

Ernesto de la Fe declaró a la prensa que en los momentos que tuvo de lucidez, Fuentes señalaba a Masferrer y a «El Colorado» como responsables del crimen. Exigía que el Congreso le suprimiese la inmunidad parlamentaria al representante Rolando Masferrer y acusaba de encubrimiento al Senador Francisco Prío Socarrás a quien acusaba de mantener escondidos en su finca, desde su regreso a Cuba, a Orlando León Lemus, «El Colorado».

La prensa señalaba el creciente distanciamiento entre el vicepresidente de la FEU y Fidel. *Bohemia* así lo recoge en su número de abril 10:

> *«Castro se identificaba con Lionel Soto y otros dirigentes comunistas. Justo Fuentes, miembro de la UIR, organización anticomunista, tomaba un camino distinto. Incidente que*

[319] Revista Bohemia, abril 10, 1949.

culminó con la acusación de Fidel Castro a Justo Fuentes de haberse vendido a la Cooperativa de Ómnibus Aliados[320]».

Tanta resonancia adquirió la muerte del líder estudiantil que el Primer Ministro, Manuel Antonio de Varona, cursó órdenes de detención contra el considerado prófugo Orlando León Lemus.

LA FEU EN PALACIO

Los estudiantes, indignados, acuden a los más altos niveles.

Recibe el presidente Prío en Palacio una visita no por esperada menos trascendente. Los dirigentes de la FEU se apresuraban a entrevistarse con quien ayer había sido distinguido miembro del Directorio de 1930 y hoy ocupaba la jefatura del estado.

Llegan a palacio Enrique Ovares, Armando Gali Menéndez, Gustavo Mejía, Orlando Bosch, Pedro Mirassou, Baudilio Castellanos, Francisco Benavides, Alfredo Guevara, Guillermo Bermello y Bel Juárez, presidentes de las distintas escuelas del Alma Mater. No llegan solos; los acompaña el Dr. Félix Cebreco, acusador privado en la causa abierta por el asesinato de Justo Fuentes.

Será Ovares el primero en dirigirse al presidente de la república pero le cede, de inmediato, la palabra a Mirassou. Le aclara éste –y así lo recoge la prensa– que no vienen a hablarle al Jefe del Estado, sino al líder estudiantil de la generación de 1930, *«para pedirle su más enérgica actuación contra los agresores de nuestro compañero Justo Fuentes»*. No es ambiguo al señalar a los perpetradores del crimen. *«Todos sabemos que fueron Rolando Masferrer, «El Colorado», Soto Carmenatti y Aguerreberre»*.

Pedro Mirassou ofrece más datos precisos vinculando a autoridades militares y civiles que obstaculizan las investigaciones y protegen a los culpables: *«Resulta sospechosa la actuación de los policías del aeropuerto que dejaron escapar a Soto Carmenatti, y aún de los mismos empleados que le revisaron el pasaporte y tenían que saber quién era. Se supo, señor Presidente, que Soto Carmenatti embarcó para Miami el día 6, a las cinco de la tarde, en un avión de la Panamerican»*.

---

[320] Revista *Bohemia*, abril 10 de 1949.

El presidente Prío conocía perfectamente del caso. Interrumpe a Mirassou para informarle al grupo que había llamado al fiscal Trejo para decirle que *«el juez encargado de la causa ha prevaricado. Yo soy abogado y este es un asunto que conozco bien»*.

Se refería Prío Socarrás al juez Herrera que había ordenado la libertad de Soto Carmenatti después de someterse éste a la prueba de la parafina y que, aunque el resultado había sido positivo, lo había desechado pretextando que no había sido dispuesta por autoridad competente[321].

La discusión entre dirigentes de la FEU y el primer mandatario se hace tirante cuando uno de ellos hace mención a las relaciones de Paco Prío (senador, hermano del presidente) con «El Colorado», relación que niega enfáticamente el presidente.

Minutos después el primer mandatario le dice a los dirigentes de la FEU que él había conocido la llegada de «El Colorado» a Cuba diez o doce días después de ocurrida, enviándole un recado recomendándole que se fuera del país *«para que no perturbara la actuación de mi gobierno»*.

La confesión provoca esta inmediata reacción de Orlando Bosch, uno de los visitantes: *«Si usted sabía, presidente, que «El Colorado» estaba en Cuba, ¿por qué no lo mandó a arrestar?»*. No obtuvo respuesta el inquieto estudiante villareño.

La conversación, ya menos cordial que en su inicio, concluye con cierta aspereza, terminando con esta afirmación del presidente de la Escuela de Medicina:

«Si no hay nada efectivo en la persecución de los matadores de Justo, los estudiantes nos levantaremos en rebeldía después de la Semana Santa».

Así terminó la amplia entrevista que el antiguo dirigente del Directorio de 1930, acusador en el asesinato de Rafael Trejo, le había concedido a los jóvenes estudiantes que venían a denunciar la muerte de otro líder estudiantil.

---

[321] *Bohemia*, abril 24, 1949.

Masferrer negaba toda participación en el crimen cometido: *«Nada tengo que ver con la muerte del estudiante Justo Fuentes»* y en palabras que hacen sonreír a quienes lo escuchan afirma el ya legislador oriental: *«Para nosotros el terrorismo, como técnica política, es negativo»*. Y recordando sus raíces marxistas afirma, *«al decir esto, nos remitimos a la doctrina leninista»*.

Concluye afirmando con dudosa seriedad que *«nunca hemos gastado una sola bala en tirarle a la gente de la UIR; y no porque nos faltaran deseos sino porque esos procedimientos pugnan con nuestra aspiración de conducir al MSR hacia un verdadero movimiento de masas»*.

Ahondaba con estas palabras las profundas diferencias entre su organización MSR, y la UIR de Jesús Diéguez.

Diéguez responde con igual acritud: *«Si me echan la culpa de la muerte de Masferrer, me sentiría satisfecho. Ya lo dijo Prío: Masferrer es el eje central de la perturbación[322]»*.

CÓMO SE PRODUJO EL ATENTADO A JUSTO FUENTES

Transitaba Justo Fuentes por la Calle Manrique conversando con dos amigos. De un auto estacionado a muy poca distancia descendieron dos hombres disparando sin cesar las pistolas «45» que portaban. Fulminado con las ráfagas de plomo cayó el vicepresidente de la FEU. Los atacantes huyeron en el auto que, poco antes, habían estacionado.

La UIR no demora en acusar al MSR de ser responsables del atentado a Fuentes, haciéndose eco de las declaraciones formuladas por Fidel Castro en el Hospital de Emergencias. La UIR expresa con gran teatralidad:

> *«Las zarpas sangrientas de Rolando Masferrer y de «el Colorado» dejaron sentir nuevamente sus efectos en la persona de un inocente y en la de los jóvenes Justo Fuentes, líder estudiantil y Jesús Balmaseda, compañeros de esta organización[323]»*.

---

[322] *Bohemia*, La Habana, abril 24, 1949.

[323] Sección En Cuba, Revista *Bohemia*, Abril 10, 1949.

Recordando los sucesos de Orfila, la UIR acusa a los del MSR de *«asesino de mujeres que, una vez más, nos han lanzado su reto, y nos disponemos a recogerlo en la forma que fuere menester y cueste lo que cueste para que paguen, de una vez, con sus vidas, las criminales actividades que vienen desarrollando»*.

Con indignación se refería Enrique Ovares, presidente de la Federación Estudiantil Universitaria, a la muerte de su compañero: *«el asesinato de Justo Fuentes consituye un acto cobarde e incalificable. Es deber de todos eliminar del medio cubano la vigencia de la pistola y el crimen»*. *«La pistola,* afirmaba el presidente de la Escuela de Arquitectura, *debe ser erradicada de la universidad y de la calle»*.

Pero no fue erradicada ni de la Colina, ni de la calle. Días después cuando iba a visitar a una familia amiga era gravemente herido, tras haber sido perseguido por varios atacantes, Luis Felipe «Wichy» Salazar figura bien conocida entre los grupos de acción.

Luego quien caía víctima de balas homicidas era el vigilante Manuel Villa Yedra, antiguo chofer de Emilio Tró y miembro de la UIR (junio de 1949). En la esquina de Concordia e Infanta era abatido, luego, el joven José Ramón Solís, «Filipo», expedicionario de Cayo Confites.

LA UNIVERSIDAD, INSTITUCIÓN REGIDA POR HOMBRES.

«Para unos, la universidad es un antro, una pústula en el tejido sano de la nación. Para otros, es una colina sagrada, una acrópolis de sabiduría y de paz, no sujeta al juicio profano del hombre de la calle» afirmaba Francisco Ichaso en su artículo «Luz y Sombra en la Colina Universitaria» publicado en la revista *Bohemia* en agosto de 1949, concluyendo que *«la razón huye asustada de ambos extremos. La Universidad no es ni lo uno, ni lo otro; es una institución fundada por hombres, regida por hombres, frecuentada por hombres y, como tal, sometida a todas las vicisitudes porque pasan los hombres en un espacio y en un tiempo dados»*.

INELEGIBLES: ESTUDIANTES CON ARRASTRES DE ASIGNATURAS

En octubre de 1948 se había solucionado el gravísimo conflicto que para la Universidad representó el aumento del pasaje del transporte urbano. Pero en la Colina nada es normal; ni siquiera, las elecciones para renovar el ejecutivo de la FEU. El conflicto que se ventilaría en el mes de diciembre, lo había producido el inciso B) del nuevo reglamento universitario que consideraba inelegible para ser Delegado de Asignatura, de Curso o Presidente de Escuela a cualquier estudiante que arrastrase una asignatura.

Esta disposición convertiría en inelegibles a muchos de los que eran delegados o presidentes de escuela o que pretendían serlo. Entre ellos al propio Fidel Castro que, en ese año, como ya señalamos, arrastraba algunas asignaturas porque, por confesión propia[324], no se había matriculado oficialmente y pretendía sacar algunas materias por la libre.

La medida causó la violenta oposición de grupos de estudiantes que optaron, como protesta, tomar muchas de las escuelas. El reglamento quedó en suspenso.

El Consejo Universitario por votación de 7 a 6 aprobó el mantenimiento del inciso B); pero, en definitiva, optó por no aplicarlo al ofrecer los dirigentes de la FEU renunciar a la reelección si aquel inciso era suprimido.

La pusilánime postura del Consejo llevó a los dirigentes del Movimiento Pro-Dignidad Estudiantil a culpar a los profesores de someterse «a la coacción ejercida por los falsos líderes de la FEU».

Se avecinaba un choque frontal entre los dirigentes universitarios que, por años, se habían solidarizado con movimientos e ideas de la izquierda –en la Guerra Civil Española, en la Segunda Guerra Mundial, en la legislación social cubana–, y la nueva facción que emergía, proveniente, en su mayoría, de escuelas religiosas.

En la mañana del sábado 10, fecha en la que estaban señaladas las elecciones para elegir la próxima dirigencia estudiantil, más de 30

---

[324] Declaraciones de Fidel Castro a Arturo Alape, periodista colombiano. *Obra citada.*

perseguidoras rodeaban el recinto universitario. Entre los guardianes del orden se destacaba el Capitán Cornelio Rojas que en pocos años adquiriría un negativo renombre.

El decano de Ingeniería, Gustavo Sterling –caracterizado como el más intransigente opositor de la FEU[325]– arengaba a los de Pro-Dignidad a que pasaran a las escuelas a votar.

El Consejo Universitario había ofrecido plenas garantías.

Al penetrar los primeros estudiantes al recinto universitario para ejercer su voto comenzaron reyertas que la Policía Universitaria trató de aplacar haciendo disparos al aire.

De hecho, pocos estudiantes pretendieron ejercer su derecho al sufragio. Los que lo hicieron encontraron que en algunas escuelas ni siquiera estaba constituida la mesa electoral; otras –Derecho y Medicina– permanecieron cerradas. Sólo la facultad de Filosofía, cuyo alumnado estaba compuesto mayoritariamente de mujeres, pudo celebrar sus elecciones sin mayores dificultades.

Otros temas captan, momentáneamente la atención.

El 27 de abril de 1949 Eduardo Chibás era condenado a seis meses de prisión por haber acusado a tres magistrados del Tribunal Supremo de tener componendas con la compañía de electricidad[326]. En junio salía del Castillo del Príncipe el penado 981. *«En libertad el penado 981»* gritó con voz reglamentaria el oficial de guardia al tiempo que el líder ortodoxo era jubilosamente recibido por una multitud enardecida.

No se conoce que en aquella entusiasta concentración de dirigentes y militantes del Partido del Pueblo Cubano se encontrase Fidel que ya realizaba sus primeras gestiones con García Incháustegui, Bilito y Guevara para integrarse al Comité 30 de Septiembre, por ellos controlado. Alfredo Guevara –como veremos en próximo capítulo– se oponía firmemente a la admisión de Castro en este comité.

---

[325] Revista *Bohemia, diciembre 25, 1948.*

[326] Ramón de Armas: «Los Partidos Burgueses en Cuba Neocolonial 1899-1952», Editorial de Ciencias Sociales, La Habana, 1985.

EL ATENTADO A WICHY SALAZAR

En abril de 1945, Wichy Salazar, junto con *«Cuchifeo»* Cárdenas y González Cartas (El Extraño), había sido acusado de la muerte del jefe del Servicio Secreto de Palacio, Enrique Enríquez y, luego, del agente del Servicio de Investigaciones Raúl Adán Daumy en el Parque Maceo, la noche en que se producía el dantesco episodio del reparto «Orfila» que le costó la vida a Emilio Tró, a la esposa de Morín Dopico y a otros.

Cinco años después de aquella acusación, precisamente en el mismo mes de abril, cuando Wichy Salazar estacionaba su carro en Carlos III, dos jóvenes conduciendo un Buick descargaban sus ametralladoras en dirección al conocido miembro de la UIR.

Wichy pudo evadir los disparos arrojándose al piso del auto. Segundos después se parapetaba detrás de su carro repeliendo la segunda acometida de los atacantes. Esquivando los disparos pudo, herido en el cuello y la cabeza, refugiarse en un café de donde fue trasladado al hospital para ser sometido a una urgente intervención quirúrgica para serle extraídos los plomos incrustados en su cuerpo.

Wichy, estrechamente vinculado a la UIR, mantenía una profunda enemistad con otro miembro del *Gatillo Alegre*: Policarpo Soler[327], un ex-teniente de la Policía Nacional que había sido acusado de darle muerte a Noel un hermano de Wichy.

No era, pues, de extrañar que al llegar Wichy, al Hospital de Emergencias un íntimo amigo, muy vinculado a los hechos de sangre, diera a conocer los supuestos perpetradores del atentado.

Fidel Castro, amigo de Wichy, se apresuró a informar a la prensa: *«Dice Wichy que los que le tiraron fueron Policarpo Soler y «El Colorado», y que en el carro iba un individuo con uniforme de la Policía...».*

[327] El nombre verdadero de Policarpo Soler era Francisco Herrera Alonso. En 1934 fue nombrado instructor de educación física en el Instituto Provincial de Pinar del Río y meses después teniente de la policía bajo el nombre de Domingo Herrera. (Revista *Bohemia*, diciembre 2, 1951).

Se recupera pronto de sus graves heridas y vuelve a sus peligrosas actividades. Pocas semanas después sus enemigos, numerosos, ajustaban cuentas finales con Wichy Salazar.

Salía, de casa de sus padres, junto con su hermana Efigenia y su amigo Francisco Fernández Cristóbal, *«El Flaco»,* cuando una ráfaga de disparos, desde un auto, abatía a los tres. Del carro *«se apeó un hombre grueso, de pelo negro y espejuelos oscuros empuñando la terrible arma. Con saña cuidadosa, remató casi a boca de jarro a sus víctimas».* (La hermana de Wichy afirmó, más tarde, haber reconocido al asesino como Policarpo Soler, enemigo jurado de los Salazar). Con la muerte de Wichy, Fidel Castro perdía un arma protectora.

La viuda, ya Wichy era cadáver, responsabilizaba a Caramés por no ofrecerle a su esposo las garantías que, durante todas esas semanas anteriores, había solicitado. *«Ni siquiera logró Wichy que le dieran permiso a su amigo Fernández Cristóbal para portar armas».* En su acusación fue, aún, más directa:

> *«¡Policarpo Soler fue el asesino de mi esposo! ¡Efigenia vió cuando disparaban sobre Wichy para rematarlo!».*

Su hermana Efigenia afirmó que había reconocido a Policarpo Soler cuando se había bajado con una ametralladora *«y remató a mi hermano en el suelo»; en el automóvil, afirmaba Efigenia, venía también «el Colorado».*

Los dos sospechosos, Policarpo y El Colorado, habían tenido, separadamente, estrechas relaciones con Wichy que luego degeneró en una enconada enemistad. La enemistad de Policarpo y Wichy surgió por *«una cuestión tan delicada y enojosa que sólo la mencionaban indirectamente*[328]». La enemistad con «El Colorado» la ocasionaron discrepancias cuando ambos militaban en Acción Revolucionaria Guiteras y Wichy terminó acusando a León Lemus de lucrar con la bolsa negra.

---

[328] *Bohemia, agosto, 1949.*

NOEL Y WICHY SALAZAR

La razón de la enemistad de Policarpo con los hermanos Salazar nos la ofrece el comandante Mario Salabarría:

«El problema de ellos es que cuando Policarpo se fue de Cuba, Noel y Wichy, abusaron de la amistad que tenían con Policarpo y tuvieron relaciones con una mujer muy cercana a él. Cuando Policarpo regresó se enteró de lo que había pasado. Por eso Policarpo mata a los dos».

«Yo conocí a Policarpo en el mes de noviembre, a los pocos días de haber sido designado yo comandante. Policarpo había matado a un guardajurados de la Compañía Cubana cuando la compañía estaba en Monte y Monserrat».

Ovares, celoso del prestigio del Alma Mater, tiene interés en señalar que estos hombres –Wichy y Noel Salazar, Orlando León Lemus (el Colorado), Policarpo Soler y otros– son elementos extraños a las luchas universitarias. Así lo reitera en una de nuestras extensas conversaciones:

Sobre Wichy y Noel Salazar:

«ese elemento no servía para nada. Eran gángsters; no tuvieron nunca nada que ver con la FEU».

De El Colorado tiene igual opinión:

«Al Colorado lo conocí en un incidente. En el momento que yo acababa de hacer una declaración en contra de todos los grupos, porque ya estaban creando serios problemas en la Universidad. El Decano de mi Escuela Joaquín Weitz hace también declaraciones por el Rectorado. Ese día yo estaba con Manolito Vidal y con el Decano Weitz tratando de resolverle un asunto a Manolito y veo que venían caminando Policarpo Soler y el Colorado, éste con una ametralladora en la mano. El jefe de la Policía Universitaria, Díaz Baldoquín, lo ve y me dice: «Ovares, ven, ven para acá y ayúdanos». El Decano salió corriendo como un bólido. Llegó Policarpo a quien yo conocía porque yo jugaba básket por el Instituto del Vedado y una vez habíamos ido a jugar a Pinar del Río, de cuyo equipo Policarpo era coach, a discutir un campeonato de los institutos, y luego vinieron al Vedado a participar en otros juegos.

Cuando estoy hablando con él yo ví que Orlando Bosch se acercaba en un cacharrito. Bosch lo vió y se agachó en el carro. Walterio (Carbonell) estaba sentado en un banquito observando la escena.

Venían Policarpo y el Colorado porque habían matado en ese momento a Wichy Salazar. Baldoquín le habla al Colorado, de quien era buen amigo y le dice: «Coño, Orlando, parece mentira, un hombre como tú que has hecho tanto por esta Universidad que estés dando el espectáculo de bajarte con una ametralladora». Entonces Policarpo para desviar la atención, me dice: «Enrique, tengo aquí una bazooka que coge un carro a no se qué gran distancia» y yo sigo mirando a Orlando Bosch que sigue agachado en su automóvil (yo apreciaba mucho a Bosch aunque era del otro grupo). Por fin Baldoquín le dijo al Colorado: «Orlando, me estás perjudicando». Y el Colorado le dice: «Tú tienes razón. Me voy». Fue entonces que Orlando Bosch pudo levantarse y alejarse en su carrito».

Orlando Bosch le ofrece al autor una versión ligeramente distinta. Afirma que él se acercaba a los que hablaban sin reconocer quienes eran. Al llegar cerca de ellos se percata que uno de ellos es León Lemus y continúa caminando hacia el Decanato que era a donde él se dirigía.

FIDEL: «MASFERRER QUIERE MATARME»

José Salazar, graduado del Colegio La Salle, ingresa en 1948 en la Escuela de Ingeniería de la que era, en aquel momento, presidente Picky Redondo y Fidel consideraba –y en eso acertó– que Salazar pronto podría llegar a la presidencia de aquella escuela. Por eso comenzó a cultivar su amistad.

Poco después cuando Fidel era delegado de curso en la Escuela de Derecho se acerca a Salazar para hacerle una confidencia: *«Me he separado de la UIR, pero tengo el temor de que Masferrer quiere agredirme».*

Ya antes, cuando el fatal atentado a Manolo Castro le había expresado a la prensa el mismo temor: *«Masferrer quiere atentar contra muchas vidas...quiere hacernos víctimas de nuevos atentados».*

Siente temor de Masferrer pero ha asesinado, a sangre fría, al indefenso Fernández Caral.

DESTITUIDO GENOVEVO PÉREZ DÁMERA

El martes 23 de agosto de 1949 el general Pérez Dámera fue destituido «por sus contactos con el extranjero[329]».

Acababa de regresar a La Habana otro alto militar, el Gral. Ruperto Cabrera, de un viaje a los Estados Unidos. De inmediato se trasladó al Palacio Presidencial. A las ocho de la noche el presidente de la república, acompañado del general Cabrera, se dirigió al campamento militar de Columbia. Su propósito: destituir a Pérez Dámera que se encontraba en esos momentos en su finca de Camagüey. Tuvo que entrar el presidente Prío al edificio del Estado Mayor violentando una ventana al no aparecer la llave de la puerta.

A los que se encontraban a su alrededor les informó que estaba destituyendo al general Pérez Dámera sustituyéndolo por el general Cabrera y llamó por teléfono a Genovevo para informarle la decisión tomada.

Una explicación, poco creíble, la ofreció el Secretario de la Prensa Orlando Puente quien informó a la prensa que Pérez Dámera se había expresado despectivamente del Presidente de la República, que obligaba a los ayudantes presidenciales a que le tuvieran al tanto de cuantas actividades desarrollaba el Dr. Prío Socarrás y que abrumaba al Ministro de Hacienda con sus constantes y apremiantes pedidos de situación de fondos para el Ejército y que los exigía porque «por encima del Ejército no había nada ni nadie».

Eran razones a las que nadie le daba mucho crédito. La verdadera razón, de acuerdo a los que rodeaban al presidente Prío en esos momentos, se debía a que el jefe del Ejército había entablado contacto con el presidente dominicano, sin permiso ni consentimiento del presidente Prío.

A las once de la mañana del sábado, el ya ex-jefe del Ejército, se encontraba en Miami.

---

329 Javier Barahona, revista *Carteles*, septiembre 4, 1949.

Se multiplican los actos de violencia.

En septiembre 18 de 1949, Alfredo T. Quilez, escribía este editorial:

«El pistolerismo, que resucitó el Dr. Grau después de haber sido erradicado por sus antecesores es, a no dudarlo, la peor lacra que nos queda de su Administración tan corrompida en todos los órdenes y tan inepta y desquiciadora del rumbo económico, del rumbo social, del rumbo político, del rumbo docente y, desde luego, del rumbo moral».

«En el pasado gobierno se le dio libre franquicia al crimen impune, se alentó la formación de pandillas «revolucionarias» que amparándose en perfectos vindicativos y en ideales, fueron convirtiéndose sobre la marcha en instrumentos intimidatorios al servicio de apetitos inconfesables.

La Universidad de La Habana tiene que volver por los fueros gloriosos de su pasado. La reforma se impone y son los profesores y estudiantes los llamados a iniciarla de inmediato.

La Universidad nunca debió tomar parte como cuerpo activo, en lo episódico de la política, ya que ese menester, en lo individual, no estaba vedado a los profesores ni a los alumnos. Su función era de naturaleza docente».

El editorial de Carteles reflejaba el pensamiento de amplios sectores de la población escandalizados por el irrespeto de los grupos de acción a las normas legales y morales.

La indignación ciudadana alentaría a dirigentes universitarios a internar ponerle freno al cáncer de la corrupción y el gangsterismo que pretendía adueñarse de la colina universitaria.

CAPÍTULO XII

LA VIOLACIÓN DE LA AUTONOMÍA UNIVERSITARIA Y LA QUINTA DE LOS MOLINOS

JOSÉ BUJÁN Y LA QUINTA DE LOS MOLINOS

La hermana de Wichy señaló, también, a otros hombres como participantes en el fatal atentado. Entre ellos a José Sánchez Fernández («Pepito») y a Wilfredo Lara; estos últimos buscaron inmediato refugio en la Quinta de Los Molinos, donde se encuentra la Escuela de Agronomía. Lara gozaba de libertad bajo fianza acusado de haber participado en el atentado a Wichy realizado meses atrás, y por la muerte del Vicepresidente de la FEU, Justo Fuentes.

La repentina irrupción de Sánchez Fernández y Lara forzó a la fuerza pública, por primera vez desde que se había aprobado la autonomía universitaria[330], a penetrar en terrenos de la Colina Universitaria. Allí encontraron una gran cantidad de armas[331] y procedieron a la detención de catorce personas, que, en su mayoría, no eran estudiantes. Otros, sí lo eran; uno de ellos, José Buján, en aquel momento presidente de la Asociación de Estudiantes de Agronomía y aspirante a la presidencia de la FEU en las próximas elecciones.

Cuando la policía penetra en la Quinta de Los Molinos, Enrique Ovares es presidente de la Escuela de Arquitectura y de la FEU, y Bilito Castellanos preside la Escuela de Derecho con Mario García Incháustegui como su vicepresidente; Lionel Soto es presidente de

[330] La autonomía universitaria fue un producto de la Revolución de 1933. Fue establecida por el Decreto 2059 del 6 de octubre de 1933.

[331] Entre las armas ocupadas, en la azotea de la Escuela, aparecían cinco pistolas automáticas, dos ametralladoras, un rifle-ametralladora, tres revólveres, tres pistolas, una escopeta y cerca de 1,500 balas de distinto calibre.

Filosofía y Letras; Guillermo Bermello, preside la de Ciencias Comerciales; Mario Rodríguez, la de Ciencias Sociales; y Francisco Benavides, es presidente de Odontología[332].

Antes de su detención, Buján alardeaba de contar con el respaldo de Orlando León Lemus, («el Colorado») y de Policarpo Soler.

No gozaba Buján de gran prestigio entre el estudiantado. Era, para muchos, el eterno estudiante. Vivía, junto con su esposa y sus dos hijos pequeños, en uno de los edificios de la Escuela de Agronomía donde, además, taló árboles de la Quinta de Los Molina vendiéndolos en provecho propio. Mantenía allí, en terrenos de la Universidad, una pequeña lechería con vacas de su propiedad que pastaban en aquella amplia quinta[333].

La orden de registro había partido del coronel Caramés, Jefe de la Policía Nacional. Cerca de 20 carros perseguidores, 70 miembros del Buró de Investigaciones y más de cien policías y clases rodearon el edificio antes de irrumpir en él. Las detenciones se produjeron sin un solo disparo. Quedaron allí detenidos José Rodríguez Fleitas, Israel Escalona, Armando Comesañas, Ángel Domínguez, Carlos y Wilfredo Lara, José Denis Martínez, José Sánchez (Pepito), Juan Acosta Cobos, Bel Juárez, Francisco Crespo, Israel Escalona, Ramón Guinard Medina, el propio José Buján y otros[334].

Enrique Ovares, presidente de la FEU, condenaba a los que manchaban de ese modo el prestigio del Alma Máter:

> *«El estudiantado repudia los métodos violentos de lucha y respalda y aplaude a los líderes que, como nosotros, enarbolamos los libros frente a la política de golpes y pistolas».*

Del bochornoso incidente, muchos culpaban al rector Clemente Inclán ya que veinte días antes, conocedora de la anormal situación que existía en la Quinta de Los Molinos, la policía universitaria le

---

[332] Raúl Aguiar Rodríguez: «El Bonchismo y el Gangsterismo en Cuba».

[333] Revista *Bohemia,* octubre 2, 1949.

[334] Bel Juárez, presidente de la Asociación de Alumnos de la Escuela de Pedagogía, aclaró días después que no estaba entre los detenidos junto a Buján. Se había confundido su foto con la de Luis Manuel Abreu.

había rendido un informe, pero el Dr. Inclán, temiendo un choque entre los agentes del orden y los que seguían a Buján, aplazó su decisión hasta recibir un informe escrito para elevarlo al Decano de Agronomía.

Cuando aquel reporte de la Policía Universitaria se discutió en una sesión del Claustro de Agronomía, nada menos que el propio Buján participó de la reunión como si fuese un profesor.

Al descubrirse las armas en la Quinta de Los Molinos en el Consejo Universitario se presentó, por el Profesor Elías Entralgo, una moción pidiendo la expulsión de los alumnos José Buján y Ortiz Fáez[335]. La moción contenía otros puntos de mayor interés:

- Modificaba el reglamento de los comicios estudiantiles para prohibir la reelección en la presidencia de la FEU.
- Establecía que sólo podían ser presidentes de la Asociación, los alumnos que cursen el último año de la carrera y,
- determinaba que únicamente podrían tener derecho a ser delegados aquéllos que nunca hayan recibido un suspenso y que hubieran aprobado todas las asignaturas del curso anterior.

La proposición del Profesor Entralgo le impediría a muchos estudiantes aspirar a las posiciones mencionadas.

La moción de Elías Díaz Entralgo no fue aprobada por el Consejo Universitario.

Se multiplicaban las mutuas inculpaciones. González Mayo, segundo de Buján, lanzaba serias acusaciones.

La FEU estaba dividida. En pocos días se conmemoraría una de las fechas más respetada por el estudiantado universitario: el 30 de septiembre. La FEU, teatro de tantos crímenes y atropellos cometidos dentro y fuera de sus predios por personas vinculadas a la Colina, se batía en retirada.

Los últimos meses de 1949 muestran a una Federación Estudiantil Universitaria en aguda crisis. Dos tendencias antagónicas pretenden

---

[335] Este último procesado por el asesinato de Manolo Castro.

actuar a su libre albedrío sin aportar el quórum necesario para las reuniones oficiales del alto organismo.

VIOLENTA SESIÓN DE LA FEU: «UN GÁNGSTER LLAMADO FIDEL»

Se acerca el 30 de septiembre fecha en la que, tradicionalmente se conmemora la muerte de Rafael Trejo. Ovares, encabezando el grupo mayoritario de siete presidentes de Escuelas, logra que se inicie la sesión. En esos momentos, por distintas razones, están presos Orlando Bosch, Pedro Mirassou, Santiago Touriño y José Buján. Los tres primeros –ajenos a las luchas violentas de grupos– por pertenecer a la UIR. Buján por tenencia de arma.

El presidente de Farmacia, con intención de evitarle una mala publicidad a la ya maltrecha institución pidió sesión secreta. La pretensión fue impugnada por Mario García Incháustegui, vicepresidente de Derecho, expresando: *«Si nadie tiene de que abochornarse no debe pedir una sesión a puertas cerradas».*

Se inició la sesión con puertas abiertas a todos. No demoraron en escucharse acusaciones sobre comunismo, imperialismo, corrupción y pandillerismo.

Quien toma la iniciativa en el ataque al grupo minoritario es González Mayo, Vicepresidente de Agronomía (Buján, recordemos, está preso) que va acusando, uno a uno, a dirigentes o voceros de la oposición:

> *«No me explico como entre los «dirigentes honestos» puede haber un Francisco Benavides, presidente de Odontología que tiene un puesto en Obras Públicas; un gángster llamado Fidel Castro; una Eloína Fernández que aceptó nuestra ayuda para salir electa en esa escuela; un Alfredo Guevara, que recibe del arrendatario del Central Limones, un reloj de oro y un jacket; y un Bilito Castellanos, aspirante a dirigir la FEU, que ha recibido un cheque del BAGA».*

Para sorpresa de nadie, la reunión terminó, temporalmente, en una riña tumultuaria. Los seis de la minoría se retiraron, pero Ovares pudo preparar la agenda para el acto del «30 de Septiembre» y señalar los oradores.

La arbitraria detención de Bosch, Mirassou y Touriño originó la encendida protesta de los estudiantes, encabezada por Félix Vera que había sustituido a Orlando Bosch en su condición de vicepresidente de la Escuela de Medicina, cuyo edificio toman.

Es, precisamente el Dr. Ángel Vieta, Decano de la Escuela de Medicina, el más severo crítico de la débil posición que, a su juicio, ha asumido el Consejo Universitario ante la crisis que, por días, se va agigantando. En una Mesa Redonda[336] a la que concurren profesores y alumnos expresa con disgusto el Decano Vieta:

«Los señores estudiantes me toman la Escuela y tengo que concretarme a llamarles la atención».

Su pobre lamento merece la respuesta de un estudiante de Derecho. Respuesta que puede entenderse como una amenaza:

«No creo que el Consejo Universitario no pueda acabar con esta situación. En la época del bonche un solo individuo, Valdés Daussá se le enfrentó y lo sacó de allí; claro que le costó la vida».

Un estudiante de medicina, Humberto Castelló, culpa de la crítica situación *«a la debilidad del Rector y del Consejo[337]».*

Aquel 30 de Septiembre, que antes llenaba la amplia escalinata se tuvo que celebrar, consciente de la poca concurrencia, en el Aula Magna.

Aquella raquítica celebración del «30 de Septiembre» contó sólo con tres oradores: Ovares, Lamar y Félix Vera, este último, presidente interino de la Escuela de Medicina.

Aprovechando ese debilitamiento del organismo estudiantil, seis, de los trece presidentes de escuela, promovieron la creación de un llamado «Comité Treinta de Septiembre», con el pretexto de rescatar la autoridad de la FEU.

Por supuesto, el intento fue impugnado de inmediato por Enrique Ovares que, con la mayoría que le ofrecían los restantes presidentes de

---

[336] *Bohemia*, septiembre, 1949.

[337] Revista *Bohemia*, octubre 23, 1949.

escuela, denunció la inclinación marxista de los que integraban el «Comité 30 de Septiembre» que pretendían constituir.

No estaba muy desacertado Ovares. ¿Quiénes eran los seis?. Entre los integrantes de la tendencia que respaldaba el «Comité 30 de Septiembre» se encontraban Alfredo Guevara, Mario García Incháustegui, «Bilito» Castellanos y Fidel Castro quien afirmó *«que si ser comunista era delito, debía quitarse de allí el retrato de Mella»*. La reunión terminó en una reyerta que provocó el desalojo del local por la Policía Universitaria.

No había sido fácil incluir a Fidel Castro en el Comité 30 de Septiembre. Cuando éste se fue a constituir, Alfredo Guevara se opuso resueltamente a que Fidel formase parte del Comité. «Se opuso duramente. Yo fuí quien intervino para que fuese admitido después que Fidel hizo un «mea culpa» allí, en el Salón de Actos de la FEU, excusándose de haber estado con la UIR», recuerda Rolando Amador, presente en el acto de constitución del Comité 30 de Septiembre[338].

Se habían constituido ese año en la Universidad dos comités que, de hecho, formaban dos grupos perfectamente diferenciados: el Movimiento Pro Independencia de la Segunda Enseñanza y el Movimiento Pro-Libertad e Independencia de Puerto Rico. En este último participaron Fidel Castro, Enrique Huertas y Osvaldo Soto. Castro fue electo presidente de ese comité. Surge de allí su vinculación con Pedro Albizu Campos y con su esposa, con quien intimó, años después, en México a través de Hilda Gadea, entonces esposa de Ernesto Guevara[339].

ASESINATO DE GUSTAVO MEJÍA

Gustavo Mejía, Vicepresidente de la Asociación de Estudiantes de Ciencias Sociales, era un hombre honesto, ajeno a las luchas de grupos que asolaban la Colina Universitaria.

---

[338] «Yo tenía una buena amistad con Alfredo Guevara a pesar de que ideológicamente discrepábamos. Años después, durante el gobierno de Batista, Guevara estuvo escondido en mi casa». Fuente: Entrevista de Rolando Amador con el autor.

[339] Ver: «Ernesto (Ché) Guevara: mito y realidad», del autor.

Había sido designado, con el beneplácito de todos, como administrador del Balneario Universitario al que concurrían estudiantes de todas las corrientes políticas.

Como administrador tuvo frecuentes diferencias con los hermanos Modesto y Juan González del Valle, concesionarios de la cantina. Mejía consideraba que el ingreso al balneario debía estar limitado, exclusivamente, a los alumnos universitarios; medida a la que se oponían los concesionarios de la cantina.

A una de estas reuniones asistían dichos concesionarios junto con el Dr. Mario Martínez Azcue, Decano de la Facultad de Odontología y Presidente de la Junta Universitaria, cuando la discusión entre el administrador y los concesionarios se elevó de tono y uno de éstos disparó sobre Mejía.

Raúl Roa, Decano de la Facultad de Ciencias Sociales y Derecho Público, de cuya asociación de alumnos era Mejía vicepresidente, renunció al decanato culpando al gobierno y al claustro universitario de no enfrentarse, con la debida decisión, a los problemas generados por el gangsterismo.

Defendía Roa el prestigio de algunos líderes y de la propia universidad, mancillados, ahora, por estos grupos gangsteriles:

> *«Si no confundo la Universidad con una taberna portuaria, tampoco confundo la FEU con los que no han sabido orientarla ni regirla por los ásperos caminos que señala el deber».*

Esas declaraciones las había formulado días antes de la muerte de Mejía. A la renuncia del decano se unió la de Mario Rodríguez Fernández, Presidente de la Asociación de Alumnos de Ciencias Sociales.

Feliciano Maderne, familiar del dirigente asesinado y figura conocida en el proceso revolucionario de la década anterior, apuntaba su dedo acusador hacia Martínez Azcue que había acompañado a los hermanos González del Valle[340].

---

[340] Declaró Feliciano Maderne en el Hospital de Emergencias: «Los informes que tengo son de que mi sobrino ha sido muerto por la espalda y que su victimario fue ese cuñado de Salabarría. Martínez Azcue sabía que iban a matar a Gustavo, pues González del Valle lo anunció estando él presente».

La acusación era negada enfáticamente por Martínez Azcue quien al conocer la agresión a Mejía cuando llegó a su casa, fue de inmediato a la jefatura de la policía y expresó con claridad:

«Vengo a decirles que Modesto González del Valle es el asesino de Mejía».

En el Hospital de Emergencias manifestó Martínez Azcue:

«Cuando yo me fui del balneario ví a Modesto González del Valle que exlamaba: «aquí va a correr la sangre».Llevaba una pistola encima».

Gustavo Mejía era uno de los estudiantes que había organizado el mitin en La Escalinata de la Campana de La Demajagüa; igualmente participó en el acto realizado en la Universidad contra el alza del fluido eléctrico.

A los pocos minutos de producido el atentado fueron detenidos los estudiantes Walterio Carbonell y Herrera Abol junto con un vigilante universitario.

Las pugnas se recrudecen entre los grupos revolucionarios rivales. Los dirigentes de la UIR consideraban que el gobierno no había cumplido su palabra cuando pidió a los «elementos revolucionarios que cesaran los atentados».

Los de la UIR, con infantil propósito de desviar la atención hacia otros responsables, afirmaban que *«se habían producido varios atentados; primero, el de Rubén Darío González; después, el de Justo Fuentes y, ahora, el de Salazar».*

Evidentemente, el prestigio estudiantil había quedado sumamente afectado con la ocupación de armas en la Quinta de Los Molinos, sede de la Escuela de Agronoomía, y por el asesinato de Gustavo Mejía, respetado presidente de la Escuela de Ciencias Sociales.

Tras el asesinato de Gustavo Mejía, Raúl Roa, que antes había denunciado el gangsterismo en la universidad, renuncia a su posición de Decano de la Facultad de Ciencias Sociales.

NUEVO ATAQUE A MASFERRER

La actualidad la cubre, además de la alevosa agresión a Gustavo Mejía, las crecientes diferencias entre el comentarista radial José Pardo Llada y el coronel Caramés, y el quinto atentado de que es objeto el entonces representante Rolando Masferrer cuando éste, acompañado de sus partidarios, Carlos Alonso, José A. Varona y Manuel Méndez, entraba en el Capitolio Nacional a través de sus jardines.

En el atentado a Masferrer *«una mujer dio la voz de «fuego» dijo el chofer del legislador».* Se afirmaba en un reportaje de la revista *Carteles* de septiembre 25 de 1949.

Masferrer declaró a la Policía que conversaba con José A. Varona y el chofer Carlos Alonso Jiménez cuando fue atacado. Varona recibió un mortal balazo. Afirmaba Masferrer que sus amigos le habían advertido de un carro cuyos tripulantes eran Raúl González Jerez, Justo Reyes (Cuco), Guillermo García Riestra (Billiken), Miguel de la Cámara (Ojos Gachos) y la joven Eva Gutiérrez quien, de acuerdo a Masferrer, dio la voz de fuego al comenzar el tiroteo.

Masferrer en sus declaraciones a la Policía acusó también, como participantes o inspiradores de la agresión a José de Jesús Jinjaume, Armando Correa, Fulgencio Cruz «el Ñato» y a Jesús González Cartas que habían celebrado una reunión en casa de Francisco Serio «Paco Serio» donde acordaron darle muerte. Poco después Francisco Serio se presentaba a la Policía para negar las afirmaciones de Masferrer.

Tras las acusaciones de Masferrer la Policía detuvo a Eva Gutiérrez cuando salía de un acto conmemorativo de la muerte del comandante Emilio Tró, que se efectuaba en el teatro La Comedia. Eva negó haber intervenido en el hecho. Fue arrestado también Raúl González Jerez. La prueba de la parafina practicada por Díaz Padrón dio positiva en José Rodríguez Cremet y Eva Gutiérrez, y negativa en Raúl González Jerez, consideraron los expertos del laboratorio de Química que por las huellas de pólvora encontradas en las manos de Eva podrían considerarse que no disparó sino que se encontraba próxima a las personas que sí lo hicieron. Sólo quedaron detenidos, como presuntos autores, González Jerez y Rodríguez Cremet. En libertad Eva Gutiérrez, Francisco Serio y Fulgencio Cruz.

Murió su chofer, José A. Varona, quedando herido dos de sus acompañantes. De esta agresión Masferrer acusó a los principales jefes de la UIR y, en particular, a Rafael del Pino y Fidel Castro, de ser los autores.

Para evadir a la justicia, del Pino viajó a los Estados Unidos de donde no volvería hasta muchos años después «y casi perder la vida a manos del régimen comunista[341]». Castro presentó una coartada que lo situó lejos del lugar del atentado.

En la noche de la agresión a Masferrer, los miembros de la UIR, organización fundada por Emilio Tró, conmemoraban la muerte de éste ocurrida en los sucesos de Orfila.

En julio de 1948, Masferrer había sido agredido en las cercanías de su propia casa, en 12 y 17, en El Vedado. De aquella agresión culpó Masferrer a Fidel Castro, Justo Fuentes, Armando Gali Menéndez y Rafael del Pino: *«Las ratas de la UIR se dieron a la fuga precipitadamente»* declaró en aquella ocasión Masferrer. Uno no huyó muy lejos: Fidel Castro quien se escondió en casa de Lidia, su media hermana, en la calle 21 entre 16 y 18. Allá lo fue a ver Osvaldo Soto, su compañero universitario, a quien le negó su participación en el atentado pero admitiendo que estaba temeroso porque Masferrer estaba convencido que había sido él[342].

A los pocos días están Osvaldo Soto y Fidel Castro en la Universidad, cerca del Decanato, cuando otro alumno comenta *«Por ahí viene Masferrer»*. Al oírlo *«Fidel se evaporó. Ni supe dónde se metió»*, comentó Osvaldo Soto en una de sus entrevistas con el autor.

Situación similar se había presentado una mañana en que por la calle J, junto a las cadenas que separan la calle de la universidad, Fidel Castro estaba conversando con su buen amigo José Salazar, Presidente de la Escuela de Arquitectura. Ven llegar, en dos carros, cerca de 10 hombres. Reconocen a uno de ellos, vestido con el uniforme del temible SIM, Kike Masferrer, hermano de y, para Fidel, aún más temible, Rolando. Fidel huye y llega un sargento de la Policía Universitaria, quien se dirige a Kike diciéndole: *«No vayas a agredir a Salazar que es de la FEU, porque me vas a crear a tí y a mí un problema muy serio»*.

---

[341] José Duarte Oropesa: «Historiología Cubana» Tomo III.

[342] Osvaldo Soto en entrevista con Enrique Ros.

Días después, el 20, cuando Masferrer se entrevistaba con Eustaquio Soto Carmenatti, cerca de la casa en Ayestarán, para conocer *«el curso de las investigaciones que éste venía realizando sobre la muerte del sargento universitario Oscar Fernández Caral*[343]*»,* fue objeto de otra agresión, de la que aparecían responsables Jesús Diéguez y Guillermo García Riestra (Billiken). El más reciente atentado contra Masferrer se había realizado en noviembre de 1948 cuando Rafael del Pino trató de entrar en el Capitolio sin entregar sus armas produciéndose un tiroteo; Masferrer consideró responsable de éste a González Cartas y a Cape Braganillo y, por supuesto, a del Pino.

Para octubre ya había salido Caramés y ocupaba su posición el general Quirino Uría. La primera medida de Uría fue militarizar la policía.

Antes de renunciar, el ya coronel José Manuel Caramés ordenó la presencia de sus jefes subalternos y, en presencia de ellos, acusó a Miguel Suárez Fernández, Rolando Masferrer y Caíñas Milanés por haberse negado el Congreso en cuatro ocasiones a admitir el suplicatorio contra Rolando Masferrer.

Caramés, indignado, manifestaba que en esos días Miguelito Suárez Fernández le había facilitado a Pepe de Jesús Ginjaume su huída a Nueva York. En la discusión con sus subalternos salió a relucir la muerte de Regueiro y Massó, los jóvenes dirigentes del Instituto No. 1 de La Habana, asesinados en el Laguito.

Sin relación alguna con estos hechos se producen otros acontecimientos en la Colina.

En octubre (1949) Orlando Bosch sigue preso. Los estudiantes de Medicina, de cuya escuela es presidente, realizan continuos actos de protesta y amenazan con tomar el edificio de la Escuela.

De la difícil situación creada en la Universidad Nacional, su Rector y el Consejo Universitario responsabilizaban a los estudiantes y, en particular, «a los cuatro amigos de Bosch». *Bohemia,* octubre de 1949.

---

[343] Sección de Cuba, revista *Bohemia*, octubre 23, 1949. La muerte de Fernández Caral se había producido el 10 de junio de 1948.

Posición diametralmente opuesta asume el estudiante de Medicina Humberto Castelló que culpaba de esa crisis *«a la debilidad del Rector y del Consejo que son los que tienen facultades para resolverlo».*

CAPÍTULO XIII

LA FEU Y PRO-DIGNIDAD ESTUDIANTIL

SURGE PRO-DIGNIDAD ESTUDIANTIL

La acelerada descomposición de la FEU dio origen a otro movimiento –de composición e ideas diametralmente opuestas al izquierdista «Comité 30 de Septiembre»–, e integrado por estudiantes predominantemente católicos.

Eran, pues, ahora, tres grupos que aspiraban, cada uno, a dirigir la grey estudiantil: La FEU, el Comité 30 de Septiembre[344] y el recién formado Pro-Dignidad Estudiantil.

Pro-Dignidad Estudiantil[345] expresaba en el manifiesto en que daba a conocer su constitución que no era la Universidad el lugar idóneo para dirimir temas políticos. Así lo aclaraba uno de sus párrafos:

«Creemos que el estudiante debe, por obligación de ciudadano, adentrarse en la política del país, pero entendemos que no es la Universidad la palestra adecuada para tales actividades».

Frente a este apoliticismo se enfrentó de inmediato el «Comité 30 de Septiembre»:

«Rechazamos la idea de que los estudiantes deben cruzarse de brazos, soslayar sus responsabilidades como ciudadanos y virar la espalda a los grandes problemas que afectan a la nación y al pueblo porque sería traicionar la memoria de Mella y de Trejo».

---

[344] Al Comité 30 de Septiembre pertenecieron, entre otros, Mario García Incháustegui, Lester Rodríguez, Jorge García Valls, Antonio Díaz y otros (Baudilio Castellanos en declaraciones a Mario Mencía: «Fidel Castro en el Bogotazo»; Revista *Bohemia*, abril 1978).

[345] «Pro-Dignidad se fundó con el propósito de luchar, como decía el manifiesto que redactamos, contra el gangsterismo y contra la politiquería en la Universidad». José Ignacio Rasco al autor, agosto 9, 2002.

La FEU, organismo que tanto prestigio había antes alcanzado, se enfrentaba ahora a una verdadera crisis. La raquítica concentración que celebró en la Colina un nuevo aniversario del 30 de Septiembre mostraba el gravísimo debilitamiento de la más alta representación del estudiantado universitario.

A los tres grupos antes mencionados se agregaba uno más: el *«Comité de Lucha 20 de Septiembre»,* fecha en la que fue asesinado Gustavo Mejía.

Este nuevo grupo atacaba por igual a la FEU, a Pro-Dignidad Estudiantil y al Consejo Universitario. Los miembros de este nuevo Comité de Lucha 20 de Septiembre provenían principalmente de la Escuela de Ciencias Sociales y Derecho Público a la que había pertenecido Mejía; mientras que el Comité 30 de Septiembre contaba con los presidentes de cinco facultades: Bilito Castellanos, de Derecho; Eloína Hernández, de Ciencias; Guillermo Bermello, de Ciencias Comerciales; Lionel Soto, de Filosofía; y Benavides, de Odontología. Los de Pro-Dignidad sólo contaban con José Roig, presidente de Farmacia.

POSICIÓN DE LA FEU Y DE «PRO-DIGNIDAD ESTUDIANTIL»

La violenta muerte de Gustavo Mejía en el balneario universitario que llevaría luego su nombre, forzó al Consejo Universitario a discutir y aprobar, en forma unilateral, medidas que afectaban la política estudiantil[346].

El estudiantado reaccionó contra la aplicación de aquellas normas en cuya elaboración no habían tenido participación alguna

Dos grupos, separadamente, impugnaron tales medidas: La FEU y «Pro-Dignidad Estudiantil», el nuevo movimiento que entraba en la palestra pública afirmando que *«el problema principal de la crisis universitaria es, ante todo, moral, y atañe tanto a profesores como a alumnos».*

Cuatro puntos esenciales esgrimía la novel institución:

---

[346] *Bohemia,* Noviembre 6, 1949. Gustavo Mejía es asesinado el 20 de octubre de 1949.

Primer Punto: «*Lo que urge en la Universidad, como en todas partes, es recobrar el sentido del deber, y ajustarse a él*».

Segundo: «*El profesor que no cumple y el alumno que no estudia deben ser expulsados. Condenamos el parasitismo intelectual*».

Tercero: «*La Cátedra no debe ser tribuna política, ni servir de pábulo para avivar rencores o despertar odios... en todo caso, el alumno tendrá derecho a refutar las opiniones del profesor si lo hace en forma respetuosa*».

Cuarto: «*El profesor que no es puntual roba el tiempo al alumno y merece su vituperio. En toda clase debe fijarse un libro de texto que sirva de pauta. El actual sistema de copias y conferencias...constituye un bochorno cultural*[347]».

Criterio que impugna Enrique Ovares quien, en aquel momento, preside la más alta organización estudiantil:

«*Pro-Dignidad no surge porque hubiera gangsterismo o porque hubiera que adecentar la Universidad. Pro-Dignidad surge porque Rubio Padilla, que es Ministro de Salubridad y Ángel Fernández Varela comienzan a estudiar la posibilidad de controlar el movimiento estudiantil con la cosa católica, porque ésta ha fallado con Ruiz Leiro. Entonces tienen que atacar a la Universidad y la forma de hacerlo es decir que nuestro más alto centro docente está lleno de malos estudiantes, de individuos que se eternizan en la Colina. Cosa que en parte es verdad, pero, en parte, es mentira*», expresa Enrique Ovares.

FIDEL NO FORMA PARTE DE «PRO-DIGNIDAD ESTUDIANTIL»

Dice José Ignacio Rasco –quien la presidió– que Fidel no participó en Pro-Dignidad Estudiantil aunque respetaba al movimiento. «*Inclu-*

---

[347] A estos puntos se refirio Jorge Mañach en su artículo «Sobre las Reformas Universitarias» publicado en la revista *Bohemia* en noviembre de 1949.

so, quiso pactar con nosotros y aparecieron algunas «hojitas sueltas» que lo ligaban a Pro-Dignidad Estudiantil[348]*».*

«En una de las muchas conversaciones que tuvimos en la Plaza Cadenas en 1948, el año fuerte de Pro-Dignidad, Fidel empezó a hablar y me dice: Chico, por qué tú no vas a Carlos Tercero y asistes a uno de los cursos que allí se dan. Yo acabo de tomar uno sobre Lenín y, otro sobre Hegel. Esos cursos son un fenómeno!».

Recuerdo que a continuación de esa frase comienza a recitarme, de memoria, párrafos enteros de esas obras. Fidel con frecuencia citaba párrafos enteros de «El Capital», obra de la que se habla mucho pero que nadie lee. Castro se sabía de memoria el «Qué Hacer» de Lenín; los discursos de Primo de Rivera y el «Mein Kamp» de Adolfo Hitler».

Según Rasco, Fidel tenía sus ideas comunistas bien concebidas en aquella época. *«Un día me invitó a visitar una casa, creo que estaba en la calle Lealtad en el tercer piso. Allí estaba Alfredito Guevara».*

Días después invita a Rasco a ir a las oficinas de la FEU y le muestra infinidad de libros marxistas diciéndole:

«Éstos los mandamos a Latinoamérica. Utilizamos la franquicia universitaria de la FEU».

«Estábamos en el tercer año de la carrera y se lo conté a la gente de Pro-Dignidad e hicimos una «barrabasada». Entramos una noche en aquellas oficinas de la FEU donde estaban los libros y la literatura comunista que aquel grupo, desde allí, enviaba a Latinoamérica. Los tiramos para afuera y los quemamos allí mismo. Vino la policía universitaria y nos sacó. Por cosas como éstas yo estaba convencido que Fidel era comunista; era marxista-leninista» afirma Rasco, en extensa conversación con el autor.

El presidente de Pro-Dignidad considera que en la órbita fidelista se encontraban Benito Besada; Luis Mas Martín, Walterio Carbonell, Núñez Jiménez, Álvarez Ríos, Lionel Soto...también, Flavio Bravo.

---

[348] Conversación de José Ignacio Rasco con Enrique Ros, marzo 27, 2002.

Con censurable distorsión de los hechos históricos Flavio Bravo, dirigente marxista universitario de la década de los 40, denunciaba en un escrito de noviembre de 1949 *«el apoyo a las actividades gangsteriles por parte de los gobiernos Auténticos cuyos propósitos eran utilizados «por el gobierno y la reacción para desatar una intensa campaña difamatoria» contra la universidad».*

Afirmaba el conocido dirigente marxista que entre los propósitos perseguidos por *«el presidente Prío, la reacción clerical y la prensa sometida se encontraba el de desprestigiar al estudiantado universitario ante las masas populares al objeto de restar eco a su justa posición de lucha contra los desmanes del gobierno y el imperialismo opresor».*

Va más allá el conocido militante al afirmar que otro de los propósitos era el de *«facilitar la creación de universidades privadas, de carácter clerical falangista como la de Villanueva y, llevando al máximo su torcida versión afirma que otro de los propósitos de aquellos gobiernos era «restringir aún más la matrícula gratis y la entrada de jóvenes pobres en la Universidad convirtiéndola en un centro aún más exclusivo y alejado del pueblo*[349]*».*

EL POR QUÉ DE LA PUGNA ELECTORAL EN LA COLINA

El artículo 10 del nuevo reglamento[350] presentado por el Consejo Universitario, exigía para ocupar cargos en el ejecutivo de la Federación Estudiantil Universitaria los siguientes requisitos:

- Estar matriculado oficialmente en todas las asignaturas del curso.
- Tener aprobadas todas las asignaturas del curso o cursos anteriores.
- Que el curso en que estuviera matriculado el aspirante fuese cronológicamente aquel que le corresponde conforme a su fecha de ingreso en la escuela de la que es alumno.

---

[349] Eduardo Torres-Cuevas: «La Federación Estudiantil Universitaria de la Reforma a la Revolución». Unidad de Producción Número Uno, Empresa de Producción y Servicio del Ministerio de Educación Superior. Habana, Cuba.

[350] De «reglamento cepo» calificaban algunos líderes de la FEU las nuevas normas propuestas por Ángel Vieta, decano de Medicina.

Moral y académicamente parecían correctos y atinados los tres puntos del artículo 10 pero muchos dirigentes universitarios culpaban no a los estudiantes sino al propio Consejo Universitario. Aducían que «el Consejo Universitario como organismo y la mayoría de sus componentes» eran «los máximos responsables de los vicios entronizados en el Alma Mater».

Un estudiante de Derecho[351] denunciaba que el gangsterismo fue permitido, auspiciado y hasta utilizado por uno u otro bando de profesores, con la complacencia del Consejo Universitario hasta el punto de que pistoleros de uno u otro grupo estuvieron a punto de dirimir a tiros la última elección rectoral».

Ofrecía Baudilio otros argumentos:

«En Agronomía, su Decano Francisco Navarro introducía los pandilleros en las reuniones del Claustro, les permitía intervenir en las mismas y vivir en locales de su Escuela».

Y apuntaba hacia otros profesores, como Zaydin, Fernández Camus y Portuondo *«que actúan bajo las órdenes del presidente Prío».*

Otros dirigentes aportaron cargos adicionales a Decanos y profesores. Jorge Redondo, de Ingeniería, afirmaba que el Decano Gustavo Sterling el día de la manifestación de Pro-Dignidad suspendió las clases para facilitarles a los estudiantes sumarse a los manifestantes. Lo mismo que hizo el Decano Capote, de Farmacia.

El divisionista banderín racial surge en los labios del marxista Francisco Benavides, presidente de la Escuela de Odontología, al exponer que a Coro *«el decano de mi facultad, se le ha oído decir que ni a los negros ni a los pobres se les debía permitir la entrada en la Universidad».*

En la reunión de la FEU celebrada el lunes 21, se mantuvieron los dos acuerdos propuestos: Pedir la renuncia del Consejo en pleno y tomar las escuelas.

La ocupación de armas en la Quinta de los Molinos, recinto perteneciente a la Escuela de Agronomía, representó una vergonzosa mancha para el prestigio universitario.

---

[351] Baudilio Castellanos. Revista *Bohemia*, noviembre 27, 1949.

UNIVERSITARIOS CUBANOS
De izquierda a derecha Enrique Ros (Ciencias Comerciales); Alfredo Esquivel (Derecho); José Ignacio Rasco (Derecho y Filosofía) y Enrique Ovares (Arquitectura). (Foto, 2002).

Se acercaban las elecciones para elegir a los delegados de curso y a los presidentes de escuelas quienes, éstos, a su vez, elegirían la nueva dirección de la Federación Estudiantil Universitaria.

Baudilio Castellanos dirigía el Comité 30 de Septiembre integrado por «jóvenes comunistas, ortodoxos, católicos de izquierda y estudiantes independientes (Fidel Castro era uno de los miembros)[352]».

Las elecciones estaban señaladas para celebrarse el 25 de noviembre de 1949 pero, ante los últimos violentos acontecimientos, el Consejo acordó suspenderlas, y fijarlas para el sábado 10 de diciembre. Tampoco pudieron celebrarse en esas fechas por el violento enfrentamiento entre los dos grandes grupos de estudiantes (la FEU y PRO-DIGNIDAD). Veamos los hechos.

---

[352] Raúl Aguiar Rodríguez. «El Bonchismo y el Gangsterismo en Cuba».

ELECCIONES Y PUÑOS EN LA UNIVERSIDAD

Se plantean criterios divergentes entre los dirigentes de Pro-Dignidad y otros líderes que aunque ideológicamente se sentían cerca de ella no formaban necesariamente, parte de su membresía.

«Cuando vienen las elecciones, el grupo de Osvaldo Soto nos retiramos porque considerábamos que no habían garantías y así lo informamos al Consejo[353]».

Pro-Dignidad insistió en concurrir.

Para aquel 10 de diciembre se han convocado las elecciones universitarias.

Se había realizado, días antes, una manifestación en la Plaza Cadenas, organizada por los miembros de Pro-Dignidad. Estaba Rasco haciendo el resumen del acto cuando Benito Besada le arrebata el micrófono[354] y con un grupo desconectan, a empujones, los cables. El mitin se quedó sin voz. Los de Pro-Dignidad habían desfilado con cartelones y lo que había comenzado pacíficamente concluyó en una bronca callejera.

Los de Pro-Dignidad se dirigieron al Rectorado a protestar. Se enfrentaron con el Rector Inclán *«que era muy débil, y nos garantizó que las elecciones se iban a celebrar[355]».*

Recuerda Pepito Sánchez-Boudy, que formaba parte del grupo de Pro-Dignidad:

«El día que celebraron las elecciones[356] la FEU tomó la Escuela de Comercio y Pro-Dignidad Estudiantil se reunió, en la calle 27 de Noviembre (Jovellar), debajo de donde está la Librería Universitaria. Se concentró una muchedumbre y empezamos a caminar por 27 de Noviembre hacia la entrada, frente al Hospital Calixto García. Allí nos intercepta la FEU».

---

353 Luis Figueroa, entrevista con el autor.

354 Jorge Besada, hermano de Benito, relata al autor que el incidente terminó en un pleito a puñetazos entre Rasco y Benito.

355 José Ignacio Rasco al autor.

356 Sábado, 10 de diciembre, 1949.

«Algunos profesores (Vieta, el Decano; y Julito Morales Gómez, muy católico (que murió en Cuba) y luego se hizo sacerdote, respaldaban el movimiento que se había gestado en la Agrupación Católica Universitaria y que tuvo un gran auge. Rasco era el que dirigía Pro-Dignidad Estudiantil».

«En los días anteriores, cuando se organizaban las elecciones, con frecuencia Rasco iba al Consejo Universitario y un día nos dijo que el Consejo Universitario se comprometía a mantener las elecciones. Entonces pensamos: Vamos a ganarlas porque tenemos la mayoría del estudiantado».

Pero esa noche la FEU toma todas las Escuelas.

El Decano de Ingeniería Gustavo Sterling alentaba a los jóvenes de Pro-Dignidad a participar en unas elecciones que difícilmente podían realizarse en aquella situación de violencia.

Continúa narrando Sánchez Boudy:

«De todas maneras, como el Consejo Universitario no suspende las elecciones éstas se van a celebrar aunque no nos den protección y el Rector no llame a la Policía Universitaria. Nos reunimos todos frente a la Escalinata, subimos por 27 de Noviembre(que se convierte en la calle Jovellar) para entrar por detrás.

A la mitad de la calle nos intercepta la FEU. Empezamos a darnos piñazos y continuamos subiendo, pero Rasco no aparece ni tampoco Valentín Arenas. Siguen los piñazos y, cuando irrumpimos dentro de la Universidad se forma un tiroteo».

«Díaz Baldoquín y Venereo[357] *indecisos, no actúan. A golpes, llegamos a la Escuela de Derecho. Cuando entramos allí, la FEU saca las armas y empieza a disolverse el grupo porque la FEU iba a disparar.*

[357] Evaristo Venereo, siendo Policía Universitario tuvo un serio incidente con Fidel. Pasan los años y Venereo se incorpora a la lucha en la Sierra Maestra, junto con Pedro Miret recién llegado de México. Poco después Fidel acusa a Evaristo Venereo de espía quien, en la propia Sierra Maestra, es fusilado.

Tomamos nosotros las escuelas pero no hubo elecciones. Suspenden las elecciones y, una semana después, se aparecen Rasco y Valentín Arenas».

Rasco ofrece una distinta versión:

«Allí estábamos bien temprano. Hubo golpes de todos los colores. Hirieron en una pierna a quien conocíamos como «Juan sin Miedo». De allí nos fuimos a casa de Valentín Arenas desde donde monitoreábamos la situación. Cuando llegamos otra vez, la policía había entrado y ya se había disuelto la cosa. Por eso algunos me criticaron que yo no hubiera estado allí.

Mi ausencia, temporalmente breve, se debió sencillamente a que los distintos grupos que estábamos allí nos fuimos a considerar la situación y nos metimos en casa de Valentín Arenas. Estábamos asesorados por Rubio Padilla y decidimos que debíamos esperar el momento oportuno porque no era cosa de irse allí donde entraban muchos gángsters. Habíamos dado la orden de que nadie fuera pero un grupo se lanzó y se formó la trifulca».

«Luego de la bronca por la elección de la FEU hubo una inactividad total. Los estudiantes estaban hartos de las huelgas y los «mitines».

«Después nosotros nos graduamos y todo quedó moribundo».

Veamos la versión de otros de los participantes en este encuentro campal. Nos dice Héctor Lamar:

«Nosotros, los que respaldábamos a la FEU, teníamos un grupito muy pequeño de jugadores de football que yo llevé. No llegaban ni a quince, y nos pusimos en la entrada por «27 de Noviembre» por donde venían ellos (los de Pro-Dignidad) y les dimos una entrada de piñazos del diablo. Hay una foto en que aparece «Juan sin Miedo» con la nariz sangrando, y un policía detrás de mí disparando». «Los remeros que habían traído los de Pro-Dignidad, no se metieron en la pelea».

Y concluye Lamar:

«Ahí se acabó el Movimiento Pro-Dignidad».

Otra versión ofrece Besada:

«Cuando los de la Agrupación Católica se lanzaron en una manifestación con letreros y banderolas, mi hermano Benito arrancó varias de ellas y se vió envuelto en una pelea con Rasco».

Hasta el católico y conservador «Diario de la Marina» ignoró los meritorios esfuerzos de los estudiantes de Pro-Dignidad Estudiantil. Ni una simple nota recogió el centenario periódico sobre el violento enfrentamiento de estos jóvenes con los más aguerridos estudiantes que respondían a la FEU.

El periódico que se suponía vocero y heraldo de los jóvenes que, con sus puños, se batían en la Colina le prestaba más atención al triunfo de Kid Gavilán sobre el campeón español, el moro Ben Buker, y, comprensiblemente, al entusiasta recibimiento dispensado en Nueva York al presidente Carlos Prío, *«gran opositor del totalitarismo que realizaba un viaje 'de buena voluntad'».*

La batalla que, a los puños, Pro-Dignidad perdió en el Alma Mater, la ganó con el respaldo moral de los estudiantes que deseaban continuar sus estudios y terminar sus carreras.

SUSPENDEN ACTIVIDADES DE LA FEU

Habían transcurrido varios meses de tranquilidad en el Alma Mater, luego de los violentos hechos de enero, cuando suspendidas temporalmente las funciones de la FEU, la policía universitaria interrumpió una reunión que Lionel Soto y Alfredo Guevara sostenían en el local de la organización estudiantil con una delegación de obreros que pedían la solidaridad de los estudiantes universitarios a las demandas que planteaban contra la mecanización de la industria fosforera.

La orden la había emitido, muy a pesar de su propia voluntad, el Rector Inclán por la intensa presión de distintos profesores que, encabezados por Martínez Azcue, Decano de la Facultad de Odontología, consideraban muy débil la actitud que había mantenido el rector hacia los dirigentes de la FEU. Cediendo finalmente, a dicha presión el miércoles 16 de febrero (1950) el Rector procedió a la clausura del local que aún mantenía la FEU.

La FEU –más bien, sectores de la misma– circularon un manifiesto llamando al estudiantado *«a luchar contra el asalto y clausura del local de la FEU»* y tildando al Rector y demás profesores de mantener una actitud antidemocrática y perseguir *«por la violencia y el terror, la destrucción sistemática de las organizaciones estudiantiles»*. De las 13 Escuelas aparecían como firmantes del manifiesto Lionel Soto por Filosofía y Letras y Baudilio Castellanos por la Escuela de Derecho. Ausentes estaban las firmas de Enrique Ovares y de los demás miembros del alto organismo estudiantil.

El manifiesto, carente de respaldo en la Colina, tuvo el apoyo, inesperado pero belicoso de estudiantes de los institutos, muchos de ellos del Número Uno de La Habana, que ya mantenían una lucha prolongada con el Ministro de Educación. Se produjeron algunas minúsculas reyertas que provocaron que Lionel Soto fuese sometido a un juicio disciplinario.

En tono dramático Fidel Castro, que durante todos los meses anteriores había permanecido alejado de las actividades universitarias, salió, en las oficinas del Rector Inclán, en defensa del estudiante enjuiciado. A su aspiración a la Cámara de Representantes que estaba materializando, le venía muy bien a Castro que su nombre volviese a aparecer en la prensa. No se le escapaba tal propósito al profesor Massip quien, al referirse al enjuiciado Soto, expresó:

> *«Este muchacho Soto trata de levantar su cartel electoral. Ustedes saben que es candidato a representante por los comunistas. Yo sería partidario de que lo juzgaran después del primero de junio (fecha de las elecciones); si lo condenáramos antes de esa fecha se convertiría en un mártir que es lo que él quiere».*

Las palabras del profesor Massip sobre Lionel Soto se aplicaban, perfectamente, a Fidel Castro que mantenía igual aspiración por el Partido Ortodoxo.

> *«Cuando fracasa el Movimiento Pro-Dignidad Estudiantil* –comenta Sánchez Boudy –, *la ACU (Agrupación Católica Universitaria) empieza, subrepticiamente a tomar la Universi-*

dad. Por ejemplo, cuando se abren las Cátedras de Derecho colocan allí, bajo la influencia de Julio Morales Gómez, al chiquitico que está aquí, Beltrán Varela; a Fernandito Freyre de Andrade; a Rogelito de la Torre; a Valdespino, y así empiezan a introducirse lentamente en la Universidad hasta que llega Fidel».

Concluye Sánchez Boudy:

«Fidel utiliza esta lucha Pro-Dignidad y todo lo demás para quitarse de arriba la mácula del gangsterismo».

OVARES: «EL GANGSTERISMO LO HA FOMENTADO EL GOBIERNO»

Conceptos similares expresa otro alto dirigente estudiantil:

El gobierno Auténtico persigue –afirma Ovares, entonces presidente de la FEU– un propósito similar: *«El gangsterismo lo ha fomentado el gobierno. El primero que se ha dedicado a echar a pelear a los gángsters es Grau, porque cuando él nombra a Emilio Tró como Director de la Academia de la Policía para que vaya a tomar posesión en la azotea del edificio de Mario Salabarría lo que está diciendo es 'lo que yo quiero es que se maten todos'».*

Es enfático Ovares en su emotiva defensa del prestigio del Alma Mater.

No es ésta una firme posición de crítica al gobierno que recién esgrime el respetado dirigente universitario. En 1948, tras el asesinato de Justo Fuentes, Vicepresidente de la FEU, cuando Carlos Prío inició su período, Ovares apuntaba su dedo acusador:

«El gangsterismo, protegido por las autoridades para romper las organizaciones públicas que le estorban, ha formado tal auge, que la sociedad contempla alarmada el plano de inseguridad en que hemos caído por la complicidad y la fría actuación del gobierno en cada crimen o acto vandálico que se produce[358]».

---

[358] Revista *Bohemia*, abril 24, 1949.

Es enérgico, incisivo, nuevamente en 1949, el presidente de la FEU en su crítica:

«Parece como si todo fuera un plan oficial para implantar el terror».

Su Alma Mater tiene para el entonces Presidente de la FEU una más elevada misión:

«La Universidad tiene responsables deberes que cumplir en esta hora democrática. Un centro de educación, de formación y conservación de la cultura de un pueblo, no puede silenciar o soslayar la necesidad de investigar las causas del pistolerismo y ofrecer las soluciones adecuadas... ya que la autoridad del gobierno se resquebraja o se pone al servicio del crimen y de sus personeros».

No ha variado, con los años, la firme defensa de Ovares a la institución que él dirigió:

«El gangsterismo lo fomenta el gobierno y, después, lo aúpa ofreciéndoles altas posiciones a ciertos individuos de distintas organizaciones y ésos cuando ven que la Universidad tiene para ellos un valor importante empiezan a introducirse[359]».

El gangsterismo no fue un mal creado por la Universidad. «*Fue un mal* –repite con vehemencia Ovares– *que heredamos del gobierno*».

«En un principio el gobierno Auténtico no carga con esa culpa. Como la Universidad está coincidiendo con la administración Auténtica no recibe ataques, pero cuando el gobierno ve que los líderes universitarios comienzan a atacarlo tratan, entonces, de echarle a la Universidad la culpa del gangsterismo. Yo, personalmente, me ví envuelto en polémicas con Aureliano (Sánchez Arango) y otras figuras».

---

[359] Entrevista de Enrique Ros con Enrique Ovares.

Termina el tercer período de Ovares[360] y llegaron caras nuevas a la más alta organización estudiantil de la Colina.

En artículo publicado en *Diario Las Américas*[361] Alberto Muller hace amplia referencia a las razones morales que originaron la constitución de Pro-Dignidad Estudiantil.

Al artículo de Muller responde Ovares con cierta aspereza en una de sus varias conversaciones con Ros:

> *«Muller ha leído –porque él no tenía edad para participar en aquel proceso– que Pro-Dignidad Estudiantil era un movimiento concebido para adecentar la Universidad. No es cierto. A la Universidad no había que adecentarla, sino buscar la manera de sacar adelante la constituyente y tratar de eliminar a esos que se pasaban años y años como «estudiantes» sin terminar sus carreras y buscar un sistema por el que los presidentes de las Escuelas y de la FEU fuesen electos por voto directo».*

Luis Figueroa, que ingresó en la Escuela de Derecho en 1946, un año después de Fidel, miembro, como éste de la Agrupación Católica Universitaria, y delegado en distintos años de Derecho Romano y Derecho Fiscal, expone una válida razón para explicar el tranquilo regreso de los estudiantes a las aulas universitarias.

> *«Durante los años anteriores los líderes universitarios se ocupaban, primordialmente, de los problemas de la FEU, pero abandonaron las aulas. Entonces los que asistíamos a clases todos los días fuimos ganando posiciones de delegados de asignaturas. Esto se debió, principalmente a una reforma que*

---

[360] Enrique Ovares es electo tres veces presidente de la FEU. La primera, por unanimidad, como candidato de transición entre Isaac Araña y Humberto Ruiz Leiro; la segunda frente a la candidatura de Bilito Castellanos que llevaba a Fidel Castro como Secretario de Organización y la tercera, cuando, por la alteración de orden que se produjo en el violento encuentro con los estudiantes de Pro-Dignidad Estudiantil, fue prorrogado el mandado de los que, en aquel momento, integraban la FEU.

Triunfó, además, en las elecciones de la Asamblea Constituyente Universitaria planeada por Ruiz Leiro y Fidel Castro.

[361] Verano, 2002.

se llamó el «Plan Camus» que le concedía al estudiantado durante el año, puntos por las pruebas que se añadían a la nota del examen final. Esto motivó a más estudiantes a concurrir a clases. Ahora era importante elegir delegados que se preocupasen en presentar al claustro fecharios adecuados para los exámenes» y otros temas de interés para los alumnos[362].

CLAUSURA DE ESCUELAS DE ENSEÑANZA SECUNDARIA

A los problemas creados por los conflictos de los institutos oficiales de segunda enseñanza con el Ministerio de Educación se unía, ahora, la decisión del Consejo de Ministros de suspender el funcionamiento de los planteles secundarios existentes en la república, con carácter semioficial, regidos por patronatos.

Quedaban afectados distintas ciudades donde estos centros impartían enseñanza.

En todos los pueblos de la costa norte de Oriente –Banes, Gibara, Antilla, Puerto Padre y otros– se organizaron comités de lucha formados por las más diversas instituciones, con el fin de clamar contra la anunciada clausura de las Escuelas del Hogar de Banes y Palma Soriano y la Normal de Holguín[363].

No se limitó a esas ciudades la protesta que se extendió a Manzanillo y a Guantánamo y llegó a las provincias de Las Villas y Camagüey en las que estaban afectadas las ciudades de Sancti Spiritu y Ciego de Ávila. A estos serios problemas tuvo que enfrentarse, en rápidos y frecuentes viajes al interior del país, el Ministro de Educación Aureliano Sánchez Arango. De regreso de uno de ellos hizo escala, inesperada y sorpresivamente, en la Universidad de La Habana donde debatió con dirigentes de la FEU. A ese incidente nos referimos en el Capítulo XI.

---

[362] Luis Figueroa, entrevista con Enrique Ros, septiembre 25, 2002.

[363] Revista *Bohemia*, mayo 7, 1950.

MUERE ALEMÁN, EL «CORRUPTOR» DE LOS CORRUPTIBLES

En su lujosa residencia de la Avenida de Columbia y Avenida de La Paz, en La Habana, moría[364] el que había sido poderoso jerarca del BAGA y a quien tantos le rindieron pleitesía en su muy corta pero intensa y poderosa vida pública.

Hijo del general José Manuel Braulio Alemán, figura sobresaliente en nuestra Guerra de Independencia, que llegó a ser representante a la Asamblea de La Yaya, Secretario de la Guerra, Delegado a la Constitución de 1901; representante senador y gobernador por la Provincia de Las Villas; luego embajador en México y, más tarde, Secretario de Instrucción Pública y Bellas Artes ocupando cuyo cargo murió el 30 de enero de 1930.

Su hijo, José Manuel, tuvo una parecida carrera, pero sin el sentido de probidad que distinguió a su padre.

Ocupando distintas posiciones en el Archivo Nacional, el Museo Nacional, la Secretaría de Educación llegó a ser Jefe de Personal y Bienes, asumiendo, bajo el ministerio de Anaya Murillo el control de los distintos departamentos como Jefe de Presupuestos y Cuentas.

Afiliado al Partido Demócrata había participado en la derrotada campaña de Carlos Saladrigas. No obstante, tuvo José Manuel Alemán la habilidad de vincularse estrechamente con el presidente Grau San Martín y su inmediata familia, con cuyo respaldo fue designado, primero, Director General de la Enseñanza Tecnológica, sustituyendo el nombre del Instituto Cívico Militar, creado por Batista, por el de Centro Superior Politécnico.

Al constituirse el BAGA (Bloque Alemán-Grau Alsina) con vista a las próximas elecciones, tanto las figuras políticas como los grupos revolucionarios comenzaron a ejercer presión sobre el poderoso funcionario y recibir prebendas de éste.

Sintiéndose afectada en sus intereses de grupo una muy nutrida y representativa comisión de «revolucionarios» visitó, en el Palacio Presidencial, al influyente Alemán exigiéndole que se le respetasen sus

---

[364] Marzo, 1950.

derechos. La Comisión la integraban Orlando León Lemus, Emilio Tró, Jesús Diéguez, Lauro Blanco, Enrique Sáenz, Evelio Torres y Francisco Villanueva, en representación de Acción Revolucionaria Guiteras (ARG), Joven Cuba, Alianza Revolucionaria y el ABC. Todos salieron satisfechos.

Desde su finca «América» Alemán ofreció respaldo y recursos a los organizadores de la expedición de Cayo Confites que le enajenó, temporalmente, la voluntad del jefe del ejército Genovevo Pérez Dámera.

En las elecciones de 1948, Alemán, en ese momento la figura más poderosa en la política cubana, logró fácilmente la nominación a un acta de senador por la provincia de La Habana, posición a la que resultó electo residiendo en Miami donde había adquirido extensas propiedades.

Meses después, con la inmunidad que le ofrecía el acta senatorial, regresó a la isla. Poco tiempo de vida le quedaba al ya multimillonario hombre público.

El viernes 24 de febrero de 1950 moría José Manuel Alemán a cuyo féretro se le rindieron honores en el Salón de los Pasos Perdidos del Capitolio Nacional.

CAPÍTULO XIV

REPLIEGUE COMUNISTA EN LA UNIVERSIDAD

La ciudadanía se sentía hastiada de la impunidad con que actuaban los grupos de acción que llenaban de sangre las calles de La Habana. Aquel rechazo popular facilitó al gobierno Auténtico aprobar la Ley contra el Gangsterismo que aumentaba las sanciones por portar armas siendo las penalidades aún más severas para aquellos que portaran armas automáticas.

Al rechazo moral a los irresponsables actos de los grupos de acción se unía el repudio de los estudiantes universitarios a los líderes que en la Colina respaldaban o se sometían a los que querían imponerse por el terror.

No sólo en el terreno de la opinión pública sino en los sectores obreros y profesionales los grupos comunistas que habían venido avanzando en estos campos iniciaron una retirada estratégica. Lo mismo sucedió en la Universidad Nacional. Alfredo Guevara salió de viaje por Europa y, al final, se quedó en Praga, sede del «Comité Mundial de la Juventud», donde permanecería durante un año. Lionel Soto fue a Hungría. Abelardo Atán y Jorge Risquet Valdés viajaron a la Unión Soviética[365].

LA DISOLUCIÓN DE LA FEU

Muy poco después de estos hechos se va a producir la disolución de la FEU.

En el período en que están suspendidas las actividades de la FEU se ha decretado una huelga en los institutos de Cárdenas y Matanzas. Hacia allá parten Enrique Huertas y Fidel Castro que ha terminado su

---

[365] Antonio Alonso Ávila. *Obra citada.*

carrera de Derecho pero se ha mantenido en la Escuela de Ciencias Sociales para continuar siendo un «dirigente universitario». Se celebra un mitin en el Teatro Sauto de Matanzas en el que habla Enrique Huertas. Fidel intenta tomar la palabra para hacer el resumen. Hubo protestas, pero habló[366].

FIDEL CASTRO SABE A QUIÉN ENFRENTARSE

Cuando el grupo de estudiantes sale del Teatro Sauto, en Matanzas, se dirigen hacia el parque para allí celebrar otro mitin. Falta apenas una cuadra para llegar al parque cuando los interrumpe un pelotón de la Policía comandado por un teniente quien les ordena detenerse. Fidel le pregunta al teniente: «¿Usted es cubano?». La respuesta: *«Sí, soy cubano!». «¿Cómo un cubano le va a impedir a otro cubano reunirse pacíficamente?. No tenemos intención de quebrar el orden».* El teniente comprendió la razón y los dejó marchar, recuerda Alles Soberón que se encontraba en el grupo.

Al otro día esa misma situación se presentó en La Habana, en Zapata y C, frente a la Novena Estación de Policía. *«Salió Cornelio Rojas con unos policías y nos ordena pararnos y no seguir. Fidel nada dice y nos pide a todos: Vamos de regreso a la universidad».*

Al llegar a la Plaza Cadenas yo le pregunto –recuerda Agustín Alles– «Fidel, ¿por qué no le dijiste a este oficial lo mismo que le dijiste al teniente en Matanzas?. Me responde: *«Porque éste es Cornelio Rojas y éste sí tira».*

Recuerda Sánchez Boudy que, después, es electo Enrique Huertas presidente de la FEU y «entra un buen elemento».

Otro dirigente estudiantil es más explícito pero más crítico.

Según el Chino Esquivel:

«Enriquito Huertas lo primero que hace es convocar a una reunión para eliminarnos a nosotros, a Aramís y a mí, porque él quiere controlar la FEU y tramitarse con Prío, porque

[366] Agustín Alles Soberón. Entrevista con el autor, agosto 6, 2002.

estaba aspirando, desesperadamente, a gobernador de Las Villas. Después viene lo de Meneíto[367]*».*

«Hasta ese momento las actividades en la lucha universitaria las manejábamos Aramís y yo porque éramos amigos; también lo éramos, de Ovares. Allí funcionábamos como Comités de Defensa: «Comité de Defensa contra el Aumento del Pasaje» y firmábamos Aramís Taboada, Alfredo Esquivel y Salvador Lew; Comité de Defensa contra «Tal Cosa» y los mismos tres firmábamos las declaraciones. Siempre contábamos con la autorización de Enrique Ovares y Alfredo Guevara.

Cuando llega a la presidencia Enriquito Huertas, lleva de Secretario General a Fernando Carrandi, el Cabezón; y otro que está entonces con él, pero luego se separa y le pide la cabeza: Agustín Alles».

«En la Escuela de Derecho tiene a Osvaldo Soto; en Arquitectura está Salazar. En aquel momento nosotros teníamos a Pardo y a Chibás y a otros y el control de la Ortodoxia; éramos los anti-Prío, y Huertas quería una FEU no necesariamente pro-Prío pero sí que quisiera tallar con el gobierno».

Hasta aquí el relato de Alfredo Esquivel.

No son muy convincentes estas afirmaciones, pues sus aspiraciones políticas Huertas las canaliza a través del Partido Ortodoxo, principal oponente del gobierno de Prío.

ELECCIONES EN EL ALMA MATER

Una nueva dirigencia estudiantil ha ganado las próximas elecciones y Enrique Huertas llegaba a la presidencia de la FEU.

Se había enfrentado Huertas a Osvaldo Soto, otro candidato de gran prestigio. Osvaldo –que cursaba simultáneamente las carreras de Derecho y de Ciencias Sociales– había sido vicepresidente de Gustavo Mejía en uno de los períodos en que éste ocupara la Presidencia de Ciencias Sociales.

---

[367] Entrevista de Alfredo (Chino) Esquivel con el autor.

En la Escuela de Derecho, Osvaldo Soto, que había sido delegado de asignaturas en todos los años de su carrera[368] llegó a alcanzar, por unanimidad la presidencia de su escuela en una contienda muy laboriosa. Contaba ya con los delegados de cuatro de los cinco cursos. Sólo le faltaba para la unanimidad que deseaba, el voto del curso del que era delegado Salvador Lew[369] y sub-delegado Armando Hart. En un encomiable gesto de unidad, Salvador –que no iba a votar– le pidió a Hart que votase por Soto. Por ese gesto de Salvador, Osvaldo obtuvo el quinto voto que le garantizaba la unanimidad en su elección.

Aquella fue la contienda para la presidencia de la Escuela de Derecho. Ahora Soto aspiraba a la presidencia de la FEU para cuya posición creía contar con seis de los siete votos necesarios. La otra candidatura la encabezaba el Presidente de la Escuela de Medicina, Enrique Huertas.

En busca del voto decisivo, Osvaldo convoca una reunión con Álvaro Barba, presidente de la Escuela de Agronomía, y Mauro Hernández, presidente de Farmacia. El primero, Barba, sería el vicepresidente de la FEU y Mauro el Secretario General.

Fidel, que conoce de la reunión, –a pesar de aparentar una identificación con Osvaldo Soto– se esfuerza en obstaculizar la aspiración de éste. A ese efecto se entrevista con el *guajiro* Barba manifestándole que Osvaldo *«cree tener una serie de votos pero realmente no los tiene»*. Pretendía así socavar la confianza que Barba había depositado en el presidente de Derecho.

Soto intensifica sus gestiones para alcanzar el necesario séptimo voto que sería el de Arquitectura, cuya escuela cuenta con seis cursos. Considera Osvaldo tenerlo asegurado porque los cuatro delegados de aquella escuela: Quino Peláez –que luego sería presidente de la FEU–; José Antonio Echeverría, que cursaba el primer año; el delegado del

---

[368] Delegado de Derecho Administrativo en el primer y segundo año; de Historia del Derecho, en el tercero; de Derecho Criminal, en el cuarto año y en el último fue delegado de Filosofía del Derecho, cátedra que ejercía Antonio Bustamante.

[369] Salvador Lew había ingresado en la universidad en 1947 junto con Armando Hart, Domingo Acosta, Gustavo García Montes, Miguel Oliveira, Fernando Flores Ibarra, Celestino Barroso, Humberto Febles y León Brunet.

segundo año y Enrique Cano, que ha sido electo presidente de Arquitectura, le han expresado su respaldo. Así recuerda Osvaldo Soto aquellas horas cruciales para la aspiración a la presidencia de la FEU a cuyo cargo aspira, también, Enrique Huertas.

Veamos la versión de Osvaldo en su búsqueda de aquel imprescindible séptimo voto:

«Enrique Cano para apoyarme sólo pone como condición que yo muestre mi total desvinculación con Fidel Castro, temeroso de que aquella amistad que se había iniciado, junto con Bilito Castellanos, en Acción Caribe, fuese más estrecha y comprometedora de lo que aparecía. Ofrecida, sin titubeo alguno, esa seguridad, Cano –ya presidente de Arquitectura– se comprometió a votar por mí para la presidencia de la FEU».

Pero vuelve a aparecer el maquiavelismo de Fidel en este cuadro.

Fidel, pretendiendo ignorar la inmensa desconfianza que Cano tenía hacia él, arregla un encuentro «casual» con Enrique Cano y le dice:

«Me alegra que tú te hayas comprometido con Osvaldo Soto, porque detrás de él estoy yo».

Con ese comentario perdió Osvaldo el imprescindible séptimo voto.

Veamos, ahora, la versión del otro contendiente: Enrique Huertas:

«La presidencia de la FEU se decidió por un voto. Estaba muy cerrada la elección. Estábamos 6 a 6 Soto y yo. Nos faltaba un voto y yo consideré que podía ser el de Arquitectura».

«Fuí a ver a la una de la madrugada a Enrique Cano. Él vivía, con sus padres, en la Calle Diecisiete en los altos. Al tocar en la puerta a esas horas sus padres me dijeron que no estaba pero me invitaron a pasar. Les hablé y me dijeron que su hijo decidiría por sí mismo pero me informaron lo siguiente: «Aquí estuvo Castro y habló con nosotros, pero después de nosotros oírlo a usted yo no tengo duda. Esta familia mía va a estar con usted, pero yo no sé que decidirá el hijo nuestro».

«Luego hablé con Enrique Cano y me confirmó que votaría por mi candidatura. Si es así, le dije, vente conmigo porque aquí va a haber hasta secuestros. Y nos fuimos los dos de su casa».

Recuerda Huertas con precisión los siguientes pasos que lo llevaron a la presidencia de la FEU:

«Los reuní a él y a los demás presidentes de escuelas y nos fuimos al pequeño hotel «Puerto Tierra», de donde salían las guaguas Santiago-Habana. Y al día siguiente, en dos o tres carros de amigos míos, nos fuimos a una finquita de Pipián –un pueblo pequeño cerca de Madruga–. Era la víspera de la elección».

«Al otro día llegamos temprano al Hospital Calixto García y nos fuimos al Rectorado. Eran las once de la mañana. Pedimos que se abriera la puerta. El recinto se llenó. Castro que ocupaba la vicepresidencia de Ciencias Sociales, llegó con Mirta, su esposa. Su propósito era quitarme a mí la presidencia y formar él parte del otro grupo y, luego, destituir al que resultara electo y lograr él la presidencia».

«Al entrar al Rectorado llegó Mongo Miyar. Trajo las boletas para votar. Llegó la votación 6 a 6. El Rector era el que sacaba la boleta, y Mongo Miyar la leía. Cuando sacan la de Enrique Cano, de Arquitectura, en favor de Enrique Huertas, hubo gritos. Se apagaron las luces; volvieron a prenderse y Castro se encarama en una silla diciendo que tenía que hablar. Yo me opuse expresándole al Rector que ya se había producido la votación y no era el momento de discursos: «Si éste habla, yo quiero hablar después». Pero nadie habló».

«Restablecido el orden le pedí al Rector la llave de la oficina de la FEU que estaba cerrada y llamé a los periodistas y a Aquiles Capablanca que era el jefe de las construcciones de la Universidad y Vicedecano de la Escuela de Arquitectura. Boté la llave de la FEU y le pedí a Capablanca, con el consentimiento del Rector, que destruyera aquel local y construyera uno nuevo donde se colocase una lápida con el nombre de los que ese año componían la FEU. El 2 de enero quedaba inaugurado el nuevo local de la FEU».

NUEVA PRESIDENCIA DE LA FEU

Después de aquella memorable elección –y tras comprensibles primeros tropiezos– Huertas asume el timón del alto organismo estudiantil.

> *«Las primeras reuniones de aquella nueva FEU se acababan a silletazos con votación de 6 a 7. Yo ordené a Paquito Díaz-Baldoquín, jefe de la Policía Universitaria, que quitase las sillas porque a partir de ese momento las reuniones se harían de pie. Antes, era un desorden; todos hablaban. Ahora dispuse que sólo tenían derecho a hablar los presidentes de Escuelas. En una de las primeras reuniones de aquella nueva FEU les expuse a mis compañeros:*
>
> *«Hemos hecho un movimiento de limpieza contra el comunismo y contra el gangsterismo, y como ustedes participan de ese criterio les pido que mantengamos esa línea contra viento y marea. La FEU tiene que ser antena de la ciudadanía; de todas las causas populares y de las necesidades más sentidas del pueblo cubano».*

Toma posesión un ejecutivo que poco tiene que ver con los que durante los últimos años habían dirigido los destinos del alto organismo estudiantil.

Ha sido electo, como presidente de la Federación Estudiantil Universitaria, Enrique Huertas[370], presidente de la Escuela de Medicina; Andrés Rodríguez será su vice y Mauro Hernández el Secretario General. Las otras posiciones las ocupan Álvaro Barba, Tesorero; Ana Ruiz, Secretaria de Prensa y Propaganda; Juan Hernández, Secretario de Relaciones Exteriores; Segismundo Parés, de Cultura; Fernando Carrandi, Secretario de Despacho; José Cimadevilla, a cargo de Relaciones Internacionales; Edgardo Cué, Secretario de Organización;

---

[370] Enrique Huertas ingresa en la universidad en 1945. Será en su tercer año que es electo delegado de la asignatura «Anatomía Topográfica», al tiempo que es, también, electo delegado de curso; cargo que ocupa en ese y los siguientes años. En octubre de 1948 fue electo presidente de la Escuela de Medicina, posición a la que fue reelecto en octubre de 1949 y, una vez más, en octubre de 1950 cuando es, poco después, en enero de 1951, electo presidente de la FEU posición que ocupará hasta enero de 1952 cuando resulta electo Alvaro Barba.

Enrique Cano, José Salazar, de Ingeniería y Osvaldo Soto, Derecho, completan el nuevo cuadro dirigente de la FEU.

Pero Huertas tiene que enfrentarse a los eternos conflictos que agobiaron a sus predecesores. Uno de ellos, el del aumento del precio del pasaje.

El Dr. Arturo Silió, interventor oficial de Autobuses Modernos, planteaba, enero de 1951, que dicha empresa sólo sería costeable si se aumentaba el precio del transporte.

El nuevo presidente de la FEU no encara el problema con la violencia, como en el pasado. Para tratar de resolverlo apela a la discusión ponderada y, como primer paso, convoca a una Mesa Redonda en la que participan obreros, empresarios y voceros de instituciones cívicas.

Para evitarse crítica de protagonismo Huertas solicitó que fuese el coronel mambí, Enrique Quiñónez presidente de la Asociación de Veteranos, quien presidiese la mesa informativa. Fue la primera, en la que poco se logró. Siguieron otras.

Ya está Huertas terminando su mandato.

Álvaro Barba se ha distinguido en el ejecutivo dirigido por Huertas como una de las figuras de más colorido, manteniendo cordiales relaciones con los que, con él, compartían posiciones de mando en el organismo estudiantil. Resultó, pues, natural que el *guajiro* Barba[371], de filiación ortodoxa, resultase electo presidente de la FEU al terminar el mandato de Enrique Huertas.

Ocupará la vicepresidencia Julio Castañeda; Edgardo Cué será el nuevo Secretario General sustituyendo a Mauro Hernández. Carlos Márquez Sterling estaría a cargo de Relaciones Internacionales; mientras que Andrés Rodríguez, antes vicepresidente con Huertas, estará a cargo de Asuntos Sociales.

A Castro, esta nueva hornada de dirigentes lo mantenía marginado a pesar de que, luego de haberse graduado como abogado, se matriculó

---

[371] Álvaro es hábil, inteligente, pero no culto. Recién ha asumido Álvaro Barba la presidencia de la FEU cuando se convoca a un evento en la Escalinata en la que aquel hará el resumen. En sus palabras, hace mención, repetidamente, a los «zares de Francia», lo que motivó un satírico artículo de Ramón Vasconcelos titulado «Las Barbaridades de Barba». Por supuesto, Barba militaba en el Partido Ortodoxo y se oponía al ingreso de Vasconcelos en aquella organización.

en la Escuela de Ciencias Sociales esperanzado en ser incluido en una de las candidaturas.

Recuerda Luis Figueroa –que fue delegado de Derecho Romano y Derecho Fiscal– que algunos miembros de Pro-Dignidad, de la que él formaba parte, alentaron a Fidel Castro para que aspirara a la presidencia de la Escuela de Ciencias Sociales frente a Raúl Hernández, «un tipo muy bajito, peligroso, miembro de Acción Revolucionaria Guiteras, pero ese año no hubo elecciones. En el siguiente curso quien salió presidente de Ciencias Sociales fue Carlitos Márquez Sterling[372]».

Fidel está aspirando esta vez contra Carlitos. Trata de intimidarlo para que éste no aspire[373]. No lo logra y Castro se dirige al claustro solicitando la suspensión de las elecciones. No ha funcionado ni la intimidación ni la petición de suspensión de las elecciones. Éstas se celebran y Carlitos Márquez Sterling es electo presidente de la Escuela de Ciencias Sociales.

Al igual que había fracasado en sus dos anteriores aspiraciones a convertirse en el Secretario de Organización de la FEU[374], verá frustrada, también, esta nueva aspiración.

Pronto aquella unidad del estudiantado cubano se quebró ante las aspiraciones políticas de varios de sus miembros.

ASPIRACIONES POLÍTICAS DE DIRIGENTES UNIVERSITARIOS

Mientras, Fidel, temporalmente alejado de las lides universitarias, ha terminado sus estudios y obtenido su título de abogado en septiembre de 1950. Se asocia con Jorge Aspiazo Núñez, nueve años mayor

---

[372] Entrevista de Luis Figueroa con el autor.

[373] Recuerda Manuel, hermano de Carlitos, que estando ellos bajando del edificio de Ciencias Sociales cuando Fidel, rodeado de jóvenes con tipo de matones, se acercó a su hermano para exigirle que suspendiera las elecciones. Entrevista de Manuel Márquez Sterling con el autor. Diciembre 2, 2002.

[374] La candidatura en la que Castro aspiraba a Secretario de Organización de la FEU fue dos veces derrotada. (Ver capítulo III).

que él pero graduado en la misma fecha[375], y Rafael Resende Viges de su misma edad y del mismo curso.

Su oficina la abrieron en el número 57 de la Calle Tejadillo, en la Habana Vieja[376]. La firma duró hasta mediados de 1953 cuando Castro la abandonó para preparar el ataque al Cuartel Moncada.

Carece de escrúpulos para conseguir igualas. Veamos un ejemplo:

Genovevo Pérez ha sido destituido como jefe del ejército en agosto de 1949, pero su hermano continúa como Cuartel Maestre a cargo, entre otras obligaciones, del pago de suministros a las fuerzas armadas. Al padre de José Salazar le deben ciertos adeudos. Un día cualquiera Salazar le hace ese comentario a su amigo Fidel quien le menciona su estrecha amistad con el hermano de Genovevo Pérez Dámera y se ofrece, como lo hace, a poner en contacto al padre de Salazar con el hermano del antiguo jefe del ejército. Los adeudos fueron pagados de inmediato. A partir de ese momento Fidel Castro, recién graduado de abogado, recibirá una asignación de $350 pesos al mes sin realizar trabajo alguno[377].

En los tres años que transcurrieron desde que recibió su diploma de abogado hasta que llevó a otros a pelear en el Moncada. Fidel ha recorrido distintos caminos en la vida pública.

Fidel poco después de su graduación se entrevistaba –de acuerdo con varias fuentes–, con Fulgencio Batista, líder del Partido Acción Unitaria (PAU)[378]. No son éstas las únicas puertas de un partido político que toca este hombre ávido de insertarse en una boleta electoral. De cualquier partido. Por cualquier provincia. Lo veremos en éstas y próximas páginas.

---

[375] «Aspiazo no fue un activista. Actuó más como amigo de Fidel. En la Universidad no fue, siquiera, delegado de asignatura. Luego fue segundo jefe de la Policía». (Fuente, Osvaldo Soto: Entrevista con el autor, julio 26, 2002). En el tercer año de la carrera Jorge Aspiazo pierde su aspiración a delegado frente a Rolando Amador.

[376] Fidel creó una compañía de seguros populares a la que le puso un nombre en inglés, que radicaba en el mismo bufete.

[377] Conversación de José Salazar con el autor.

[378] Tad Szulc: *obra citada*, página 203.

DETENIDO FIDEL CASTRO POR DESÓRDENES EN CIENFUEGOS Y MATANZAS

Estamos en los últimos meses de 1950. Fidel ha terminado, tras muchas interrupciones, su carrera de Derecho pero para seguir presentándose como «dirigente universitario» se ha matriculado en la Escuela de Ciencias Sociales. Pretendía, el ya graduado abogado, seguir siendo un «estudiante universitario» para continuar participando, así, en las luchas estudiantiles.

Han surgido problemas estudiantiles en algunos centros de segunda enseñanza.

El 14 de diciembre Fidel estaba siendo juzgado en el Tribunal de Urgencia de Las Villas. Dos eran los acusados: Fidel Castro y Enrique Benavides. El periódico *«La Correspondencia»,* del lunes 13 de noviembre de 1950 destaca en primera plana este titular: *«Dos líderes universitarios detenidos y acusados por la policía de Cienfuegos»* y hace mención al mitin que se había celebrado en el ayuntamiento de aquella ciudad. ¿Qué había sucedido?.

Castro y Benavides se habían trasladado a Cienfuegos el 12 de noviembre para tomar parte en los actos organizados por los estudiantes de la ciudad sureña en protesta de las resoluciones dictadas por el Ministro de Educación Aureliano Sánchez Arango que habían provocado un movimiento de huelga en los institutos de la nación. Aquel día la Asociación de Alumnos del Instituto de Cienfuegos acordó una huelga general y solicitó el apoyo de los demás centros estudiantiles del país. El paro se generalizó y se realizaron en las calles manifestaciones y actos de protestas.

El Instituto de Matanzas es clausurado mientras el de Cárdenas es ocupado por la policía. En el Instituto de Cienfuegos se le forma consejo disciplinario al presidente de la asociación de alumnos, René Morejón González. Pronto el movimiento de los estudiantes de segunda enseñanza tiene el respaldo de la Federación Estudiantil Universitaria de la capital, y el Comité de Lucha de la FEU envía representantes a las demostraciones públicas que se han organizado en los centros de segunda enseñanza pidiendo la derogación de las medidas dictadas por Sánchez Arango.

En el teatro Sauto de Matanzas se produce una violenta confrontación entre estudiantes y agentes del gobierno.

Era ésa la situación cuando los dirigentes estudiantiles de Cienfuegos acuerdan convocar el 12 de noviembre, a un acto frente al antiguo edificio del Instituto.

El capitán del ejército Faustino Pérez Leiva y el capitán de la policía Manuel Pérez Borroto reciben instrucciones de impedir la demostración estudiantil. Estudiantes locales y la delegación de la FEU, de la que forman parte Enrique Benavides, Mauro Hernández, Fidel Castro, Francisco Valdés y Agustín Valdés exponen el derecho de los estudiantes a protestar por medidas que consideran abusivas. La mayoría de los estudiantes opinan que es preciso evitar choques con la fuerza pública y que lo que es importante es que se celebre el acto. Posición contraria asume Fidel Castro que alienta a muchos, con éxito, a tomar el Palacio Municipal. Son pocos los que siguen a Fidel; cuando se acercan al ayuntamiento Fidel y Benavides son detenidos y acusados de incitar a un desorden público.

Fidel se siente feliz. Ya ha logrado lo que desde un principio deseaba. Convertirse en líder de una asonada estudiantil sin riesgo alguno para su integridad física.

Son llevados ante el capitán Manuel Pérez Borroto, jefe de la Policía de Cienfuegos. En declaraciones a la prensa local, Fidel se autotitula «Presidente de la Asociación de Estudiantes de la Escuela de Ciencias Sociales; Enrique Benavides, mucho más modesto y sensato, se identifica como «delegado de la Escuela de Derecho».

Manifestaban que habían venido a participar en los actos organizados por los estudiantes en protesta contra las resoluciones del Ministro de Educación Aureliano Sánchez Arango que originaron un movimiento de huelgas en los institutos.

Se levanta un acta en la Estación de la Policía Nacional de Cienfuegos aquel 12 de noviembre de 1950[379]. En el acta se hace constar que el verdadero nombre de quien se identificaba como Ramiro Hernández Pérez era Fidel Castro Ruz, natural de Cueto, Oriente, blanco,

---

[379] Asentado 10686, Legado 11, Borrador 106, Folio 179, de la Policía Nacional Sección de Cienfuegos.

de 24 años, casado...vecino de Tercera Esquina a Segunda, Vedado, Habana. Y quien dijo nombrarse Enrique López García era Enrique Benavides Santos, natural de Sagua la Grande, mestizo, de 26 años, soltero, vecino de Calle Manrique No. 306 en La Habana».

Ni un solo golpe, ni un rasguño recibió Castro en aquella pacífica demostración que sus simpatizantes y biógrafos han pretendido mostrar como violento encuentro entre estudiantes, capitaneados por Castro, y «los cuerpos represivos».

Lucha sí ha habido. En ella toman parte decenas de estudiantes que se enfrentan a la policía. Quien no participa en esa lucha, como volverá a repetirse años después en el Moncada, es Fidel.

Los juicios por aquellos disturbios se celebrarán en Santa Clara, la capital de la provincia. Quedaba radicado el juicio oral y público en la Causa No. 543 en el Tribunal de Urgencia de Las Villas.

Quedaron libres hasta la celebración del juicio en la audiencia de Las Villas un mes después. Quien se encargaría de la defensa de Benavides sería Benito Besada, compañero de curso de Fidel, que ya ejercía como abogado en Santa Clara. Castro, como teatralmente lo volverá a hacer tres años después en el Moncada, asumirá su propia defensa.

Fidel quería montar un teatro. Así lo recuerda, justificándolo, el otro acusado, Enrique Benavides:

> *«En el camino trazamos la estrategia a seguir. Fidel me planteó que yo ratificara cuanto él dijese frente al tribunal».*
> *«Sigue al pie de la letra mis instrucciones», repetía.*
> *«Yo, en realidad, tenía dudas. Argumenté que él tenía poca experiencia en el oficio de abogado...razonamos y llegamos a la conclusión de que Fidel se defendería y Benito Besada asumiría mi representación[380]».*

Aquella pantomima no era necesaria. Lo explica el propio Benavides en la obra editada por el propio gobierno revolucionario.

Dice así Benavides:

---

380 «Antes del Asalto al Moncada», artículo de Aldo Isidrón del Valle.

«Es válido aclarar que Chibás y el Partido Ortodoxo y el Partido Socialista Popular nos habían designado abogados; agradecimos los ofrecimientos pero mantuvimos la estrategia previamente acordada».

No es sólo Benavides quien se hace eco, elogiándolo, de aquel sainete. También lo menciona Benito Besada, el abogado que siguiendo las indicaciones de Fidel, representaría a Benavides.

Besada, que en el gobierno revolucionario sería miembro del Comité Ejecutivo Provincial del Poder Popular en la ciudad de La Habana, recuerda que *«casi al amanecer llegan a mi casa en Santa Clara, Fidel y Benavides; se veían cansados».*

Recuerda Jorge Besada, hermano de Benny, graduado también en la Escuela de Derecho, que se esperaba que a todos los estudiantes los absolverían pero Fidel quería crear un problema para que lo condenaran.

Besada consideraba que sería él quien representaría a los dos acusados. Al conversar con Fidel recibe una sorpresa. Estas son las palabras de Benito Besada:

«En la conversación Fidel me sugiere que yo represente a Benavides y anuncia que él se defenderá para denunciar una serie de atropellos que sufre el pueblo...insisto en que el resultado del juicio dependería de la declaración de los testigos y lo que expongan los acusadores. Pienso que una exhaltación de Fidel podría complicar la situación. Pero Fidel no habla más del tema».

«Fidel apenas se refiere a los cargos que a él le imputan; emplaza a los gobernantes priístas» recuerda Besada.

Era una obra teatral la que había mostrado el eterno estudiante universitario que al terminar la carrera de Derecho, como antes dijimos, ya se había matriculado en la de Ciencias Sociales para seguirse considerando un «dirigente universitario». Al terminar el juicio le dice a Besada: *«No importa la suerte que corramos. Benny, estas verdades había que decirlas».*

Al triunfo de la Revolución Fidel Castro ordenó colocar una placa en la esquina de Luis Estévez y Martí para dejar constancia de «aquel juicio histórico».

EUFEMIO Y FIDEL SUSTITUYEN EL GATILLO POR LA BOLETA ELECTORAL

Eufemio Fernández Ortega había dirigido en abril y mayo de 1950 los esfuerzos del Partido Acción Revolucionaria (PAR) por participar en las elecciones de junio de aquel año. Quería «constituirlo no como un grupo aislacionista sino uno medularmente revolucionario». La idea surgió en un acto organizado en la Sociedad de Torcedores de La Habana el 8 de mayo de 1950 al que asistieron, entre otros, Jesús González Cartas, Marco Antonio Irigoyen y Aida Pelayo, además del propio Eufemio[381].

Las elecciones de 1950 en las que –a niveles bien modestos– se esforzó, inútilmente, en participar Fidel Castro, consolidaron el triunfo del Partido Auténtico (PRC) a pesar de las derrotas alcaldicias, en La Habana y Camagüey, de los hermanos del presidente Carlos Prío Socarrás y del Primer Ministro Manuel Antonio de Varona.

El Partido del Pueblo Cubano (Ortodoxo) en ésta, para ellos, su segunda prueba electoral, surgió fortalecido en la contienda.

Eduardo Chibás ganó el acta senatorial que había quedado vacante con la muerte de J.M. Alemán derrotando a Virgilio Pérez, antiguo director del ICECAFE (Instituto Cubano de la Estabilización del Café) y resultando electos en la Cámara Baja José Pardo Llada y Herminio Portell Vilá.

En Oriente ganaban tres importantes alcaldías –Holguín, Victoria de las Tunas y Sagua de Tánamo– y tres actas de representantes, una de ellas alcanzada por Millo Ochoa. Fidel no era –no lo fue, jamás– un factor importante en la Ortodoxia.

El Partido Socialista Popular (PSP) obtuvo una raquítica votación ganando en Matanzas una senaduría para Salvador García Agüero, producto de alianzas electorales con otros partidos. El Partido, por boca de su Secretario General Blas Roca, mostraba, como su gran triunfo electoral, el haber ganado la alcaldía de Yaguajay[382].

---

[381] Raúl Aguiar Rodríguez, obra citada.

[382] José M. Ruiz era reelecto por un pacto electoral provincial con los Auténticos, al comprometerse a respaldar al candidato del PRC (A) en Cienfuegos.

EL CAMINO POLÍTICO

La presencia de Castro en los disturbios estudiantiles de Cienfuegos y la teatralidad que le imprimió al juicio en la audiencia de Santa Clara fue la última participación de Fidel Castro en luchas estudiantiles.

A partir de aquel momento, diciembre de 1950, sus esfuerzos se verán encaminados a lograr su elección a un cargo de representante por el Partido Ortodoxo. Pretensión infructuosa (no se celebrarán las elecciones) como lo fue aquella de aspirar a ser electo Secretario General de la FEU en la que fue vencido, nada menos, que por Alfredo Guevara.

No era el primer rechazo para un cargo electivo que Castro recibiría.

Cuando el Partido del Pueblo Cubano (Ortodoxo) se funda[383] se crean seis distintas secciones: juvenil, obrera, campesina, profesional, femenina y una, más incluyente: la sección general, de la que Ernesto Stock[384] será electo Secretario General.

La Juventud Ortodoxa estará compuesta de un Ejecutivo Provisional de doce miembros. Estos serán Hugo Mir Laurencio, Carlos Manuel Rubiera, Eduardo Corona, Ernesto Guerrero, Francisco Lamelas, Xiomara Alzugaray, Josefina López Triana, José Salazar, Bel Juárez, Jorge Lebredo, Rolando Espinosa y Albérico Goicochea[385]. Uno de los jóvenes que compartía con los dirigentes de la Juventud Ortodoxa era René Anillo quien, luego, se integraría al gobierno revolucionario como Subsecretario de Estado.

El ambicioso Fidel Castro no formará parte de aquel Ejecutivo, no por voluntad propia sino por la oposición que le presenta la gran mayoría de sus miembros.

---

[383] 26 de junio de 1947.

[384] Ernesto Stock, joven, agradable, propietario del Hotel Siboney donde se hospedaban muchos de los políticos del interior de la isla que formarán parte del nuevo partido.

[385] Ernesto Guerrero, Francisco Lamelas y Albérico Goicoechea sólo asistieron a la primera sesión. Fueron sustituidos por Omar Borges, Salvador Lew y Joaquín Salomón. Fuente: Conversación de José Salazar con el autor, diciembre 19, 2002.

Uno de los que más seriamente impugna la entrada de Castro en los cuadros de la Juventud Ortodoxa es Eduardo Corona. Para éste, Castro es un gángster, *«un vulgar asesino»* porque, con pasión, lo considera responsable de la muerte de Manolo Castro. Fidel quiere resolver esta incómoda situación, por eso le pide a su buen amigo José Salazar –que mantiene una muy estrecha relación de amistad con Corona– que interponga sus buenos oficios. *«Vamos hasta casa de Corona, detrás del cine Arenal, yo entro solo mientras Fidel espera en el carro. Son más de dos horas de conversación las que sostengo con Eduardo Corona, cuando, por fin entra Fidel y queda establecida la amistad entre ellos*[386]*»,* recuerda Salazar en una de nuestras largas conversaciones.

Fidel, sin inmutarse por el rechazo, intenta asistir a las reuniones que se celebran en el local del Partido Ortodoxo situado en esos días en la calle Industria esquina Dragones[387]. Su presencia no es bien vista, al extremo que Ernesto Guerrero se niega a que se acepte la presencia de Fidel frente a la defensa que de éste hace, ahora, Eduardo Corona ya superadas sus antiguas objeciones. Encuentran una práctica solución: Rubiera ofrece su residencia, en la calle 23 frente al edificio Partagás, como centro de reunión de aquel Ejecutivo Provisional.

Semanas después, conociendo que ya Fidel no está yendo por el local del Partido acuerdan volverse a reunir en la sede oficial pero ya, para entonces, los jóvenes ortodoxos han buscado una solución salomónica para evitar la presencia del indeseado autoinvitado. Se ha creado un Ejecutivo Permanente que en uno de los puntos de su reglamentación establece que sus miembros no pueden ser mayores de 23 años. Ya Fidel los había cumplido.

Con la contribución de uno de los simpatizantes del nuevo partido la Juventud –sin que en ello participe el *guajiro* de Birán– ha redactado e impreso un folleto fijando la posición de los jóvenes militantes.

---

[386] Al triunfo de la revolución Eduardo Corona, entre otros cargos, será nombrado Embajador de Cuba en Bolivia.

[387] Rolando Espinosa en entrevista con el autor.

Su título: *«El pensamiento ideológico y político de la Juventud Cubana».*

Su artículo 18 era definitorio: «La Juventud Ortodoxa declara de modo expreso su posición, clara y abierta en contra del comunismo, que es una doctrina de odio, materialista y atea».

A las pocas semanas vuelve Castro a recibir un nuevo rechazo de Eduardo Chibás, semanas antes de que el adalid se quite la vida.

Ha propuesto Leonardo Fernández Sánchez –que en su juventud había militado en el Partido Comunista, pero que gozaba del respeto de sus compañeros–, que, como medida política, la Ortodoxia debía respaldar al Partido Socialista Popular en su demanda de que se le devuelva la Radioemisora Mil Diez y los talleres del periódico *HOY*. A la proposición se opuso de inmediato José Chelala Aguilera.

Alguien más trató de intervenir en la candente discusión. Fidel Castro, que no era miembro del Consejo Director Nacional, comenzó a hablar para respaldar la proposición de Leonardo Fernández Sánchez. Chibás no lo dejó expresar, siquiera, unas palabras:

> *«¡Un momento! –lo interrumpió Chibás, que presidía la reunión–. El compañero no es miembro del Consejo y, por lo tanto, no puede hablar. Es más, yo le suplicaría que abandonara la reunión que es sólo para las personas que son miembros del Consejo*[388]*».*

Vuelve Fidel a recibir de Chibás un desaire mucho mayor meses después. Así lo recuerda un testigo excepcional:

> *«Estábamos almorzando en el Carmelo de Calzada, en el Vedado, Eddy Chibás, Roberto García Ibáñez, José Pardo Llada y yo (Millo Ochoa) y cuando terminamos nos dirigimos al carro de García Ibáñez y al montarnos se sube también Fidel Castro. De inmediato le dice Chibás a Roberto: «Para ahí». Y ordena bajar a Castro».*
>
> *«Cuando continuamos, porque nos dirigíamos al Congreso, García Ibáñez le dice a Chibás: «Chico, tú le has hecho un*

---

[388] Rolando Espinosa. Obra citada.

desprecio muy marcado a Fidel» y Chibás le responde: «Yo no monto en carros con gángsters[389]*».*

Impugnado antes por Eduardo Chibás, Fidel Castro, que dentro del campo universitario, no pudo formar parte, jamás, de la FEU, despertará, ahora, suspicacia en la Ortodoxia en cuyas filas aspira a una posición electiva en la provincia de La Habana.

El rechazo final lo recibe en el Congreso Nacional celebrado el 9 de diciembre de 1951 en el que quedó ratificada la candidatura de Roberto Agromonte, presidente y Emilio (Millo) Ochoa, vicepresidente. En el mitin que después celebró la juventud –anota José Duarte Oropesa[390]– se le negó a Fidel Castro el derecho de hablar en la tribuna, mientras que pudieron hacer uso de la palabra Salvador Lew, Max Lesnick, Mario Rivadulla, Omar Borges, José Iglesias y Francisco Cardona, este último Secretario de Finanzas.

«Cuando se hizo la proclamación del ticket senatorial ortodoxo habanero (Jorge Mañach, Raúl Chibás, Carlos Márquez Sterling, Pelayo Cuervo, Manuel Bisbé y Leonardo Fernández Sánchez), varios delegados municipales y provinciales y miembros de secciones funcionales protestaron la no inclusión de Francisco Carone».

Fidel Castro fue uno de los voceros de la protesta. Para callarlo le ofrecieron incluirlo en la candidatura cameral habanera. El ingreso de Ramón Vasconcelos fue punto de discordia en el partido.

En enero, en el salón de la minoría cameral, se reunían figuras del partido ortodoxo, poco antes de constituir la Asamblea Nacional: Gerardo Vázquez, Nazario Sargén, Domingo Pérez, Manuel Bisbé, Pelayo Cuervo, Luis Orlando Rodríguez, Massip, «Guarro» Ochoa, María Esther Villoch, Humberto Figueras y Erick Agüero. Luego, ya en la asamblea se incorporaban José Asencio, Díaz Visiedo, Pardo Llada, Iglesias Betancourt y Carlos Márquez Sterling. Discutían el

---

389 Entrevista de Emilio Ochoa con el autor. Diciembre 2002.

390 José Duarte Oropesa, «Historiología Cubana», Tomo III.

ingreso de Ramón Vasconcelos en el Partido del Pueblo Cubano. Y otros, los menos, abogaban por el ingreso de Nicolás Castellanos.

Finalmente, Vasconcelos fue aceptado en el Partido. Dijo éste: *«desde que me fuí del Partido Liberal no me he afiliado a ningún otro partido, ni siquiera al Auténtico, cuando fuí ministro de Prío»*.

GESTIONES PREVIAS DE FIDEL

Se acercan las elecciones. Castro es persistente. Sigue aspirando a representante por el Partido Ortodoxo; primero por Oriente y, luego, por La Habana.

Castro había tratado de canalizar su aspiración por la provincia de Oriente. Un día, Fidel viene a ver a José Asencio, hermano de Lázaro, que es vicepresidente de la Asamblea Provincial de Las Villas del Partido Ortodoxo, y aspirante también a la Cámara, y les pide a José y a Lázaro que hablen con Millo Ochoa para que éste le facilite su aspiración por Oriente.

Poco antes, el Comité Ejecutivo de la Juventud Ortodoxa comisiona a José Salazar para que vaya a la provincia de Oriente para ayudar a organizar a los grupos juveniles de aquella zona. Parte hacia allá en el carro de su padre pero, en el último momento, se le incorpora su ya cercano amigo Fidel Castro que no tenía función alguna que realizar en el viaje. Lo aprovechará para tantear el terreno de la postulación política en aquella provincia que él estaba concibiendo.

Fidel se esforzaba en establecer amistad con Aurelio Nazario Sargén, representante a la Cámara y presidente del Partido Ortodoxo en Las Villas, que había sustituido en ese cargo a Luis Morató, dirigente de Cienfuegos pero con menos caudal político que Nazario Sargén. Buscó también, sin lograrlo, el respaldo de Juan Amador Rodríguez, figura de relieve en Pinar del Río. Rechazado por Millo Ochoa, buscó Fidel el apoyo de Beto Saumel en la provincia oriental. Hacía contacto con figuras de las distintas provincias para conocer las posibilidades que podrían ofrecérsele para su aspiración a la Cámara de Representantes.

Los hermanos Asencio lo aconsejan y le hacen comprender que él tendría más posibilidades de salir electo por La Habana que por Oriente. Lo entendió así.

Tiene para eso que vencer un obstáculo que para él es fácil: Violar el compromiso moral contraído con un amigo y compañero universitario. Lo hará sin vacilación alguna, porque Fidel carece de pudor.

Osvaldo Soto, presidente de la Escuela de Derecho, y Fidel Castro han terminado sus carreras. Ambos militan en el Partido Ortodoxo y han acordado que aspirarán a representantes; Fidel por Oriente, Osvaldo por La Habana. A Castro se le escoge como uno de los que hablarán en un acto de la Ortodoxia; Osvaldo es señalado como uno de los oradores del mitin que se celebrará en la Esquina de Toyo.

Castro se ha convencido, tras la larga conversación con los hermanos Asencio, y ante la total indiferencia –tal vez, hostilidad de Millo Ochoa– que no podía ganar en Oriente. La Habana es su única opción. No lo duda un sólo instante. Poco, nada, le importa la palabra empeñada al amigo.

Busca ansioso quienes puedan informar a Soto de su decisión de postularse, ahora, por la provincia de La Habana y le pidan a Osvaldo que retire la suya para que no haya dos líderes universitarios aspirando a la misma posición. Serán Luis Orlando Rodríguez y Roberto Agramonte los encargados de informarle a Osvaldo la pretensión de Castro. Esperaban una comprensible airada reacción del antiguo presidente de la Escuela de Derecho. No fue así. La respuesta fue noble y sencilla: *«Yo no tengo objeción alguna a retirar mi aspiración*[391]*»*.

Surge desde la Colina Universitaria otra aspiración política: la de Enrique Huertas que recién ha terminado su período como presidente de la Federación Estudiantil Universitaria y que ha obtenido, ya, su nominación como gobernador de Las Villas, también por el Partido Ortodoxo. Su adversario en aquellas elecciones que no se celebrarían al ser interrumpidas por el golpe del 10 de Marzo, sería René Gregorio Ayala, alcalde de Trinidad.

---

[391] Entrevista de Osvaldo Soto con el autor. Agosto 9, 2002.

Sánchez Boudy afirma que cuando él salía del edificio de Prensa Libre con Carlitos Márquez Sterling (hijo del presidente de la Asamblea Constituyente) se encuentran con Fidel quien les dice: *«Oigan, ayúdenme a repartir estos panfletos que ustedes saben que estoy postulándome para representante por el Partido Ortodoxo».*

Fidel busca ayuda, también, de otros compañeros. Lo recuerda así José Caragol: *«Cuando Fidel se va a postular me dice: Caragol, tú serías un factor que me ayudaría mucho en mi campaña. Yo quiero que formes parte de la campaña mía*[392]*»*. Pero no hubo campaña. A las pocas semanas se produjo el 10 de Marzo.

Pero Castro era un aspirante político sin importancia en la Ortodoxia. Carente de recursos –el padre se negaba a sufragar los gastos de la campaña– y sin contar siquiera con una rudimentaria maquinaria electoral, pocas posibilidades de triunfar se les concedían.

Fidel ha creado una organización fantasma que ha titulado Agrupación Radical Ortodoxa (ARO). Para frenarlo, tanto a él como a otros que utlizan procedimientos similares, la Juventud Ortodoxa da a conocer que el Artículo 10 de los estatutos especificaba claramente que estaba terminantemente prohibido la formación de «bloques, avanzadas, izquierdas, vanguardias y cualquier otra denominación»; y que la utilización de la Ortodoxia en esas falsas organizaciones «no responde más que a intereses politiqueros y a ambiciones desmedidas, y, en definitiva, no vienen más que a hacerle juego a los enemigos de la Ortodoxia».

Castro, ocultando a todos las conversaciones que está sosteniendo con los líderes de la Juventud Comunista, continúa esforzándose por mantener su postulación a la Cámara de Representantes por la provincia de La Habana. Con frecuencia, al hablar en un acto público se ha representado a sí mismo como vocero de la *Juventud Ortodoxa.* Esto ha obligado a esa Sección Funcional dar a conocer un acuerdo estatutario que le impida al osado aspirante seguir presentándose como dirigente de la misma.

---

[392] Entrevista de José Caragol con Enrique Ros. Octubre 3, 2002.

Y para mayor claridad vuelven a recordar que el PPC (Ortodoxo) está constituido, sólo, por cuatro secciones funcionales: La Sección Femenina, Obrera, Campesina, Juventud y General de Profesionales.

El domingo 2 de marzo (1952), –estamos, nadie lo presintió, a pocos días del golpe– la Asamblea Nacional del Partido del Pueblo Cubano (Ortodoxo) formalizó la candidatura presidencial (Agramonte/Ochoa). Para disipar cualquier duda, Roberto Agramonte, enfatizó que *«hay un abismo entre el ideal ortodoxo y el stalinismo».*

La asamblea se desarrolló en el Teatro Nacional. Era el más importante de todos los eventos en aquel Partido. Hablaron, además de Agramonte y Millo, Manuel Bisbé, jefe provincial de La Habana, el senador Pelayo Cuervo y Pardo Llada, candidato a gobernador en aquella provincia.

La presidencia era tan nutrida como la concurrencia.

El representante Félix Martín, el jefe pinareño Dominador Pérez; el villareño Nazario Sargén; los habaneros Ventura Desdellonde, Pelayo Cuervo, Pardo Llada, Manuel Bisbé, Luis Orlando Rodríguez, Jorge Mañach; de todas las provincias, Conte Agüero, Mario Alzugaray, Gerardo Vázquez, Julio del Valle, Joaquín López Montes, Conchita Fernández, Omar Borges, Francisco Carone, Heriberto del Porto, García Ibáñez, Raúl Chibás, Ramón Vasconcelos, Carlos Márquez Sterling; Arturo Sueiras; Hugo Mir, Mario Rivaduya, Pepe Iglesias, Omar Borges y un centenar más. Allá, bien lejos, casi inadvertido, Fidel Castro. Hasta el general Gregorio Querejeta, ex-jefe de La Cabaña ocupaba un lugar más prominente.

Todas las secciones funcionales del PPC querían distanciarse de los comunistas. El martes 2 la Sección Funcional de Trabajadores, bajo la firma de su Secretario general, Isidro Figueroa, destacaba «el firme y decidido propósito de mantener inalterable la línea de independencia sindical que ratificó la Primera Conferencia Nacional de Trabajadores Ortodoxos, celebrada en la ciudad de La Habana los días 21 y 22 de julio de 1951...» «denunciamos la falacia de un supuesto pacto entre Ortodoxos y Comunistas».

Las nominaciones presidenciales, senatoriales y de gobernadores del Partido Ortodoxo ya se habían efectuado aunque la selección de los candidatos a representantes se había pospuesto para fines de marzo.

Por tanto, en enero, febrero y los primeros días de marzo, Castro no era un candidato sino un «aspirante» a obtener esa candidatura. A pesar de sus muchos esfuerzos no era, aún, cuando se produce el golpe del 10 de marzo, un candidato a la Cámara.

Los dirigentes de la Juventud le han dado la espalda. Hugo Mir respalda a otro candidato. Mario Rivadulla y Max Lesnick apoyan a Rubén Acosta y con él viajan, junto con otros dirigentes, a Jeruco en un importante acto de proclamación[393].

FIRMAN LA PAZ LOS GRUPOS DE ACCIÓN

La primera semana de mayo (1951) sorprende a la ciudadanía con una noticia que, de convertirse en realidad, calmaría la creciente inquietud de toda la población cubana, principalmente la capitalina.

Los grupos de acción que durante los últimos años han sembrado la muerte en las calles de la capital cubana firmaban un acuerdo para terminar la lucha fratricida.

Durante varias semanas, tras innumerables conversaciones y negociaciones, se llegaba a un acuerdo mediante el cual enterraban sus viejos odios para dedicarse a actividades políticas y sociales constructivas[394].

Las gestiones se habían iniciado a través de contactos extraoficiales con figuras que representaban al grupo comandado por Policarpo Soler y al que estaba estrechamente vinculado Orlando León Lemus, «El Colorado».

Estas conversaciones continuaron luego con la intervención de Eufemio Fernández[395] que celebró distintos intercambios con miembros de grupos de acción y con importantes figuras del gobierno y de la política.

---

[393] Periódico *El Mundo*, sábado 8 de marzo, 1952.

[394] Reportaje de Rogelio Caparrós, revista *Bohemia*, mayo 14, 1951.

[395] Eufemio Fernández, ex-combatiente de la Guerra Civil Española, uno de los organizadores de la expedición de Cayo Confites y de Luperón contra la de Rafael Leónidas Trujillo; muy vinculado a Mario Salabarría y Rolando Masferrer.

Tras laboriosas negociaciones se esbozó un acuerdo cuyos términos principales eran los siguientes:

- Primero: A partir de esta fecha se termina la guerra de los grupos acordando los miembros de todos los grupos de acción enterrar sus odios y rencores por profundos que éstos sean.
- Segundo: Se facilitará a los miembros de los grupos los medios para que se reintegren a las actividades normales ciudadanas.
- Tercero: Los que desean abandonar el país podrán hacerlo, resolviéndose su permanencia en el extranjero.

EL ÚLTIMO VIRAJE DEL «LÍDER UNIVERSITARIO»

Fidel Castro, tan estrechamente vinculado a las actividades de los grupos de acción que se habían desarrollado dentro y en la periferia de la Universidad, y que había buscado y conseguido la protección de la UIR –algunos de cuyos miembros se atribuían la muerte de Alejo Cossío del Pino– levantaba, en su aspiración a la Cámara de Representantes, ahora que se había firmado la paz entre los grupos de acción, su dedo acusador inculpando aquellos a los que antes él había solicitado protección:

> *«Elementos de cada grupo, disgustados por la desigual distribución, se alzaron contra los acuerdos, y por eso balacearon a Montesino*[396]*, asesinaron a Prendes*[397]*, y ultimaron a Cossío del Pino*[398]*».*

Pero –taimado y precavido como siempre– antes de hacer estas acusaciones se ha entrevistado con los hombres de la UIR *«les dice que a ellos les conviene tenerlo a él en la Cámara de Representantes,*

---

[396] Ex-comandante Dámaso Montesino, de la Policía Nacional.

[397] Se refería Castro al asesinato de Segundo (el Bizco) Prendes, sin relación alguna con el más conocido Chino Prendes.

[398] «Informe de Fidel Castro al Tribunal de Cuentas». Periódico *Alerta,* 4 de marzo de 1952. La muerte de Alejo Cossío del Pino, Ministro de Gobernación y ex-representante a la Cámara, le fue achacada a la UIR, la organización en la que el propio Castro terminó militando.

porque ya las otras organizaciones (MSR) tenían a Masferrer en la Cámara[399]*»*.

Por eso, excusa a los autores materiales de la muerte del antiguo Ministro de Gobernación considerando que *«los grandes culpables de la muerte de Cossío del Pino y tantas otras víctimas del sectarismo criminal son los que han propiciado el gangsterismo»*.

ÚLTIMA TRAICIÓN: TRÁMITES SECRETOS CON EL PARTIDO COMUNISTA

Fidel ha estado durante todos estos meses en conversaciones y negociaciones secretas con dirigentes del partido comunista.

Desde sus años en la colina universitaria había establecido estrechos lazos de amistad –fortalecidos luego por afinidades ideológicas– con conocidos activistas y militantes del Partido Socialista Popular: Lionel Soto, García Incháustegui, Bilito Castellanos, Mas Martín, Walterio Carbonell. También con otros, unos años mayores que él, pero con quienes intimó: Flavio Bravo, Manolo Corrales y Raúl Valdés Vivó».

Aquellas conversaciones, centradas primero en discusiones ideológicas, fueron derivando en serios planteamientos de asumir, públicamente, una militancia partidista.

Antes de que termine el plazo nominatorio para las próximas elecciones, sus buenos amigos del Partido Socialista Popular querían hacer público el ingreso de Fidel en las filas de su partido. Se va a producir una definitoria conversación.

Rolando Amador, al ganar el premio Dolz de la Universidad de La Habana, recibe la posición de Abogado de Oficio de la Audiencia de Camagüey. En diciembre de 1951 es trasladado a la Audiencia de La Habana. Recién llegado, va al acto del 7 de diciembre en el Cacahual pero se había terminado. Aprovecha Amador para, después de su larga ausencia, llamar a varios de sus amigos; entre ellos a Fidel que le pide que vaya por su casa para almorzar y cenar «porque hace como dos años que no te veo».

---

[399] Alfredo Esquivel, declaraciones a Lázaro Asencio.

Vivía Fidel en un bello penthouse en El Vedado –pagado por su padre–, frente a lo que entonces era el Cuerpo de Ingenieros del Ejército[400]. Va Rolando Amador a ver a su viejo amigo. Esta es la narración que hace el prestigioso abogado:

«A las cuatro de la tarde tocan a la puerta del apartamento y se aparecen cuatro personas: Gregorio Ortega Suárez, que luego fue embajador de Cuba en París; Flavio Bravo, presidente de la Juventud Socialista; Mas Martín (a quienes yo conocía de vista por los pasquines: Flavio, candidato perenne a Representante y Mas Martín a Concejal) y el cuarto era uno a quien yo conocía mucho de nombre: Raúl Valdés Vivó».

«Los cuatro se sientan en sillas, y Fidel y yo en un sofá. Flavio, que es el que lleva la voz cantante le dice:

–Fidel, hace varios meses que estamos discutiendo mucho, y nos parece que estás suficientemente desarrollado para que te invitemos a que tomes parte de la Juventud Sucialista».

Clara admisión de las extensas conversaciones que, dentro y fuera de la colina universitaria, ha sostenido Castro con estos dirigentes marxistas que tienen a su cargo no sólo la captación de adeptos sino, también, la incorporación de éstos a las filas del partido.

Pero Fidel considera que no es conveniente, ni oportuno, aún, dar públicamente ese paso. Prefiere, por el momento, continuar en la Ortodoxia donde ya ha logrado una posición en la boleta electoral. Ya habrá tiempo de dar a conocer su cambio de partido.

Fidel le responde:

«Flavio, recuerda que yo tengo ya la postulación por el Partido Ortodoxo y si cambio de partido la pierdo. Yo voy a salir representante».

A ninguno de ellos le importó que yo me hubiera quedado allí oyendo la conversación pero, me pareció que no era prudente

---

[400] El edificio estaba resguardado por un soldado. Era la conveniente protección que buscaba. «Este es el edificio que mayor garantía me ofrecía para mi vida» le expresó a su entonces amigo José Pardo Llada cuando lo visitó. Fuente: Robert E. Quirk «Fidel Castro».

quedarme allí y le dije: «Fidel, con tu permiso voy atrás a hablar con Mirta» y me retiré.
Como a la media hora me llama Fidel: «Rolando, ven; se van los amigos». Nos quedamos con la puerta abierta del apartamento en el pasillo, enfrente del elevador. Flavio, que es el más exaltado, toma a Fidel por los hombros y le dice: «Fidel, has dado el paso más importante de tu vida, nunca te arrepentirás».

Fracasará en la política, como antes en sus aspiraciones universitarias. Y para llegar, a donde no pudo con los votos, en la política universitaria y en la nacional, tomará el camino de las armas. De la subversión

El golpe del 10 de Marzo frustrará la aspiración política de Castro a través de la Ortodoxia y su público ingreso en el Partido Socialista Popular. Pero Fidel servirá a éste, con creces, al triunfo de la Revolución, convirtiéndose, de hecho, en su jefe máximo y haciendo realidad, para desgracia de la nación cubana, las premonitorias palabras de Flavio Bravo: *«Fidel, has dado el paso más importante en tu vida».*

La patria cubana pagará con sangre y miseria, y con la falta total de libertad y de derechos, el precio de la frustración y la traición política de Fidel Castro.

UNIVERSIDAD DE LA HABANA
Escalinata y Alma Mater

BIBLIOGRAFÍA

LIBROS:

Raúl Aguiar Rodríguez, «El Bonchismo y el Gangsterismo en Cuba», Editorial de Ciencias Sociales, La Habana, 1949.

Arturo Alape, Arturo Alape. «El Bogotazo: Memorias del Olvido», Editorial Universidad Central, 1983.

______ «De los recuerdos de Fidel Castro y Hemingway». Editora Política, La Habana

Alberto Baeza Flores, «Las Cadenas vienen de Lejos», Editorial Letras, S.A. México.

Rolando E. Bonachea, «Revolutionary Struggle 1947-1952», The MIT Press.

Luis Conte Agüero, «Eduardo Chibás, el Adalid de Cuba», La Moderna Poesía, Miami, 2da. edición,1987.

Ramón de Armas, «Historia de la Universidad de La Habana, 1930-1978».

______ «Los Partidos Burgueses en Cuba Neocolonial 1899-1952», Editorial de Ciencias Sociales, La Habana, 1981.

Octavio R. Costa, «Imagen y trayectoria del cubano en la historia», 2 tomos, Miami, Ediciones Universal, 1998.

Enrique de la Osa, «En Cuba, Primer Tiempo 1943-1948», Editorial de Ciencias Sociales, La Habana, 1990.

Samuel Farber, «Revolution and Reaction in Cuba, 1933-1960», Wesleyan University Press, Middletown, Conn, 1976..

Carlos Franqui, «Vida, aventuras y desastres de un hombre llamado Castro», Editorial Planeta, Barcelona, 1988.

Jorge García Montes y Antonio Alonso Ávila: «Historia del Partido Comunista de Cuba», Ediciones Universal, Miami, 1970.

Lionel Marton, «El Joven Fidel. Los orígenes de su ideología comunista», Ediciones Grijalbo, México.

Calixto Masó, «Historia de Cuba», Ediciones Universal, Miami, 1998.

Niurka Pérez, «El Movimiento Estudiantil Universitario de 1934 a 1940», Editorial de Ciencias Sociales, La Habana, 1975.
Herminio Portell Vilá, «La Nueva Historia de la República de Cuba», Moderna Poesía, Miami.
Robert E. Quirk, «Fidel Castro». W. W. Norton & Company
Lionel Soto, « La revolución del 33», 3 tomos, Editorial de Ciencias Sociales, La Habana, 1979
Jaime Suchlicki, «El estudiantado de la Universidad de La Habana en la política cubana», Journal of Interamerican Studies, Miami, 1966.
Tad Szulc, «Fidel, a critical portrait», William Morrow & Co., New York, 1986.
José A. Tabares, «La Revolución del 20. Sus dos últimos años», Editorial de Ciencias Sociales, La Habana, 1973.
Eduardo Torres-Cuevas, «La Federación Estudiantil Universitaria, de la Reforma a la Revolución».

ARTÍCULOS Y REPORTAJES

Isaac Astudillo, «Entrevista con el Comandante Roberto Meoqui», Revista *Bohemia*, diciembre 14, 1947.
Aracelio Azcuy, «¡Fuera los Machadistas! Grita la Universidad», Revista *Bohemia*, junio 1946.
Javier Barahona, «El problema del transporte, asamblea sangrienta», Revista *Carteles*, julio 1949.
Bohemia «La vuelta al crimen revanchista e impune», Revista *Bohemia*, enero, 1949.
Orlando Bosch, «Por qué me condenaron», Revista *Bohemia*, noviembre 1951.
Rogelio Caparros, «Suspendidas las elecciones universitarias», Revista *Bohemia*, noviembre, 1949
Carlos M. Castañeda, «Una mesa redonda sobre el Gangsterismo», Revista Bohemia, octubre, 1949.
Eduardo R. Chibás, «Teoría y Práctica del Gobierno Ortodoxo», julio, 1951.

Mario C. del Cueto, «Primera Conferencia Nacional de Acción Revolucionaria Guiteras», Revista *Bohemia*, septiembre, 1948

Editorial «Revista Bohemia», «La vuelta al crimen revanchista e impune», Revista *Bohemia*, Enero, 1949

René Fiallo, «Empréstito, crisis y peculado», Revista *Bohemia*, noviembre 49.

Julio García, «La protesta que anunció futuras batallas», *Antes del Moncada*, marzo 11, 1949.

Francisco Ichaso, «Luz y Sombra en la colina universitaria», Revista *Bohemia*, septiembre 1949

Aldo Isidron del Valle, «Patriótico ¡Yo acuso! De Fidel», *Antes del Moncada*, diciembre, 1950.

Mario Kuchilán, «Embajador Butler», Revista *Bohemia*, julio 1945.

Luis F. Le Roy y Cavez, «La Universidad de La Habana 1902-1925», *Revista de la Biblioteca Nacional «José Martí»*.

______ «La Universidad de La Habana en su etapa republicana 1925-1928», *Revista de la Biblioteca Nacional «José Martí»*.

______ «La Universidad de La Habana (1928-1932)», *Revista de la Biblioteca Nacional «José Martí»*

Carlos M. Lechuga, «Una mesa redonda sobre el gangsterismo», Revista *Bohemia*, octubre 1949.

Jorge Mañach, «¿Qué hacer con el pistolerismo?», Revista *Bohemia*, enero, 1949

______ «Sobre la reforma universitaria», Revista *Bohemia*, noviembre, 1949.

Waldo Medina, «Los escapados de Isla de Pinos», Revista *Bohemia*, enero 1949.

Mario Mencía, «Fidel Castro en el 'Bogotazo'», *Antes del Moncada*, abril, Revista *Bohemia*,1978).

Benito Novas, «Vamos al rescate del crédito estudiantil ante la nación», Revista *Bohemia*, enero 1951.

Jorge Quintana, «Cayo Confites: entrevista con Rolando Masferrer», Revista *Bohemia*, octubre 1947.

Raúl Roa, «La Universidad y el Gangsterismo», Revista *Bohemia*, octubre 1949.

Enrique Rodríguez, «¿Por qué fracasó la expedición a Santo Domingo?», Revista *Bohemia*, agosto 1949
Filiberto Rodríguez Angulo, «El Dilema de la Universidad», Revista *Bohemia*, noviembre, 1949.
Aldo Isidro del Valle: «Patriótico ¡Yo acuso! De Fidel (diciembre, 1950).
J.L. Vangüemert, «El Diario de Cayo Confites», (cuatro reportajes) Revista *Carteles*, septiembre-octubre 1947.
Hatuey P. Vega, «Grau y la Universidad», Revista *Bohemia*, octubre 1948.
Jorge Yániz Pujol, «59 días con los expedicionarios de Cayo Confites», (cinco reportajes) Revista *Bohemia*, oct-nov 1947.

PUBLICACIONES CONSULTADAS

Revista *Carteles*
Revista *Bohemia*
Periódico *El Mundo*
Periódico *Hoy*
Periódico *Diario de La Marina*
Periódico *Alerta*
Periódico *Prensa Libre*

ENTREVISTAS REALIZADAS POR EL AUTOR:

Héctor Abeleiras
Pablo Acosta
Agustín Alles Soberón
Rolando Amador
Lázaro Asencio
Guillermo Bermello
Jorge Besada
Orlando Bosch
Carlos Capote
José Caragol
Luis Conte Agüero
José Díaz Garrido (Pepín)
Rafael Díaz-Balart
Alfredo Esquivel (Chino)
Rolando Espinosa
Luis Figueroa
Guillermo García Riestra (Billiken)
Raúl Granado
Fidel González
Enrique Huertas
Héctor Lamar
Salvador Lew
Avelino Lladó
Manuel Márquez Sterling
Ramón Molinet
Emilio (Millo) Ochoa
Enrique Ovares
Arturo Pino
Andrés Prieto Quince
José Ignacio Rasco
Fabio Ruiz Rojas
Mario Salabarría
José Sánchez Boudy
Tony Santiago
Osvaldo Soto
José Salazar
Santiago Touriño
Pedro A. Yanes

PROTAGONISTAS ENTREVISTADOS

Algunos de los entrevistados por el autor. De izquierda a derecha: Enrique Ros, Pablo Acosta, Enrique Ovares y Alfredo Esquivel.

El autor, Enrique Ros, entrevistando en Miami a Enrique Ovares.

ÍNDICE ONOMÁSTICO

BIBLIOTECA DE ENRIQUE ROS
en Ediciones Universal

Ocho volúmenes publicados que constituyen una verdadera enciclopedia sobre la lucha de los cubanos por su libertad:

)-89729-738-5 PLAYA GIRÓN, LA VERDADERA HISTORIA, Enrique Ros (3ª. edición) /1998/
Historia de la lucha clandestina en Cuba, la invasión de Playa Girón, el exilio y la política norteamericana.

)-89729-773-3 DE GIRÓN A LA CRISIS DE LOS COHETES: LA SEGUNDA DERROTA, Enrique Ros /1995/
Historia de la lucha cubana desde Playa Girón hasta la Crisis de los Cohetes en 1962.

)-89729-814-4 AÑOS CRÍTICOS: DEL CAMINO DE LA ACCIÓN AL CAMINO DEL ENTENDIMIENTO , Enrique Ros /1996/
La zigzagueante política del presidente Kennedy y los esfuerzos de los cubanos por derrocar a Castro.

0-89729-868-3 CUBANOS COMBATIENTES: PELEANDO EN DISTINTOS FRENTES, Enrique Ros /1998/
Lucha de los cubanos dentro y fuera de la isla: ataques comandos, cubanos en Vietnam, África, Bolivia y otros escenarios.

0-89729-908-6 LA AVENTURA AFRICANA DE FIDEL CASTRO, Enrique Ros /1999/
Las intervenciones de Castro por subvertir el continente africano.

0-89729-939-6 CASTRO Y LAS GUERRILLAS EN LATINOAMÉRICA, Enrique Ros /2001/
Las acciones guerrilleras y subversivas que ha dirigido Castro en América Latina desde el triunfo de su revolución en 1959, principalmente en Argentina, Perú, Colombia, Venezuela, Guatemala, Bolivia, República Dominicana y Uruguay.

988-4 ERNESTO CHE GUEVARA: MITO Y REALIDAD, Enrique Ros /2002/
La vida desconocida del Che Guevara contada tras una minuciosa investigación.

8-0088-5 FIDEL CASTRO Y EL GATILLO ALEGRE. SUS AÑOS UNIVERSITARIOS, Enrique Ros /2003/
La historia desconocida de Fidel Castro. La escuela de violencia de sus años universitarios con los Grupos de Acción.

COLECCIÓN *CUBA Y SUS JUECES*
(libros de historia y política publicados por EDICIONES UNIVERSAL):

)359-6 CUBA EN 1830,
Jorge J. Beato & Miguel F. Garrido

)44-5 LA AGRICULTURA CUBANA (1934-1966),
Oscar A. Echevarría Salvat

)45-3 LA AYUDA CUBANA A LA LUCHA POR LA INDEPENDENCIA NORTEAMERICANA, Eduardo J. Tejera

)46-1 CUBA Y LA CASA DE AUSTRIA ,
Nicasio Silverio Saínz

)48-8 CUBA, CONCIENCIA Y REVOLUCIÓN,
Luis Aguilar León

)49-6 TRES VIDAS PARALELAS,
Nicasio Silverio Saínz

)50-X HISTORIA DE CUBA,
Calixto C. Masó

)51-8 RAÍCES DEL ALMA CUBANA,
Florinda Álzaga

)-6 MÁXIMO GÓMEZ ¿CAUDILLO O DICTADOR?
Florencio García Cisneros

18-2 EL ARTE EN CUBA,
Martha de Castro

19-0 JALONES DE GLORIA MAMBISA,
Juan J.E. Casasús

23-9 HISTORIA DEL PARTIDO COMUNISTA DE CUBA
Jorge García Montes y Antonio Alonso Avila

31-X EN LA CUBA DE CASTRO (APUNTES DE UN TESTIGO)
Nicasio Silverio Saínz

886-3 MEMORIAS DE CUBA,
Oscar de San Emilio

122-0 RELIGIÓN Y POLÍTICA EN LA CUBA DEL SIGLO XIX (EL OBISPO ESPADA), Miguel Figueroa y Miranda

336-2 ANTECEDENTES DESCONOCIDOS DEL 9 DE ABRIL Y LOS PROFETAS DE LA MENTIRA, Ángel Aparicio Laurencio

36-0 EL CASO PADILLA: LITERATURA Y REVOLUCIÓN EN CUBA
Lourdes Casal

39-5 JOAQUÍN ALBARRÁN, ENSAYO BIOGRÁFICO,
Raoul García

57-3 VIAJANDO POR LA CUBA QUE FUE LIBRE,
Josefina Inclán

65-4 VIDAS CUBANAS - CUBAN LIVES.- VOL. I.,
José Ignacio Lasaga

05-7 VIGENCIA POLÍTICA Y LITERARIA DE MARTÍN MORÚA DELGADO,
Aleyda T. Portuondo

05-7 CUBA, TODOS CULPABLES,
Raul Acosta Rubio

61-4 EL MAGNETISMO DE JOSÉ MARTÍ,
Fidel Aguirre

64-9 MARXISMO Y DERECHO,
Eduardo de Acha

67-3 ¿HACIA DONDE VAMOS? (RADIOGRAFÍA DEL PRESENTE CUBANO),
Tulio Díaz Rivera

68-1 LAS PALMAS YA NO SON VERDES (ANÁLISIS Y TESTIMONIOS DE LA TRAGEDIA CUBANA), Juan Efe Noya

74-6 GRAU: ESTADISTA Y POLÍTICO (Cincuenta años de la Historia de Cuba),
Antonio Lancís

76-2 CINCUENTA AÑOS DE PERIODISMO,
Francisco Meluzá Otero

79-7 HISTORIA DE FAMILIAS CUBANAS (VOLS.I-VI)
Francisco Xavier de Santa Cruz y Mallén

80-0 HISTORIA DE FAMILIAS CUBANAS. VOL. VII
Francisco Xavier de Santa Cruz y Mallén

08-4 HISTORIA DE FAMILIAS CUBANAS. VOL. VIII
Francisco Xavier de Santa Cruz y Mallén

09-2 HISTORIA DE FAMILIAS CUBANAS. VOL. IX
Francisco Xavier de Santa Cruz y Mallén

83-5 CUBA: DESTINY AS CHOICE,
Wifredo del Prado

87-8 UN AZUL DESESPERADO,
Tula Martí

92-4 CALENDARIO MANUAL Y GUÍA DE FORASTEROS DE LA ISLA DE CUBA

93-2 LA GRAN MENTIRA, Ricardo Adám y Silva

03-3 APUNTES PARA LA HISTORIA. RADIO, TELEVISIÓN Y FARÁNDULA DE LA CUBA DE AYER...,
Enrique C. Betancourt

07-6 VIDAS CUBANAS II/CUBAN LIVES II,
José Ignacio Lasaga

11-4 LOS ABUELOS: HISTORIA ORAL CUBANA,
José B. Fernández

13-0 ELEMENTOS DE HISTORIA DE CUBA,
Rolando Espinosa

14-9 SÍMBOLOS - FECHAS - BIOGRAFÍAS,
Rolando Espinosa

18-1 HECHOS Y LIGITIMIDADES CUBANAS. UN PLANTEAMIENTO Tulio Díaz Rivera

25-4 A LA INGERENCIA EXTRAÑA LA VIRTUD DOMÉSTICA
(biografía de Manuel Márquez Sterling),
Carlos Márquez Sterling

26-2 BIOGRAFÍA DE UNA EMOCIÓN POPULAR: EL DR. GRAU
Miguel Hernández-Bauzá

28-9 THE EVOLUTION OF THE CUBAN MILITARY (1492-1986)
Rafael Fermoselle

31-9 MIS RELACIONES CON MÁXIMO GÓMEZ,
Orestes Ferrara

36-X ALGUNOS ANÁLISIS (EL TERRORISMO. DERECHO INTERNACIONAL),
Eduardo de Acha

437-8 HISTORIA DE MI VIDA,
Agustín Castellanos
443-2 EN POS DE LA DEMOCRACIA ECONÓMICA, Varios
450-5 VARIACIONES EN TORNO A DIOS, EL TIEMPO, LA MUERTE Y OTROS TEMAS, Octavio R. Costa
451-3 LA ULTIMA NOCHE QUE PASE CONTIGO (40 AÑOS DE FARÁNDULA CUBANA/1910-1959), Bobby Collazo
458-0 CUBA: LITERATURA CLANDESTINA,
José Carreño
459-9 50 TESTIMONIOS URGENTES,
José Carreño y otros
461-0 HISPANIDAD Y CUBANIDAD,
José Ignacio Rasco
466-1 CUBAN LEADERSHIP AFTER CASTRO,
Rafael Fermoselle
483-1 JOSÉ ANTONIO SACO , Anita Arroyo
479-3 HABLA EL CORONEL ORLANDO PIEDRA,
Daniel Efraín Raimundo
490-4 HISTORIOLOGÍA CUBANA I (1492-1998),
José Duarte Oropesa
2580-8 HISTORIOLOGÍA CUBANA II (1998-1944),
José Duarte Oropesa
2582-4 HISTORIOLOGÍA CUBANA III (1944-1959),
José Duarte Oropesa
502-1 MAS ALLÁ DE MIS FUERZAS ,
William Arbelo
508-0 LA REVOLUCIÓN ,
Eduardo de Acha
510-2 GENEALOGÍA, HERÁLDICA E HISTORIA DE NUESTRAS FAMILIAS
Fernando R. de Castro y de Cárdenas
514-5 EL LEÓN DE SANTA RITA,
Florencio García Cisneros
516-1 EL PERFIL PASTORAL DE FÉLIX VARELA,
Felipe J. Estévez
518-8 CUBA Y SU DESTINO HISTÓRICO. Ernesto Ardura
520-X APUNTES DESDE EL DESTIERRO, Teresa Fernández Soneira
524-2 OPERACIÓN ESTRELLA,
Melvin Mañón
532-3 MANUEL SANGUILY. HISTORIA DE UN CIUDADANO
Octavio R. Costa
538-2 DESPUÉS DEL SILENCIO,
Fray Miguel Angel Loredo
540-4 FUSILADOS, Eduardo de Acha
551-X ¿QUIEN MANDA EN CUBA? LAS ESTRUCTURAS DE PODER. LA ÉLITE
Manuel Sánchez Pérez
553-6 EL TRABAJADOR CUBANO EN EL ESTADO DE OBREROS Y CAMPESINOS, Efrén Córdova
558-7 JOSÉ ANTONIO SACO Y LA CUBA DE HOY,
Ángel Aparicio

566-8 SIN TIEMPO NI DISTANCIA,
Isabel Rodríguez

569-2 ELENA MEDEROS (UNA MUJER CON PERFIL PARA LA HISTORIA), María Luisa Guerrero

577-3 ENRIQUE JOSÉ VARONA Y CUBA,
José Sánchez Boudy

586-2 SEIS DÍAS DE NOVIEMBRE,
Byron Miguel

588-9 CASTRO CONVICTO,
Francisco Navarrete

589-7 DE EMBAJADORA A PRISIONERA POLÍTICA: ALBERTINA O'FARRILL,
Víctor Pino Llerovi

590-0 REFLEXIONES SOBRE CUBA Y SU FUTURO,
Luis Aguilar León

592-7 DOS FIGURAS CUBANAS Y UNA SOLA ACTITUD,
Rosario Rexach

598-6 II ANTOLOGÍA DE INSTANTÁNEAS,
Octavio R. Costa

600-1 DON PEPE MORA Y SU FAMILIA,
Octavio R. Costa

603-6 DISCURSOS BREVES,
Eduardo de Acha

606-0 LA CRISIS DE LA ALTA CULTURA EN CUBA - INDAGACIÓN DEL CHOTEO, Jorge Mañach (Ed. de Rosario Rexach)

608-7 VIDA Y MILAGROS DE LA FARÁNDULA DE CUBA I,
Rosendo Rosell

617-6 EL PODER JUDICIAL EN CUBA,
Vicente Viñuela

620-6 TODOS SOMOS CULPABLES,
Guillermo de Zéndegui

621-4 LUCHA OBRERA DE CUBA,
Efrén Naranjo

623-0 HISTORIOLOGÍA CUBANA IV (1959-1980),
José Duarte Oropesa

624-9 HISTORIA DE LA MEDICINA EN CUBA I: HOSPITALES Y CENTROS BENÉFICOS EN CUBA COLONIAL,
César A. Mena y Armando F. Cobelo

626-5 LA MÁSCARA Y EL MARAÑÓN (LA IDENTIDAD NACIONAL CUBANA),
Lucrecia Artalejo

639-7 EL HOMBRE MEDIO, Eduardo de Acha

644-3 LA ÚNICA RECONCILIACIÓN NACIONAL ES LA RECONCILIACIÓN CON LA LEY, José Sánchez-Boudy

645-1 FÉLIX VARELA: ANÁLISIS DE SUS IDEAS POLÍTICAS,
Juan P. Esteve

646-X HISTORIA DE LA MEDICINA EN CUBA II
(Ejercicio y enseñanza de las ciencias médicas en la época colonial),
César A. Mena

647-8 REFLEXIONES SOBRE CUBA Y SU FUTURO,
(segunda edición corregida y aumentada), Luis Aguilar León

648-6 DEMOCRACIA INTEGRAL,
Instituto de Solidaridad Cristiana
652-4 ANTIRREFLEXIONES,
Juan Alborná-Salado
664-8 UN PASO AL FRENTE,
Eduardo de Acha
668-0 VIDA Y MILAGROS DE LA FARÁNDULA DE CUBA II,
Rosendo Rosell
676-1 EL CAIMÁN ANTE EL ESPEJO (Un ensayo de interpretación de lo cubano), Uva de Aragón Clavijo
677-5 HISTORIOLOGÍA CUBANA V,
José Duarte Oropesa
679-6 LOS SEIS GRANDES ERRORES DE MARTÍ,
Daniel Román
680-X ¿POR QUÉ FRACASÓ LA DEMOCRACIA EN CUBA?,
Luis Fernández-Caubí
682-6 IMAGEN Y TRAYECTORIA DEL CUBANO EN LA HISTORIA I (1492-1902),
Octavio R. Costa
683-4 IMAGEN Y TRAYECTORIA DEL CUBANO EN LA HISTORIA II (1902-1959),
Octavio R. Costa
684-2 LOS DIEZ LIBROS FUNDAMENTALES DE CUBA (UNA ENCUESTA),
Armando Álvarez-Bravo
686-9 HISTORIA DE LA MEDICINA EN CUBA III (1899 a 1909),
César A. Mena
689-3 A CUBA LE TOCÓ PERDER,
Justo Carrillo
690-7 CUBA Y SU CULTURA,
Raúl M. Shelton
702-4 NI CAÍDA, NI CAMBIOS,
Eduardo de Acha
703-2 MÚSICA CUBANA: DEL AREYTO A LA NUEVA TROVA,
Cristóbal Díaz Ayala
706-7 BLAS HERNÁNDEZ Y LA REVOLUCIÓN CUBANA DE 1933, Ángel Aparicio
713-X DISIDENCIA,
Ariel Hidalgo
715-6 MEMORIAS DE UN TAQUÍGRAFO,
Angel V. Fernández
716-4 EL ESTADO DE DERECHO,
Eduardo de Acha
718-0 CUBA POR DENTRO (EL MININT),
Juan Antonio Rodríguez Menier
719-9 MANANA, DETRÁS DEL GENERALÍSIMO (Biografía de Bernarda Toro de Gómez «Manana»), Ena Curnow
721-0 CUBA CANTA Y BAILA (Discografía cubana),
Cristóbal Díaz Ayala
723-7 YO, EL MEJOR DE TODOS(Biografía no autorizada del Che Guevara), Roberto Luque Escalona
727-X MEMORIAS DEL PRIMER CONGRESO DEL PRESIDIO POLÍTICO CUBANO,
Manuel Pozo (ed.)

730-X CUBA: JUSTICIA Y TERROR,
Luis Fernández-Caubí

737-7 CHISTES DE CUBA,
Arly

738-5 PLAYA GIRÓN: LA HISTORIA VERDADERA,
Enrique Ros

739-3 FILOSOFÍA DEL CUBANO Y DE LO CUBANO,
José Sánchez Boudy

740-7 CUBA: VIAJE AL PASADO,
Roberto A. Solera

743-1 MARTA ABREU, UNA MUJER COMPRENDIDA
Pánfilo D. Camacho

745-8 CUBA: ENTRE LA INDEPENDENCIA Y LA LIBERTAD,
Armando P. Ribas

746-8 A LA OFENSIVA,
Eduardo de Acha

747-4 LA HONDA DE DAVID,
Mario Llerena

752-0 24 DE FEBRERO DE 1895: UN PROGRAMA VIGENTE
Jorge Castellanos

753-9 CUBA ARQUITECTURA Y URBANISMO,
Felipe J. Préstamo

754-7 VIDA Y MILAGROS DE LA FARÁNDULA DE CUBA III,
Rosendo Rosell

756-3 LA SANGRE DE SANTA ÁGUEDA (ANGIOLILLO, BETANCES Y CÁNOVAS), Frank Fernández

760-1 ASÍ ERA CUBA (COMO HABLÁBAMOS, SENTÍAMOS Y ACTUÁBAMOS),
Daniel Román

765-2 CLASE TRABAJADORA Y MOVIMIENTO SINDICAL EN CUBA I (1819-1959), Efrén Córdova

766-0 CLASE TRABAJADORA Y MOVIMIENTO SINDICAL EN CUBA II (1959-1996), Efrén Córdova

768-7 LA INOCENCIA DE LOS BALSEROS,
Eduardo de Acha

773-3 DE GIRÓN A LA CRISIS DE LOS COHETES: LA SEGUNDA DERROTA,
Enrique Ros

779-2 ALPHA 66 Y SU HISTÓRICA TAREA,
Miguel L. Talleda

786-5 POR LA LIBERTAD DE CUBA (RESISTENCIA, EXILIO Y REGRESO), Néstor Carbonell Cortina

792-X CRONOLOGÍA MARTIANA,
Delfín Rodríguez Silva

794-6 CUBA HOY (la lenta muerte del castrismo),
Carlos Alberto Montaner

795-4 LA LOCURA DE FIDEL CASTRO,
Gustavo Adolfo Marín

796-2 MI INFANCIA EN CUBA: LO VISTO Y LO VIVIDO POR UNA NIÑA CUBANA DE DOCE AÑOS, Cosette Alves Carballosa

798-9 APUNTES SOBRE LA NACIONALIDAD CUBANA,
Luis Fernández-Caubí

803-9 AMANECER. HISTORIAS DEL CLANDESTINAJE (LA LUCHA DE LA RESISTENCIA CONTRA CASTRO DENTRO DE CUBA, Rafael A. Aguirre Rencurrell

804-7 EL CARÁCTER CUBANO (Apuntes para un ensayo de Psicología Social), Calixto Masó y Vázquez

805-5 MODESTO M. MORA, M.D. LA GESTA DE UN MÉDICO, Octavio R. Costa

808-X RAZÓN Y PASÍON (Veinticinco años de estudios cubanos), Instituto de Estudios Cubanos

814-4 AÑOS CRÍTICOS: DEL CAMINO DE LA ACCIÓN AL CAMINO DEL ENTENDIMIENTO, Enrique Ros

820-9 VIDA Y MILAGROS DE LA FARÁNDULA CUBANA. Tomo IV, Rosendo Rosell

821-7 THE MARIEL EXODUS: TWENTY YEARS LATER. A STUDY ON THE POLITICS OF STIGMA AND A RESEARCH BIBLIOGRAPHY, Gastón A. Fernández

823-3 JOSÉ VARELA ZEQUEIRA (1854-1939); SU OBRA CIENTÍFICO-LITERARIA, Beatriz Varela

828-4 BALSEROS: HISTORIA ORAL DEL ÉXODO CUBANO DEL '94 / ORAL HISTORY OF THE CUBAN EXODUS OF '94, Felicia Guerra y Tamara Álvarez-Detrell

831-4 CONVERSANDO CON UN MÁRTIR CUBANO: CARLOS GONZÁLEZ VIDAL, Mario Pombo Matamoros

832-2 TODO TIENE SU TIEMPO, Luis Aguilar León

838-1 8-A: LA REALIDAD INVISIBLE, Orlando Jiménez-Leal

840-3 HISTORIA ÍNTIMA DE LA REVOLUCIÓN CUBANA, Ángel Pérez Vidal

841-1 VIDA Y MILAGROS DE LA FARÁNDULA CUBANA / Tomo V, Rosendo Rosell

848-9 PÁGINAS CUBANAS tomo I, Hortensia Ruiz del Vizo

849-7 PÁGINAS CUBANAS tomo II, Hortensia Ruiz del Vizo

851-2 APUNTES DOCUMENTADOS DE LA LUCHA POR LA LIBERTAD DE CUBA, Alberto Gutiérrez de la Solana

860-8 VIAJEROS EN CUBA (1800-1850), Otto Olivera

861-6 GOBIERNO DEL PUEBLO: OPCIÓN PARA UN NUEVO SIGLO, Gerardo E. Martínez-Solanas

862-4 UNA FAMILIA HABANERA, Eloísa Lezama Lima

866-7 NATUMALEZA CUBANA, Carlos Wotzkow

868-3 CUBANOS COMBATIENTES: peleando en distintos frentes, Enrique Ros

869-1 QUE LA PATRIA SE SIENTA ORGULLOSA (Memorias de una lucha sin fin), Waldo de Castroverde

870-5 EL CASO CEA: intelectuales e inquisodres en Cuba ¿Perestroika en la Isla?, Maurizio Giuliano

874-8 POR AMOR AL ARTE (Memorias de un teatrista cubano 1940-1970), Francisco Morín

875-6 HISTORIA DE CUBA, Calixto C. Masó
Nueva edición al cuidado de Leonel de la Cuesta, ampliada con índices y cronología de la historia de Cuba hasta 1992.

876-4 CUBANOS DE DOS SIGLOS: XIX y XX. ENSAYISTAS y CRÍTICOS, Elio Alba Buffill

880-2 ANTONIO MACEO GRAJALES: EL TITÁN DE BRONCE
José Mármol

882-9 EN TORNO A LA CUBANÍA (estudios sobre la idiosincrasia cubana), Ana María Alvarado

886-1 ISLA SIN FIN (Contribución a la crítica del nacionalismo cubano), Rafael Rojas

891-8 MIS CUATRO PUNTOS CARDINALES, Luis Manuel Martínez

895-0 MIS TRES ADIOSES A CUBA (DIARIO DE DOS VIAJES), Ani Mestre

901-9 40 AÑOS DE REVOLUCIÓN CUBANA (El legado de Castro), Efrén Córdova, Editor

907-8 MANUAL DEL PERFECTO SINVERGÜENZA, Tom Mix (José M. Muzaurieta)

908-6 LA AVENTURA AFRICANA DE FIDEL CASTRO, Enrique Ros

910-8 MIS RELACIONES CON EL GENERAL BATISTA, Roberto Fernández Miranda

912-4 ESTRECHO DE TRAICIÓN, Ana Margarita Martínez y Diana Montané

915-9 GUERRAS ALCALDICIAS (La lucha por la alcaldía de Miami /1980 a 2000), Antonio R. Zamora

922-1 27 DE NOVIEMBRE DE 1871. FUSILAMIENTO DE OCHO ESTUDIANTES DE MEDICINA, William A. Fountain

926-4 GUANTÁNAMO Y GITMO (Base naval de los Estados Unidos en Guantánamo), López Jardo

929-9 EL GARROTE EN CUBA, Manuel B. López Valdés
(Edición de Humberto López Cruz

31-0 EL CAIMÁN ANTE EL ESPEJO. Un ensayo de interpretación de lo cubano, Uva de Aragón (segunda edición revisada y ampliada)

34-5 MI VIDA EN EL TEATRO, María Julia Casanova

37-x EL TRABAJO FORZOSO EN CUBA, Efrén Córdova

39-6 CASTRO Y LAS GUERRILLAS EN LATINOAMÉRICA, Enrique Ros

42-6 TESTIMONIOS DE UN REBELDE (Episodios de la Revolución Cubana 1944-1963), Orlando Rodríguez Pérez

44-2 DE LA PATRIA DE UNO A LA PATRIA DE TODOS, Ernesto F. Betancourt

45-0 CRONOLOGÍA HISTÓRICA DE CUBA (1492-2000), Manuel Fernández Santalices.

946-9 BAJO MI TERCA LUCHA CON EL TIEMPO. MEMORIAS 1915-2000, Octavio R. Costa
949-3 MEMORIA DE CUBA, Julio Rodríguez-Luis
951-8 LUCHAS Y COMBATES POR CUBA (MEMORIAS), José Enrique Dausá
952-3 ELAPSO TEMPORE, Hugo Consuegra
953-1 JOSÉ AGUSTÍN QUINTERO: UN ENIGMA HISTÓRICO EN EL EXILIO CUBANO DEL OCHOCIENTOS, Jorge Marbán
955-8 NECESIDAD DE LIBERTAD (ensayos-artículos-entrevistas-cartas), Reinaldo Arenas
956-6 FÉLIX VARELA PARA TODOS / FELIX VARELA FOR ALL, Rabael B. Abislaimán
957-4 LOS GRANDES DEBATES DE LA CONSTITUYENTE CUBANA DE 1940, Edición de Néstor Carbonell Cortina
965-5 CUBANOS DE ACCIÓN Y PENSAMIENTO, Octavio R. Costa (65 biografías de protagonistas y hacedores de la historia de Cuba)
967-1 HISTORIA DE LA VILLA DE SAGUA LA GRANDE Y SU JURISDICCIÓN, Antonio Miguel Alcover y Beltrán (DOCUMENTOS-APUNTES-RESEÑAS-MONOGRAFÍAS-CONSIDERACIONES) Reedición facsímil de la edición de 1905). Prólogo de Juan Barturen. Epílogo de Luis Gómez Domínguez.
968-x AMÉRICA Y FIDEL CASTRO, Américo Martín
974-4 CONTRA EL SACRIFICIO / DEL CAMARADA AL BUEN VECINO / Una polémica filosófica cubana para el siglo XXI, Emilio Ichikawa
975-2 VOLVIENDO LA MIRADA (memorias 1981-1988), César Leante
979-5 CENTENARIO DE LA REPÚBLICA CUBANA (1902-2002), William Navarrete y Javier de Castro Mori, Editores.
980-9 HUELLAS DE MI CUBANÍA, José Ignacio Rasco
982-5 INVENCIÓN POÉTICA DE LA NACIÓN CUBANA, Jorge Castellanos
983-3 CUBA: EXILIO Y CULTURA. / MEMORIA DEL CONGRESO DEL MILENIO, Asociación Nacional de Educadores Cubano-Americanos y Herencia Cultural Cubana. Julio Hernández-Miyares, Gastón Fernández de la Torriente y Leonardo Fernández Marcané, Editores
987-6 NARCOTRÁFICO Y TAREAS REVOLUCIONARIAS. EL CONCEPTO CUBANO, Norberto Fuentes
988-4 ERNESTO CHE GUEVARA: MITO Y REALIDAD, Enrique Ros
991-4 CARUCA (1917-2000), Octavio R. Costa
995-7 LA MIRADA VIVA, Alberto Roldán
8-006-5 FIDEL CASTRO Y EL GATILLO ALEGRE. LOS AÑOS UNIVERSITARIOS, Enrique Ros
8-000-6 LA POLÍTICA DEL ADIÓS, Rafael Rojas

Otros libros publicados en la

COLECCIÓN FÉLIX VARELA

(Obras de pensamiento cristiano y cubano)

1) 815-2 MEMORIAS DE JESÚS DE NAZARET, José Paulos
2) 833-0 CUBA: HISTORIA DE LA EDUCACIÓN CATÓLICA 1582-1961 (2 vols.), Teresa Fernández Soneira
3) 842-x EL HABANERO, Félix Varela (con un estudio de José M. Hernández e introducción por Mons. Agustín Román)
4) 867-5 MENSAJERO DE LA PAZ Y LA ESPERANZA (Visita de Su Santidad Juan Pablo II a Cuba). Con homilías de S.E. Jaime Cardenal Ortega y Alamino, D.D.
5) 871-3 LA SONRISA DISIDENTE (Itinerario de una conversión), Dora Amador
6) 885-3 MI CRUZ LLENA DE ROSAS (Cartas a Sandra, mi hija enferma), Xiomara J. Pagés
7) 888-8 UNA PIZCA DE SAL I, Xiomara J. Pagés
8) 892-6 SECTAS, CULTOS Y SINCRETISMOS, Juan J. Sosa
9) 897-7 LA NACIÓN CUBANA: ESENCIA Y EXISTENCIA, Instituto Jacques Maritain de Cuba
10) 903-5 UNA PIZCA DE SAL II, Xiomara J. Pagés
11) 921-3 FRASES DE SABIDURÍA (Ideario), Félix Varela (Edición de Rafael B. Abislaimán)
12) 924-8 LA MUJER CUBANA: HISTORIA E INFRAHISTORIA, Instituto Jacques Maritain de Cuba
13) 941-8 EL SANTERO CUBANO. Religiones Afrocubanas y Fe Cristiana, P. Raúl Fernández Dago
14) 948-5 GOTITAS DE FE, Xiomara J. Pagés
15) 956-7 FÉLIX VARELA PARA TODOS / FÉLIX VARELA FOR ALL (1788-1853). LA PERSONA, SU MUNDO Y SU LEGADO / THE PERSON, HIS WORLD AND HIS LEGACY. Rafael B. Abislaimán
16) 981-7 CON LA ESTRELLA Y LA CRUZ—HISTORIA DE LA FEDERACIÓN DE LAS JUVENTUDES DE ACCIÓN CATÓLICA CUBANA (2 vols.), Teresa Fernández Soneira
17) 985-x HISTORIA DE LA IGLESIA CATÓLICA EN CUBA (2 vols.), Monseñor Ramón Suárez Polcari
18) 998-1 EL PROYECTO VARELA, Alberto Muller
19) 334-7 EL DESAFÍO DE LA SÁBANA SANTA, Instituto de Solidaridad Cristiana
20) 8-002-2 APUNTES DE ESPIRITUALIDAD IGNACIANA (De algunas conferencias, meditaciones y pláticas de Ejercicios Espirituales), Federico Arvesú, S.J, M.D.